FOME DE SABER

A marca FSC® é a garantia de que a madeira utilizada na fabricação do papel deste livro provém de florestas que foram gerenciadas de maneira ambientalmente correta, socialmente justa e economicamente viável, além de outras fontes de origem controlada.

RICHARD DAWKINS

Fome de saber

A formação de um cientista — Memórias

Tradução
Érico Assis

Companhia Das Letras

Grafia atualizada segundo o Acordo Ortográfico da Língua Portuguesa de 1990, que entrou em vigor no Brasil em 2009.

As passagens de *Henrique IV* (p. 125) e *A tempestade* (p. 182), de William Shakespeare, foram extraídas respectivamente dos volumes *Dramas históricos: Teatro completo* e *Comédias: Teatro completo*, ambos traduzidos por Carlos Alberto Nunes e publicados pela Agir em 2008.

Título original
An Appetite for Wonder: The Making of a Scientist — A Memoir

Capa
Claudia Espínola de Carvalho

Foto de capa
The LIFE Images Collection/ Getty Images

Preparação
Percival de Carvalho

Índice remissivo
Luciano Marchiori

Revisão
Thaís Totino Richter
Carmen T. S. Costa

Dados Internacionais de Catalogação na Publicação (CIP)
(Câmara Brasileira do Livro, SP, Brasil)

Dawkins, Richard
Fome de saber: a formação de um cientista: memórias/Richard Dawkins; tradução Érico Assis. — 1ª ed. — São Paulo: Companhia das Letras, 2015.

Título original: An Appetite for Wonder: The Making of a Scientist: A Memoir
ISBN 978-85-359-2583-8

1. Cientistas – Grã-Bretanha – Biografia 2. Dawkins, Richard, 1941 – Infância e juventude 3. Etólogo – Grã-Bretanha – Biografia I. Título.

15-02348 CDD-509.2

Índice para catálogo sistemático:
1. Cientistas: Biografia e obra 509.2

[2015]

EDITORA SCHWARCZ S.A.
Rua Bandeira Paulista, 702, cj. 32
04532-002 — São Paulo — SP
Telefone: (11) 3707-3500
Fax: (11) 3707-3501
www.companhiadasletras.com.br
www.blogdacompanhia.com.br

Para minha mãe e minha irmã,
que dividiram esses anos comigo,
e à memória de meu pai, de quem
todos nós sentimos saudade.

Sumário

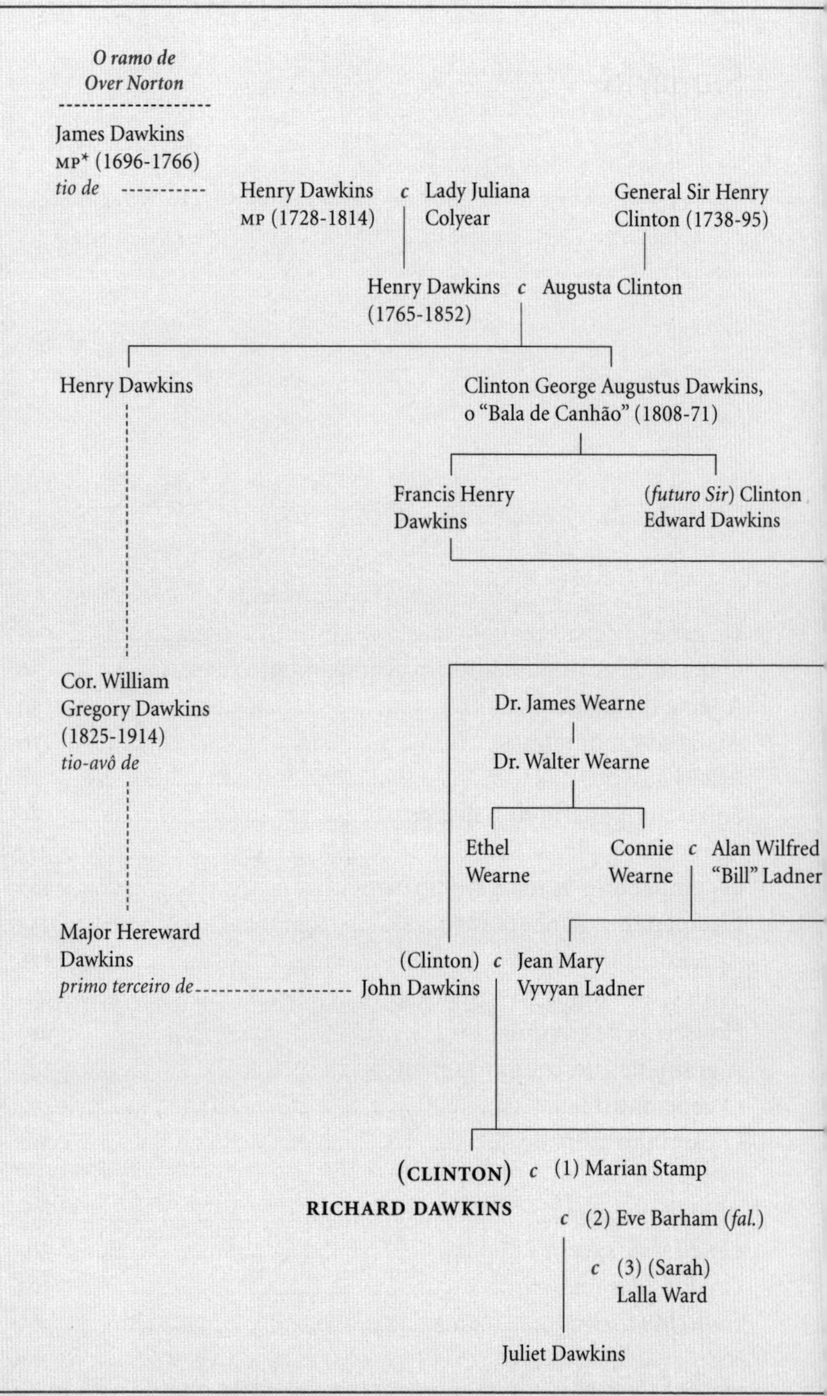

* MP: designação de parlamentares da Câmara dos Comuns do Reino Unido. (N. T.)

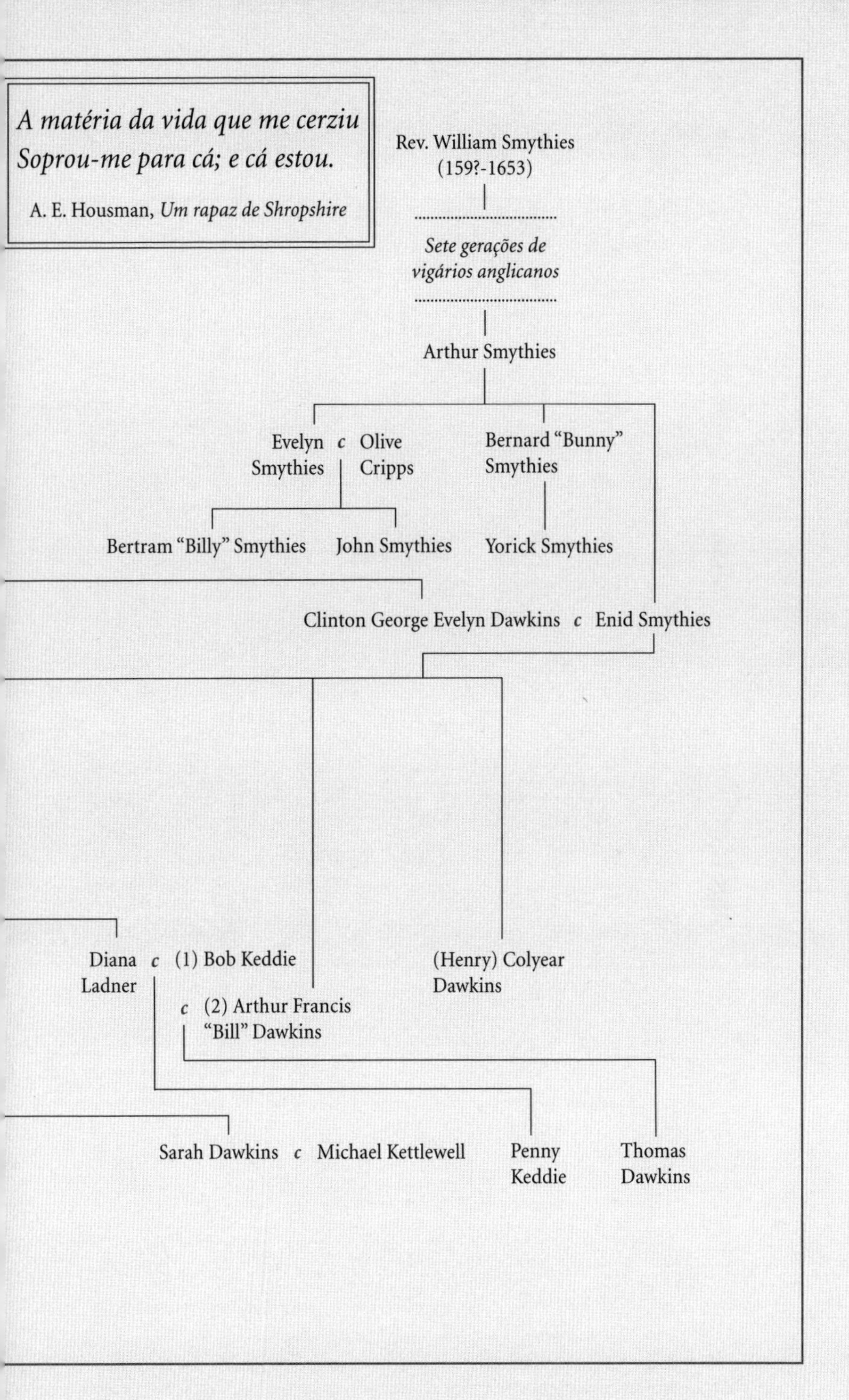
A matéria da vida que me cerziu
Soprou-me para cá; e cá estou.
A. E. Housman, Um rapaz de Shropshire
Rev. William Smythies
(159?-1653)
Sete gerações de
vigários anglicanos
Arthur Smythies
Evelyn Smythies
c
Olive Cripps
Bernard "Bunny" Smythies
Bertram "Billy" Smythies
John Smythies
Yorick Smythies
Clinton George Evelyn Dawkins
c
Enid Smythies
Diana Ladner
c
(1) Bob Keddie
c
(2) Arthur Francis "Bill" Dawkins
(Henry) Colyear Dawkins
Sarah Dawkins
c
Michael Kettlewell
Penny Keddie
Thomas Dawkins

De genes e capacetes coloniais

"Muito prazer, Clint." O simpático agente alfandegário não sabia que, entre os britânicos, às vezes o primeiro nome vem da família e o segundo é o que os pais pretendem que o filho de fato utilize. Serei sempre Richard, assim como meu pai sempre foi John. Nosso primeiro nome, Clinton, era uma coisa que se costumava esquecer, tal como fora a intenção de nossos progenitores. Para mim, não passa de um incômodo que eu dispensaria com prazer (não obstante o fortúnio de me dar as mesmas iniciais de Charles Robert Darwin). Mas, enfim, era impossível prever as diretrizes do Departamento de Segurança Interna dos Estados Unidos. Não contentes em inspecionar nossos calçados e racionar nosso creme dental, eles decretaram ainda que todo aquele que intencione entrar nos Estados Unidos use durante a viagem o primeiro nome, exatamente como está escrito no passaporte. De modo que, ao comprar as passagens para o país, tive de renunciar à minha identificação vitalícia como Richard para me reconstituir Clinton R. Dawkins — assim como fiz ao preencher aqueles importantíssimos formulários: aqueles que exigem que você negue expressamente desejar ingressar nos Estados Unidos para derrubar o governo por força armada. ("Propósito exclusivo da visita", respondeu o radialista britânico Gilbert Harding ao preencher um desses; hoje em dia tal leviandade deixaria o sujeito em maus lençóis.)

Clinton Richard Dawkins, portanto, é o nome que consta em minha certidão de nascimento e passaporte, assim como meu pai era Clinton John. Só que ele não foi o único C. Dawkins cujo nome saiu no *Times* como pai de um garoto nascido em março de 1941 na Clínica Eskotene, em Nairóbi. O outro era o reverendo Cuthbert Dawkins, um missionário anglicano sem parentesco com nossa família. Minha mãe recebeu, estupefata, uma chuva de congratulações de bispos e clérigos da Inglaterra, todos desconhecidos dela mas ainda assim muito gentis em invocar as bênçãos de Deus sobre o filho recém-nascido. Não há como saber se as bênçãos que se extraviaram do filho de Cuthbert surtiram algum efeito benéfico em mim, mas o fato é que ele seguiu os passos missionários do seu pai e eu segui os de biólogo do meu. Minha mãe brinca até hoje que eu bem posso ter sido trocado. Folgo em dizer que não apenas a semelhança física com meu pai assegura que não fui, como também o fato de eu nunca ter me sentido destinado à Igreja.

O nome Clinton entrou na família Dawkins quando meu tetravô Henry Dawkins (1765-1852) se casou com Augusta, filha do general Sir Henry Clinton (1738-95), o qual, quando comandante-chefe das forças britânicas de 1778 a 1782, foi em parte responsável pela derrota da Grã-Bretanha na Guerra da Independência dos Estados Unidos. As circunstâncias do casamento tornam o acréscimo de seu nome à família Dawkins um ato um tanto quanto atrevido. O trecho a seguir vem da história da Great Portland Street, rua onde morava o general Clinton.

> Em 1788, sua filha fugiu para casar-se dentro de um coche de aluguel com o sr. Dawkins, que despistou os perseguidores contratando mais meia dúzia de coches e dispondo-os nas esquinas da rua que dava na Portland Place e orientando cada cocheiro a disparar numa direção diferente.*

Queria poder reclamar esse adorno do brasão familiar como inspiração para Lord Ronald de Stephen Leacock, que "pulou sobre seu cavalo e saiu galopando loucamente em todas as direções". Também quero pensar que herdei parte da desenvoltura de Henry Dawkins, para não mencionar seu fervor. Mas isso é improvável, dado que só uma 32ª parte do meu genoma deriva dele. Fora que uma 64ª parte vem do próprio general Clinton, e jamais demonstrei nenhum sinal de inclinação militarista. *Tess d'Urbervilles* e *O cão dos Baskerville* não são as únicas obras de ficção que suscitam "retrocessos" hereditários a ancestrais longínquos, esquecendo que a proporção de genes compartilhados é dividida ao meio a cada geração e por isso se extingue exponencialmente — ou assim seria se não fosse o casamento entre primos, que se torna mais frequente quanto mais distante for o parentesco primal, de modo que somos todos mais ou menos primos distantes.

Há um fato notável que você pode comprovar sem nem se levantar da poltrona: se você voltar o bastante numa máquina do tempo, todo indivíduo que der na sua vista e tiver descendentes humanos vivos deverá ser ancestral de todas as pessoas vivas hoje. Caso sua máquina do tempo tenha viajado o suficiente ao passado distante, todos que você encontra são ancestrais ou de todas as pessoas vivas em 2014 ou de ninguém. Seguindo o método do *reductio ad absurdum*, tão amado pelos matemáticos,

* Henry Benjamin Wheatley e Peter Cunningham, *London Past and Present*. Londres: John Murray, 1891. 2 v., p. 109.

pode-se ver que isso é inegável em relação a nossos ancestrais písceos do Devoniano (o meu peixe é obrigatoriamente o mesmo peixe que o seu, pois seria absurdo que os descendentes do seu peixe e os descendentes do meu peixe tenham permanecido castos por 300 milhões de anos e mantido até hoje a capacidade de procriar). A única pergunta é o quanto você precisa voltar para aplicar esse raciocínio. Por certo não precisa chegar aos antepassados ictíicos, mas quanto? Bem, num cálculo rápido e grosseiro, posso dizer que, se a rainha da Inglaterra descende de Guilherme I, é bem provável que meus leitores britânicos também sejam descendentes dele (e — excluída alguma remota improbabilidade — eu também, assim como todo indivíduo de pedigree registrado).

O segundo filho de Henry e Augusta, Clinton George Augustus Dawkins (1808-71), foi um dos poucos Dawkins que chegaram a usar o nome Clinton. Tenha ele herdado ou não o fervor do pai, quase o perdeu em 1849 durante o bombardeio austríaco a Veneza, onde Henry era o cônsul britânico. Tenho entre minhas posses uma bala de canhão repousando sobre um pedestal com uma placa de metal que registra uma dedicatória. Não sei de quem é a voz autoral e não sei o quanto é confiável, mas, seja como for, aqui vai minha tradução (do francês, então idioma oficial da diplomacia):

> Uma noite, na cama, uma bala de canhão perfurou as cobertas e passou entre suas pernas, felizmente sem lhe causar nenhum dano sério. De início achei que fosse história da carochinha, até vir a descobrir, sem margem para dúvida, que era a mais pura verdade. Um colega seu, um suíço, encontrou-o mais tarde em meio ao cortejo fúnebre de um cônsul norte-americano. Ao ser questionado pelo colega, ele confirmou tudo aos risos e observou que era exatamente por esse motivo que mancava.

Essa ocasião em que as partes vitais do meu ancestral se safaram por pouco foi antes de ele ter chegado a utilizá-las, e fico tentado a atribuir minha existência a um golpe de sorte balística. Por alguns centímetros, eu não estaria aqui... O fato é que a minha existência, a sua e a do carteiro pendem todas por um fio de sorte ainda mais delgado. Devemos nossa existência à precisa combinação no tempo e no espaço de tudo que já aconteceu desde o princípio do universo. O incidente da bala de canhão é só um exemplo dramático de um fenômeno muito mais geral. Como já expus alhures, se o segundo dinossauro à esquerda da cicadófita não tivesse espirrado e, assim, tivesse conseguido pegar o minúsculo semimusaranho ancestral dos mamíferos, nenhum de nós estaria aqui. Todos podemos nos considerar formidavelmente improváveis. Mas, num triunfo retrospectivo, aqui estamos.

O segundo filho de C. G. A. Dawkins (o "Bala de Canhão"), (futuro Sir) Clinton Edward Dawkins (1859-1905), foi um dos vários Dawkins a estudar no Balliol College, em Oxford. Passou por lá no momento certo para ser imortalizado nas rimas Balliol,* publicadas originalmente num panfleto chamado *The Masque of Balliol*, em 1881. Na primavera daquele ano, sete graduandos compuseram e imprimiram versos difamatórios a respeito de grandes figuras da faculdade. O mais famoso é o que celebra o diretor de Balliol, Benjamin Jowett, composto por H. C. Beeching, então futuro decano da Catedral de Norwich:

First come I, my name is Jowett.
There's no knowledge but I know it.

* *Balliol rhyme* é uma forma irregular de versificação, associada ao Balliol College, com uma métrica peculiar e tema quase sempre centrado em uma pessoa. (N. E.)

I am Master of this College,
*What I don't know isn't knowledge.**

Menos espirituosos, mas para mim intrigante, são os versos sobre Clinton Edward Dawkins:

Positivists ever talk in
Such an epic style as Dawkins;
God is naught and Man is all,
*Spell him with a capital.***

Livres-pensadores não eram comuns no período vitoriano. Queria ter conhecido meu tio-bisavô Clinton (em criança cheguei a conhecer duas de suas irmãs mais novas, já velhinhas, uma das quais tinha duas arrumadeiras chamadas — estranhei a convenção de usar sobrenomes — Johnson e Harris). E o que dizer desse "tom épico"?

Creio que foi Sir Clinton quem viria a subsidiar meu avô, seu sobrinho Clinton George Evelyn Dawkins, para matricular-se em Balliol — onde, ao que parece, ele fez pouco além de remar. Há uma fotografia (reproduzida no primeiro caderno de imagens) de meu avô no rio, preparando-se para remar, que evoca maravilhosamente o alto verão edwardiano em Oxford. Poderia servir de cenário para o *Zuleika Dobson*, de Max Beerbohm. Os convidados enchapelados estão todos de pé na barcaça da faculdade, a casa flutuante que todo clube universitário de canoagem possuía até não muito tempo atrás. É uma pena que tenham sido substituídas pelos atracadouros atuais, de alvenaria, utilitários.

* Em tradução livre: "Primeiro venho eu, meu nome é Jowett./ Não há saber, mas disso eu sei./ Sou diretor desta faculdade,/ O que eu não sei não é saber". (N. T.)

** Em tradução livre: "Os positivistas são de falar/ Em tom épico como o de Dawkins;/ Deus é nada e o Homem é tudo,/ Que se lhe atribua a maiúscula". (N. T.)

(Uma ou duas dessas barcaças continuam em uso ainda hoje — se não em água, pelo menos em terra — como barcos-casas, tendo sido rebocadas para seu descanso aquático nos remansos e rios dos arredores de Oxford, entre galinhas-d'água e mergulhões.) É gritante a semelhança de aparência entre meu avô e dois de seus filhos, meu pai e meu tio Colyear. As semelhanças entre familiares me fascinam, embora tendam a se dissipar com o avançar das gerações.

Meu avô adorava Balliol e armou um esquema para ficar por lá muito além do período permitido a um graduando — só para continuar na canoagem, suspeito. Quando eu o visitava, ele já idoso, a faculdade era o assunto principal, e ele sempre perguntava se ainda usávamos as gírias edwardianas (mesmo que eu já tivesse explicado várias vezes que não): "mugger" no lugar de "master" [diretor], "wagger pagger" no lugar de "wastepaper basket" [cesta de lixo]; "Maggers' Memogger" no lugar de "Martyrs' Memorial" [Memorial dos Mártires] — a cruz em frente a Balliol, erguida em homenagem aos três bispos anglicanos queimados vivos em Oxford no ano de 1555 por seu vínculo ao sabor equivocado do cristianismo.

Uma de minhas últimas lembranças com o avô Dawkins é a de levá-lo a seu último Gáudio Balliol (o jantar de reencontro de antigos estudantes, com uma turma de idade diferente a cada ano). Cercado de antigos camaradas empurrando andadores e ornamentados com corneta acústica e pincenê, ele foi reconhecido por um que se permitiu o sarcasmo óbvio: "Opa, Dawkins. Ainda remando pelo Clube Leander?". Ao deixá-lo, notei nele certa expressão de desamparo entre os rapazes da velha guarda. Alguns deles decerto haviam lutado na Guerra dos Bôeres e eram, portanto, os devidos homenageados do famoso poema de Hilaire Belloc "Aos homens de Balliol ainda na África":

Years ago, when I was at Balliol,
Balliol men — and I was one —
Swam together in winter rivers,
Wrestled together under the sun.
And still in the heart of us, Balliol, Balliol,
Loved already, but hardly known,
Welded us each of us into the others:
Called a levy and chose her own.
Here a House that armours a man
With the eyes of a boy and the heart of a ranger
And a laughing way in the teeth of the world
And a holy hunger and thirst for danger:

Balliol made me, Balliol fed me,
Whatever I had she gave me again:
And the best of Balliol loved me and led me.
*God be with you, Balliol men.**

Foi com muita dificuldade que li esse poema no funeral de meu pai, em 2011, e mais uma vez no ano seguinte em um panegírico a Christopher Hitchens, outro homem de Balliol, na Convenção Ateísta Global, em Melbourne. Com muita dificuldade porque, mesmo em ocasiões mais alegres, lacrimejo com uma facilidade vergonhosa ao recitar um poema amado, e esse de Belloc em especial é um dos mais humilhantes.

* Em tradução livre: "Há muitos anos, quando estava eu em Balliol,/ Os homens de Balliol — eu entre eles —/ Nadávamos juntos em rios invernais,/ Digladiávamos juntos sob o sol./ E ainda em nossos corações, Balliol, Balliol,/ Já amada, mas tão saudosa,/ Fundiu-nos todos uns aos outros:/ Fez a recruta e escolheu os seus./ Esta é a casa que encouraça o homem/ Com olhos de menino e coração de caçador/ E um jeito risonho à beira do abismo/ E com fome sagrada e sede de perigo:// Balliol me fez, Balliol me nutriu,/ Tudo que eu tinha ela me deu de novo:/ E o melhor de Balliol me amou e me conduziu./ Deus esteja convosco, homens de Balliol". (N. T.)

Depois de deixar Balliol, meu avô fez carreira, assim como muitos de minha família, no Serviço Colonial. Foi nomeado conservador de florestas no seu distrito da Birmânia, onde passou longos períodos em pontos remotos das florestas de madeira de lei, supervisionando o trabalho pesado executado por elefantes lenhadores de notável destreza. Em 1921, estava embrenhado entre árvores de teca quando lhe chegou a notícia — gosto de imaginar que foi entregue por um mensageiro levando, numa das mãos, a carta e, na outra, uma forquilha — do nascimento de seu filho mais novo, Colyear (batizado em homenagem a Lady Juliana Colyear, mãe do audaz Henry, aquele que fugira para se casar com Augusta Clinton). Ficou tão eufórico que, sem aguentar esperar outro transporte, percorreu oitenta quilômetros de bicicleta para estar junto à cama de sua esposa, Enid, onde opinou com orgulho que o novo menino tinha "narizinho de Dawkins". Psicólogos evolucionistas já notaram a avidez com que bebês recém-nascidos são vistoriados em busca de semelhanças com o lado paterno, mais do que com o materno — pelo motivo óbvio de ser mais difícil estar seguro da paternidade que da maternidade.

Colyear era o caçula e John, meu pai, o mais velho de três irmãos. Todos nasceram na Birmânia — quando bebês, atravessavam a selva dentro de cestos presos em varas seguradas por carregadores cuidadosos —, e todos seguiram os passos do pai rumo ao Serviço Colonial, mas em três regiões distintas da África: John na Niassalândia (atual Malaui), o irmão do meio, Bill, em Serra Leoa, e Colyear em Uganda. Bill foi batizado Arthur Francis em homenagem a seus dois avôs, mas era sempre chamado de Bill por conta da semelhança, quando criança, com Bill, o Lagarto, o personagem de Lewis Carroll. John e Colyear eram parecidíssimos quando jovens, a ponto de, um belo dia, alguém interpelar John na rua e lhe perguntar: "Você é você ou seu irmão?". (A história é verídica, o que já não se pode dizer da famosa lenda de que

W. A. Spooner, o diretor de minha faculdade atual em Oxford, cujos desastres oratórios deram origem ao termo "spoonerism",* certa vez cumprimentou um jovem no pátio com a pergunta: "Deixe-me perguntar, nunca me lembro: foi você ou seu irmão que morreu na guerra?".) Com o avançar da idade, Bill e Colyear começaram a ficar mais parecidos um com o outro (e também com o pai), ao contrário de John, pelo menos a meus olhos. É comum que as semelhanças familiares apareçam e desapareçam em vários estágios da vida, um dos motivos por que as considero fascinantes. É fácil esquecer que os genes continuam a exercer seus efeitos ao longo da vida, não apenas durante o desenvolvimento embrionário.

Não houve irmã, para a decepção de meus avós, que haviam guardado para a criança mais jovem o nome Juliana, mas precisaram se contentar com o fidalgo sobrenome dela. Os três irmãos tinham talentos. Colyear era o mais inteligente em termos acadêmicos, e Bill, o mais atlético; tive o orgulho de ver o nome dele no rol dos notáveis do colégio em que estudei mais tarde, como recordista da corrida de cem metros — capacidade que sem dúvida lhe serviu bem no rúgbi quando marcou um ousado *touchdown* para o Exército contra a equipe da Grã-Bretanha, no início da Segunda Guerra Mundial. Não puxei a energia atlética de Bill, mas gosto de acreditar que aprendi a pensar em ciência com meu pai e a explicá-la com meu tio Colyear. Colyear se tornou *don* de Oxford após deixar Uganda e foi muito venerado como brilhante professor de estatística, assunto notoriamente difícil de transmitir aos biólogos. Morreu cedo demais, e a ele dediquei um de meus livros, *O rio que saía do Éden*,

* Troca inusitada dos fonemas iniciais de duas palavras, seja por acidente, seja por trocadilho deliberado (por exemplo, de "bola de gude" para "gula de bode"). (N. E.)

nos seguintes termos: "À memória de Henry Colycar Dawkins (1921-92), *fellow** do St. John's College, Oxford: mestre na arte de deixar as coisas claras".

Os irmãos morreram na ordem inversa de idade, e tenho imensa saudade de todos. No funeral de Bill, meu padrinho e tio, depois de ele falecer aos 93 anos, em 2009, fiz o discurso fúnebre.** Tentei transmitir a ideia de que, embora houvesse muito de ruim no Serviço Colonial Britânico, o que era bom era muito bom; e Bill, assim como os dois irmãos, e assim como Dick Kettlewell, que mencionarei mais à frente,*** estava entre os melhores.

Se é possível dizer que os três irmãos seguiram os passos do pai rumo ao Serviço Colonial, tiveram herança similar também pelo lado da mãe. O avô materno, Arthur Smythies, foi conservador-chefe de florestas em seu distrito na Índia; seu filho Evelyn tornou-se conservador-chefe de florestas no Nepal. Foi a amizade de meu avô Dawkins com Evelyn, forjada quando ambos estudavam silvicultura em Oxford, que o levou a conhecer e se casar com a irmã de Evelyn, Enid, minha avó. Evelyn foi o autor de um livro célebre, *India's Forest Wealth* [A pujança das florestas indianas], lançado em 1925, além de várias obras de referência sobre filatelia. Lamento dizer que a esposa dele, Olive, era afeiçoada à caça de tigres e publicou um livro chamado *Tiger Lady*. Há uma foto dela pisando sobre um tigre, usando um chapéu de safári, com o marido dando um tapinha orgulhoso no ombro dela. A legenda: "Assim que se faz, pequena mulher". Não acho que ela faria meu tipo.

* Em âmbito acadêmico, o *fellow* é um "companheiro intelectual", membro de um grupo de elite da universidade. Realiza pesquisas em cooperação com os outros *fellows* e desfruta de certos benefícios, que podem ir desde o direito de fazer refeições gratuitas à mesa principal da instituição até um estipêndio. (N. E.)

** Ver o apêndice para a web: <www.richarddawkins.net/afw> (em inglês).

*** Cujo obituário escrevi: ver o apêndice para a web.

O filho mais velho de Olive e Evelyn, o taciturno Bertram "Billy" Smythies, primo em primeiro grau de meu pai, também participou do serviço florestal da Birmânia e depois de Sarawak: escreveu as obras de referência *Birds of Burma* [Pássaros da Birmânia] e *Birds of Borneo* [Pássaros de Bornéu]. O último tornou-se uma espécie de bíblia para o escritor viajante (e nem um pouco taciturno) Redmond O'Hanlon em sua hilária jornada *Into the Heart of Borneo* [Rumo ao coração de Bornéu] com o poeta James Fenton.

O irmão mais novo de Bertram, John Smythies, fugiu à tradição familiar e tornou-se neurocientista de renome, autoridade em esquizofrenia e em drogas psicodélicas, tendo residido na Califórnia e por ali levado o crédito de inspirar Aldous Huxley a tomar mescalina e purificar suas "portas da percepção". Recentemente pedi seu conselho sobre a gentil proposta de um amigo para me orientar numa viagem de LSD. Ele foi contra. Yorick Smythies, outro primo em primeiro grau de meu pai, foi devoto amanuense do filósofo Wittgenstein.* Peter Conradi, na biografia que escreveu da romancista Iris Murdoch, identifica Yorick como o "tolo sagrado" em quem ela baseou um de seus personagens de *Sob a rede*, Hugo Belfounder. Devo dizer que é difícil notar a semelhança.

> Yorick queria ser motorista de ônibus, mas, ressaltou [Iris Murdoch], foi o único na história da empresa de transportes a rodar na prova teórica [...]. Durante sua única aula prática, o instrutor saiu do carro enquanto Yorick subia e descia a calçada.

Sem ter conseguido se firmar como motorista de ônibus, e já dissuadido da carreira filosófica por Wittgenstein (e por muitos dos pupilos dele), Yorick foi trabalhar como bibliotecário no de-

* <http://wab.uib.no/ojs/agora-alws/article/view/1263/977>.

partamento de silvicultura de Oxford, o que aparentemente foi seu único vínculo com a tradição familiar. Tinha hábitos excêntricos, era dado ao rapé e ao catolicismo romano e teve uma morte trágica.

Parece que foi Arthur Smythies, avô dos primos Dawkins e Smythies, o primeiro da minha família a ingressar no serviço imperial. Seus ancestrais paternos haviam sido todos clérigos anglicanos, sem exceção ao longo das sete gerações até o hexavô (o reverendo William Smythies, nascido na década de 1590). Creio que não seria improvável, tivesse vivido nos séculos deles, também eu virar clérigo. Sempre me interessei pelas questões profundas da existência, as questões a que a religião aspira a responder (e não consegue), mas tenho a sorte de viver num período em que essas questões ganham respostas científicas em vez de sobrenaturais. De fato, meu interesse pela biologia conduziu-se sobretudo por questionamentos quanto às origens e à natureza da vida, e não pelo amor à história natural — como é o caso da maioria dos jovens biólogos a quem já dei aulas. Pode-se dizer inclusive que frustrei a tradição familiar da devoção pelas atividades ao ar livre e pela história natural em campo. Num breve texto memorialista publicado numa antologia de ensaios autobiográficos de etólogos, escrevi:

> Era para eu ter sido um naturalista mirim. Tinha tudo a meu favor: não só a ambientação perfeita da África tropical, mas também o encaixe perfeito dos genes. Já há muitas gerações que as pernas bronzeadas dos Dawkins vêm dando suas passadas largas em shorts cáqui pelas selvas do Império. Assim como meu pai e seus dois irmãos mais novos, eu já nasci com um capacete colonial na cabeça.*

* Richard Dawkins, "Growing Up in Ethology". In: Lee Drickamer e Donald Dewsbury (Orgs.). *Leaders in Animal Behavior*. Cambridge: Cambridge University Press, 2010.

É fato que meu tio Colyear viria a me dizer, ao ver-me pela primeira vez de shorts (que também eram habituais nos trajes dele, sustentados por dois cintos): "Meu Senhor, mas são genuínos joelhos Dawkins". Em seguida escrevi, a respeito de meu tio Colyear, que o pior que ele podia dizer de um jovem era:

> "Em toda a minha vida, nunca estive em um albergue da juventude" — uma limitação que, infelizmente, descreve-me até hoje. Meu eu jovem parece ter desapontado as tradições familiares.
>
> Recebi todo apoio possível de meus pais — ambos conheciam cada flor silvestre encontrável num penhasco da Cornuália ou num prado alpino, e meu pai entretinha a mim e a minha irmã soltando nomes em latim a esmo (as crianças adoram o som das palavras mesmo que desconheçam o significado). Pouco após chegar à Inglaterra, morri de vergonha quando meu alto e belo avô, já aposentado das florestas da Birmânia, apontou para um chapim-azul na janela e perguntou se eu sabia identificá-lo. Não sabia, e lastimavelmente balbuciei: "Um tentilhão?". Meu avô ficou escandalizado. Na família Dawkins, tal ignorância equivalia a nunca ter ouvido falar de Shakespeare: "Meu Deus, John" — nunca esqueci essas palavras, tampouco a leal escusa de meu pai — "mas *como*?".

Para ser justo com minha meninice, eu acabara de pôr os pés na Inglaterra, e não havia nem chapins-azuis nem tentilhões no leste africano. Seja como for, aprendi tardiamente a apreciar a observação das criaturas silvestres, e nunca fui muito do ar livre como meu pai ou meu avô. Mas sim:

> Tornei-me um leitor clandestino. Nos recessos do internato, eu subia sorrateiramente a meu quarto com um livro — um gazeteiro que fugia do louvável campo, do virtuoso ar livre. E, quando comecei a aprender biologia propriamente dita, no colégio, ainda

era a bibliofilia que me detinha. Atraía-me por questões que os adultos teriam chamado de filosóficas. Qual o sentido da vida? Por que estamos aqui? Como tudo começou?

A família da minha mãe veio da Cornuália. A mãe dela, Connie Wearne, era filha e neta de médicos de Helston (quando criança, imaginei ambas como o dr. Livesey, de *A ilha do tesouro*). Ela própria tinha fervoroso orgulho da sua nacionalidade córnica, e se referia aos ingleses como "estrangeiros". Lamentava ter nascido tarde demais para falar o hoje já extinto idioma da Cornuália, o córnico, mas me contou que em sua infância os velhos pescadores de Mullion entendiam os pescadores bretões "que vinham surrupiar nossos caranguejos". Entre os idiomas britônicos — o galês (vivo), o bretão (moribundo) e o córnico (morto) —, os dois últimos são irmãos na árvore genealógica das línguas. Numerosas palavras córnicas ainda sobrevivem no dialeto córnico do inglês — "quilkin" para "sapo", por exemplo —, e minha avó se virava bem no dialeto. Nós, netos, sempre a convencíamos a recitar um poeminha adorável sobre um garoto que "clunked a bully" (engoliu uma semente de ameixa). Cheguei a gravar uma dessas declamações, e lamento muito ter perdido a fita. Bastante tempo depois, o Google ajudou-me a rastrear as palavras,* e ainda consigo ouvir a voz esganiçada dela a proferi-las, dentro da minha cabeça.

There was an awful pop and towse just now down by the hully,
For that there boy of Ben Trembaa's, aw went and clunked a bully,
Aw ded'n clunk en fitty, for aw sticked right in his uzzle,
And how to get en out again, I tell ee 'twas a puzzle
For aw got chucked, and gasped, and urged, and rolled his eyes, and glazed;
Aw guggled, and aw stank'd about as ef aw had gone mazed.

* Joseph Thomas (Org.), *Randigal Rhymes*. Penzance: F. Rodda, 1895.

Ould Mally Gendall was the fust that came to his relief, —
Like Jimmy Eellis 'mong the cats, she's always head and chief;
She scruffed 'n by the cob, and then, before aw could say "No,"
She fooched her finger down his throat as fur as it would go,
But aw soon catched en 'tween his teeth, and chawed en all the while,
Till she screeched like a whitneck — you could hear her 'most a mile;

And nobody could help the boy, all were in such a fright,
And one said: "Turn a crickmole, son; 'tes sure to put ee right;"
And some ran for stillwaters, and uncle Tommy Wilkin
Began a randigal about a boy that clunked a quilkin;
Some shaked their heads, and gravely said: "'Twas always clear to them
That boy'd end badly, for aw was a most anointed lem,
For aw would minchey, play at feaps, or prall a dog or cat,
Or strub a nest, unhang a gate, or anything like that."

Just then Great Jem stroathed down the lane, and shouted out so bold:
"You're like the Ruan Vean men, soase, don't knaw and waant be told;"
Aw staved right in amongst them, and aw fetched that boy a clout,
Just down below the nuddick, and aw scat the bully out;
That there's the boy that's standing where the keggas are in blowth:
*"Blest! If aw haven't got another bully in his mouth!"**

* Em tradução livre: "Ouviu-se um terrível estrondo e alvoroço ali perto do estoque de iscas vivas,/ Pois que o menino de Ben Trembaa foi lá e engoliu uma semente de ameixa,/ Não desceu bem, que entalou na garganta,/ E como fazê-la sair, vou te dizer que foi um enrosco/ Pois ele se sufocou, e arfou, e enjoou, e os olhos se reviraram e se vidraram;/ Gorgolejou e ficou aos pisoteios como se tivesse endoidecido.// A velha Mally Gendall foi a primeira a vir em seu auxílio, —/ Como o Jimmy Eellis dos gatos, ela sempre foi cabeça e chefe;/ Pegou-o pela

Sou fascinado pela evolução das línguas, e pelo modo como as variedades regionais divergem até virarem dialetos, a exemplo do inglês córnico ou do *geordie*, e então seguem divergindo, imperceptivelmente, até se tornarem ininteligíveis entre si mas com parentesco óbvio, como o alemão e o holandês. A analogia com a evolução genética é próxima o bastante para trazer alguma luz, mas ao mesmo tempo pode ser enganosa. Quando populações divergem para se tornar espécies, o momento da separação é definido como o momento em que elas já não conseguem mais cruzar entre si. Proponho que dois dialetos devam alcançar o status de línguas distintas quando tenham divergido a um ponto crítico análogo: o ponto em que, se um falante nativo de uma língua tenta falar a outra, o ato é tomado como elogio e não como insulto. Se eu fosse a um pub de Penzance e tentasse falar o dialeto do inglês córnico, estaria à procura de encrenca, pois seria visto como zombeteiro. Agora, se vou à Alemanha e tento falar alemão, as pessoas ficam encantadas. O alemão e o inglês tiveram tempo suficiente para divergir. Se eu estiver correto, deve haver exemplos — quem sabe na Escandinávia? — de dialetos que estão a um triz

---

franja e, antes dele poder dizer 'Não',/ Enfiou o dedo goela abaixo até onde dava,/ Mas ele logo a agarrou entre os dentes e começou a morder/ Até ela berrar como uma doninha que se ouvia a uma milha;// E ninguém podia ajudar o menino, todo mundo apavorado,/ E alguém disse: 'Filho, dá uma cambalhota; vai resolver';/ E outros foram atrás de remédios de menta, e o tio Tommy Wilkin/ Começou uma história maluca de um garoto que engoliu um sapo;/ Alguns balançaram a cabeça e em tom grave disseram:/ 'Tava claro pra eles/ Que o menino ia acabar mal, pois era moleque arteiro,/ Que matava aula, jogava cara ou coroa e maltratava cães e gatos,/ Ou roubava de ninhos, escancarava portões, coisas assim'.// Foi então que o Grande Jem por acaso passou pela rua, e gritou, audaz:/ 'Cê parece os homens lá de Ruan Vean, vizinho, não entende e não quer entender';/ Enfiou-se no meio do tumulto e deu uma pancada no menino,/ Logo abaixo da nuca, e a pedrinha saiu voando;/ E lá está o menino, parado onde brota o cerefólio:/ 'Bendito! Se é que não meteu outra semente na boca!'". (N. T.)

de se tornarem idiomas distintos. Numa recente viagem para palestrar em Estocolmo, fui convidado de um *talk show* transmitido na Suécia e na Noruega. O apresentador era norueguês, assim como alguns dos convidados, e informaram-me que não importava em qual dos idiomas se falasse: os públicos de ambos os lados da fronteira entendiam as duas línguas sem esforço. O dinamarquês, por outro lado, é de difícil compreensão para a maioria dos suecos. Minha teoria, assim, recomendaria ao sueco em visita à Noruega evitar falar norueguês por medo de ser interpretado como ofensivo. Mas um sueco em visita à Dinamarca provavelmente faria sucesso se tentasse falar dinamarquês.*

Quando faleceu meu bisavô, o dr. Walter Wearne, a viúva dele se mudou de Helston e construiu uma casa com vista para a enseada de Mullion — no lado oeste da península Lizard —, que desde então é propriedade da família. Uma bela caminhada pelo penhasco entre as armérias da enseada de Mullion levará você até Poldhu, onde ficava a estação de rádio de Guglielmo Marconi, da qual partiu a primeira transmissão radiotelegráfica transatlântica, em 1901. Consistia na letra "s" em código Morse, repetida à exaustão. Como puderam ser tão sem graça em ocasião tão momentosa, dizer algo tão pouco criativo como s s s s s s?

Meu avô materno, Alan Wilfred "Bill" Ladner, também da Cornuália, trabalhou como engenheiro radiofônico a serviço da companhia Marconi. Seu ingresso veio tarde demais para participar da transmissão de 1901, mas ele foi enviado para trabalhar naquela mesma estação em Poldhu por volta de 1913, pouco antes da Primeira Guerra Mundial. Quando a Estação Radiotelegráfica de Poldhu foi desativada, em 1933, Ethel, a irmã mais velha de minha

* Consultei um especialista em idiomas escandinavos, o professor Björn Melander, e ele concordou com a minha teoria da "ofensa ou lisonja", mas acrescentou que há inevitáveis complicações de contexto.

avó (que minha mãe conhecia apenas por "tia", embora ela não fosse sua única tia), conseguiu adquirir algumas chapas grandes de ardósia que haviam sido utilizadas como painéis de instrumentos radiotelegráficos, com buracos furados por broca em padrões que delineavam seu uso — fósseis de uma tecnologia antepassada. Essas chapas vieram a pavimentar o jardim da casa da família em Mullion (ver no primeiro caderno de imagens), onde me inspiraram, quando garoto, a admirar a honrosa profissão exercida por meu pai, a de engenheiro — menos honrosa na Grã-Bretanha do que em outros países, o que talvez ajude a explicar o triste declínio britânico de grande potência manufatureira a indigna fornecedora de "serviços financeiros" (fornecedora muitas vezes, como hoje lamentavelmente se sabe, um tanto suspeita).

Antes da histórica transmissão da Marconi, acreditava-se que a distância máxima de que se podia receber sinais radiofônicos estava limitada à curvatura da Terra. Como é que ondas avançando em linha reta podiam ser captadas para além do horizonte? A resposta foi que as ondas ricocheteiam contra a camada de Heaviside, na alta atmosfera (os sinais de rádio modernos, claro, são refletidos por satélites artificiais). Orgulho-me de dizer que foi o livro de meu avô, *Short Wave Wireless Communication* [Comunicação telegráfica de ondas curtas], que virou referência no assunto, com várias edições publicadas dos anos 1930 aos 1950, até ser superado por volta da época em que as válvulas foram substituídas pelos transistores.

O livro sempre foi lendário na nossa família por sua impenetrabilidade, mas acabo de ler as duas primeiras páginas e estou encantado com sua lucidez.

> O transmissor ideal produziria um sinal elétrico que fosse cópia fiel do sinal gravado e o transmitiria ao vínculo conector com constância perfeita e de tal maneira que não se provocasse interfe-

> rência nenhuma em outros canais. O vínculo conector ideal transmitiria os impulsos elétricos através dele ou sobre ele sem distorcê-los, sem atenuação, e pelo caminho não acumularia nenhum "ruído" vindo de perturbações elétricas outras, de qualquer natureza. O receptor ideal captaria os impulsos elétricos almejados despachados por meio do vínculo conector pelo transmissor do canal e os transformaria, com fidelidade perfeita, na forma desejada para captação visual ou auditiva [...]. Como é altamente improvável que o canal ideal venha a ser criado, devemos procurar chegar a um meio-termo satisfatório.

Desculpe, vovô; desculpe ficar protelando a leitura de seu livro quando você ainda estava aqui para conversarmos — e quando eu já tinha idade para entender mas nem me dei o trabalho de tentar. E você foi dissuadido, pela pressão familiar, de compartilhar a rica reserva de conhecimento que ainda devia se acumular em seu cérebro velho e sagaz. "Não, eu não entendo bulhufas de radiotelegrafia", você resmungava diante da menor aproximação, e prosseguia em seu baixinho e quase incessante assobiar de operetas. Adoraria conversar com você sobre Claude Shannon e sobre a teoria da informação. Adoraria mostrar que os mesmos princípios governam a comunicação entre as abelhas, entre os pássaros e mesmo entre os neurônios. Adoraria que você me explicasse a transformada de Fourier e relembrasse o professor Silvanus Thompson, autor de *Calculus Made Easy* [Cálculo facilitado] ("Se um imbecil consegue, outro consegue também"). Tantas oportunidades desperdiçadas, agora perdidas para sempre. Como pude ter visão tão estreita, tão embaçada? Perdão, espectro de Alan Wilfred Ladner, funcionário da Marconi e amado avô.

Na adolescência, foi o tio Colyear, e não o vovô Ladner, quem me convenceu a montar rádios. Ele me deu um livro de F. J. Camm, no qual encontrei os diagramas para montar primeiro um rádio de galena, que mal funcionava, e depois um rádio de válvula — com uma grande válvula vermelha —, que funcionou um pouquinho melhor mas ainda exigia fones de ouvido em vez de um alto-falante. Era inacreditavelmente malfeito. Eu nunca deixava os fios arrumadinhos; adorava justamente ver como não tinha a menor importância quão caóticos e tortuosos fossem os caminhos que eles tomassem, grampeados no chassi de madeira, desde que cada um se encaixasse no lugar certo. Não vou dizer que me esforçava tanto assim para desorganizar o curso de cada fio, mas decerto ficava fascinado pelo desencontro entre a topologia dos fios, que era vital, e o arranjo físico, que era irrelevante. O contraste com um circuito integrado moderno é absurdo. Muitos anos depois, quando dei as palestras de Natal da Royal Institution para crianças de quase a mesma idade que eu tinha quando montei meu radinho de válvula, peguei emprestado de um fabricante de computadores o colossal diagrama de um circuito integrado atual para mostrar a eles. Espero que meu infante público tenha ficado intimidado e um tantinho aturdido. Embriologistas experimentais já demonstraram que células nervosas em formação costumam encontrar seu órgão-alvo correto mais ou menos da maneira como eu construí meu rádio de válvula, e não seguindo um plano metódico, como faz um circuito integrado.

Voltemos à Cornuália na véspera da Primeira Guerra. Era hábito da minha bisavó convidar os jovens e solitários engenheiros da estação de rádio lá do alto da colina para um chá em Mullion, e foi assim que meus avós se conheceram. Eles namoraram, noivaram, mas bem aí eclodiu a guerra. As habilidades de Bill Ladner como engenheiro radiofônico estavam em alta, e a Marinha Real enviou-o, jovem e inteligente oficial, ao litoral sul do que na época era o Ceilão para construir uma estação de rádio nesse ponto de paragem estrategicamente vital às rotas de navegação do Império.

Connie foi ao seu encontro em 1915; ficou hospedada num vicariato local, onde eles se casaram. Minha mãe, Jean Mary Vyvyan Ladner, nasceu na cidade de Colombo em 1916.

Em 1919, com o fim da guerra, Bill Ladner trouxe a família de volta à Inglaterra: não para a Cornuália, no extremo oeste, mas para a cidade de Chelmsford, condado de Essex, no extremo leste, onde ficava a sede da companhia Marconi. Meu avô foi contratado como professor de jovens engenheiros *trainees* pelo Marconi College, instituição na qual era visto como ótimo professor e acabaria ascendendo a diretor. De início a família morou em Chelmsford, mas depois se mudou para a zona rural, numa adorável casa comunitária chamada Water Hall, construída no século XVI, próxima a um vilarejo disperso chamado Little Baddow.

Little Baddow foi cenário de uma anedota com meu avô que acredito dizer muito sobre a natureza humana. Aconteceu muito tempo depois, durante a Segunda Guerra Mundial. Vovô saiu de bicicleta. Um bombardeiro alemão passou voando e soltou uma bomba (bombardeiros de ambos os lados às vezes soltavam bombas em zonas rurais caso não houvessem conseguido achar seu alvo urbano, pois tinham vergonha de retornar para a base com uma bomba intacta). Vovô calculou mal o local da queda — sua primeira estimativa foi que a bomba havia atingido a Water Hall e assassinado esposa e filha. O pânico parece ter ativado um retrocesso atávico no comportamento ancestral: ele pulou da bicicleta, jogou-a numa vala e *correu* até sua casa. Creio que, em desespero, eu faria o mesmo.

Ao se aposentarem da Birmânia, meus avós Dawkins se mudaram para Little Baddow, em 1934, fixando residência numa mansão chamada The Hoppet. Minha mãe e sua irmã mais nova, Diana, ouviram falar dos meninos Dawkins por uma amiga que, no mais puro estilo Jane Austen, espalhava fofocas sobre jovens solteiros recém-chegados à vizinhança. "Três irmãos vieram morar na Hoppet! O terceiro é muito novinho, o do meio é coisa fina, mas o mais velho é totalmente biruta. Ele passa o tempo todo num brejo jogando argolas para todo lado, aí deita de bruços e fica olhando para elas."

Esse comportamento aparentemente excêntrico do meu pai na verdade era absolutamente racional — não foi a primeira nem a última vez que as motivações de um cientista foram mal compreendidas e postas em dúvida. Ele estava fazendo pesquisa para seu mestrado no departamento de botânica de Oxford sobre a distribuição estatística do capim nos brejos. Seu trabalho exigia que ele identificasse e contasse as plantas usando quadrículas de amostragem em terreno pantanoso — jogar "argolas" (quadrículas) a esmo era o método-padrão para obter amostragem. Seu interesse pela botânica acabou sendo uma das coisas que atraíram minha mãe quando eles se conheceram.

O amor de John pela botânica nasceu cedo, durante um dos recessos do internato que ele e Bill passaram com os avós Smythies. Naqueles tempos, era muito comum no Reino Unido os pais do Serviço Colonial mandarem os filhos, sobretudo os filhos homens, para o internato, e, respectivamente aos sete e aos seis anos, John e Bill foram despachados para o Chafyn Grove, internato de Salisbury onde eu também viria a estudar. Os pais deles permaneceriam mais de uma década na Birmânia e, sem a possibilidade de viagens aéreas, não viam os filhos na maioria dos recessos escolares. Entre os trimestres, os dois garotinhos ficavam em outros lugares, às vezes em internatos profissionais para garotos com pais a serviço das colônias, às vezes com os avós Smythies em Dolton, região de Devon, onde costumavam ter a companhia dos primos Smythies.

Atualmente, essa separação de tão longo prazo entre pais e filhos é vista como algo próximo do horror, mas na época era algo bastante comum e aceito como inevitáveis ossos do ofício imperial e até do diplomático — as viagens internacionais eram longas, demoradas e caras. Os psicólogos infantis talvez suspeitem que o dano fosse permanente. Tanto John como Bill vicejaram em rapazes equilibrados, bem-apessoados e carismáticos, mas pode ter havido outros com menos força para suportar essa privação de infância. O primo Yorick, que já mencionei, era excêntrico e possivelmente deprimido; mas, no caso, ele estudou em Harrow, o que — sem falar na pressão de associar-se a Wittgenstein — talvez explique tudo.

Durante um desses recessos escolares com os avós, o velho Arthur Smythies ofereceu um prêmio para o neto que conseguisse montar a melhor coleção de flores silvestres. John ganhou, e a coleção da meninice virou o cerne de seu próprio herbário, pondo-o no caminho de se tornar botânico profissional. Como eu já disse, o amor pelas flores silvestres era uma das coisas que ele tinha em comum com Jean, minha mãe. Eles também compartilhavam do amor por lugares remotos e ermos, e de um desgosto por companhia ruidosa: não apreciavam festas, ao contrário do irmão de John, Bill, e da irmã de Jean, Diana (que viriam a se casar).

Aos treze anos, John e logo depois Bill deixaram Chafyn Grove e foram enviados para o Marlborough College, em Wiltshire, uma das escolas "públicas" (leia-se particulares — explico isso adiante) mais conhecidas da Inglaterra, originalmente fundada para os filhos do clérigo. O regime era espartano — *cruel*, segundo John Betjeman na sua autobiografia em versos. John e Bill parecem não ter sofrido tanto quanto o poeta — até gostaram do lugar —, mas talvez seja significativo que, quando chegou a vez de Colyear, seis anos depois, os pais decidiram enviá-lo para uma escola mais branda, a Gresham's, em Norfolk. Pelo que imagino, a Gresham's também poderia ter sido boa para John, só que Marlborough tinha um professor lendário de biologia, A. G. Lowndes (o "Tubby"), que provavelmente o inspirou. Lowndes tem em seu histórico vários pupilos famosos, incluindo os grandes zoólogos J. Z. Young e P. B. Medawar e pelo menos sete *fellows* da Royal Society. Medawar foi contemporâneo exato de meu pai; eles entraram para Oxford juntos — Medawar como professor de zoologia em Magdalen, meu pai como professor de botânica em Balliol. No apêndice para a web, reproduzi uma vinheta histórica que é transcrição de um monólogo de Lowndes, registrado ipsis litteris pelo meu pai e quase certamente ouvido por Medawar na mesma sala de aula em Marlborough. Creio que seja de interesse como uma espécie de prenúncio da ideia central do "gene egoísta", embora não tenha me influenciado, pois só descobri a vinheta no caderno de meu pai muito tempo depois de *O gene egoísta* ser publicado.

Depois de se formar em Oxford, meu pai continuou por lá para seu curso de mestrado — aquele mestrado sobre capim que mencionei há pouco. Decidiu então pela carreira no departamento agronômico do Serviço Colonial. Isso exigiria, primeiro, adquirir capacitação mais abrangente em agronomia dos trópicos em Cambridge (onde a senhoria dele tinha um nome memorável: sra. Sparrowhawk)* e mais tarde, após noivar com Jean, no Imperial College of Tropical Agriculture (ICTA), em Trinidad. Em 1939, foi enviado para a Niassalândia (atual Malaui) como oficial agrônomo júnior.

* "Sra. Pardalfalcão", em tradução literal. (N. T.)

Quênia: de acampamento em acampamento

A transferência de John para a África apressou os planos de meus pais, e assim eles casaram-se em 27 de setembro de 1939 na igreja de Little Baddow. John então partiu de navio para a Cidade do Cabo, onde pegou um trem para a Niassalândia, e Jean foi logo depois, em maio de 1940, no hidroavião *Cassiopeia.* A dramática jornada de minha mãe durou uma semana, com várias aterrissagens para reabastecimento; uma delas foi em Roma, o que causou certo nervosismo porque Mussolini estava prestes a entrar na guerra do lado alemão. Se ele tivesse dado esse passo naquele momento, todos os passageiros do *Cassiopeia* teriam ficado confinados enquanto durasse a guerra.

Assim que Jean chegou, John teve de revelar que fora convocado para o King's African Rifles (KAR), no Quênia. O jovem casal teve só um mês de vida conjugal na Niassalândia (durante o qual, segundo minhas contas, eu devo ter sido concebido) antes de ser obrigado a partir. O Batalhão da Niassalândia enviou um comboio terrestre ao Quênia, onde eles chegaram de trem. John deu um jeito de conseguir permissão para escapar do comboio e dirigir por conta própria. A permissão que ele não conseguiu foi para levar a esposa. As esposas coloniais da Niassalândia tinham ordens claras de ficar para trás, ou ir para a Inglaterra ou para a África do Sul, enquanto os maridos embarcavam na longa jornada da guerra. Até onde se sabe, minha mãe foi a única que descumpriu a ordem. Meus fantásticos pais planejaram o contrabando dela para o Quênia — o que rendeu problemas mais tarde, como hei de narrar.

Em 6 de julho de 1940, John e Jean, junto com o criado Ali, companheiro leal e futura presença importante na minha juventude, partiram no "Lucy Lockett", o velho calhambeque Ford deles. Mantiveram um diário conjunto da jornada, do qual pinço trechos a seguir. Saíram propositalmente à frente do comboio, para o caso de o carro quebrar e eles precisarem de resgate — decisão prudente, visto que o diário menciona, de cara na primeira página, que o carro teve de ser empurrado por um bando de moleques para pegar no tranco. O quarto dia do diário registra, após o êxito em regatear umas cabaças: "O episódio nos deixou animadíssimos, principalmente por termos vencido a batalha verbal e garantido nossas cabaças, e John estava tão empolgado que deu a partida no carro enquanto Ali ainda estava entrando & arrancou a porta numa árvore. Uma tristeza".

Mas o contratempo da porta perdida não abateu os joviais espíritos, e o trio seguiu alegremente rumo ao norte, ultrapassando avestruzes e passando por baixo de girafas, com o Kilimanjaro ao horizonte. De noite, dormiam no banco de trás e faziam fogueira em cada acampamento para assustar os leões e cozinhar deliciosos ensopados e tortas num fogão improvisado — o tipo de engenhoca que sempre deleitou meu pai. De tempos em tempos encontravam o comboio. Numa dessas ocasiões, o primeiro oficial, um

> senhorzão enorme [...], com um quepe vermelho e uma trança dourada e soldadinhos atrás dele, ordenou que esperássemos,

> meteu-se numa lojinha indiana e saiu com uma barra de chocolate gigante, que me apresentou com as seguintes palavras: "Presente para uma garotinha em início de uma longa jornada!". John comeu o chocolate.

Será que o chocolate era a maneira do cordial comandante de demonstrar cumplicidade com a presença ilegal de Jean?

Ao se aproximarem da fronteira queniana,

> estávamos preparados para que eu ficasse enfiada debaixo dos sacos de dormir, com Ali sentado em cima, quando apareceu a fronteira do Quênia. Mas nenhum posto de fronteira veio a se materializar, e depois de uma viagem fantástica e maravilhosa nos vimos entrando em Nairóbi, ainda sem entender nada à nossa volta. John me depositou no Hotel Norfolk e partiu para o alistamento — acompanhado de Ali, que logo surrupiou um uniforme *askari* e nomeou-se soldado.* Mais tarde ele ficou "em primeiro" num curso de motorista para *askaris*, atraindo assim atenção para si e causando muita vergonha a John.

Apesar do triunfo embaraçoso, Ali nunca foi oficialmente soldado. Ele viajava na qualidade de bagageiro não oficial de meu pai, acompanhando-o aonde quer que ele fosse, de campo em campo de treinamento. Num deles, Nyeri, a chegada dos três coincidiu com o funeral de Lord Baden-Powell, o fundador do escotismo. Por ser ex-escoteiro, John foi convocado a acompanhar o caixão, marchando atrás da carreta fúnebre. Tenho uma foto dele nessa ocasião (reproduzida no segundo caderno de imagens), e devo comentar sua aparência arrojada no uniforme do KAR, com direito a shorts cáqui, meias compridas e o chapéu

* "Askari" era o nome dado aos soldados de menor grau no KAR.

cujos restos surrados ele viria a usar pela vida toda. A propósito, o oficial alto marchando (fora de ritmo) ao lado dele é Lord Erroll, do Happy Valley,* que logo depois viria a ser assassinado no infame caso do Escândalo Branco, ainda sem solução oficial.

Para Jean, os três anos seguintes foram um período de migração mais ou menos contínua; ela ia acompanhando as transferências de John de acampamento em acampamento, tanto em Uganda como no Quênia. No livro de memórias particular que escreveu para a família muitos anos depois, observou ela:

> John foi muito hábil em encontrar lares temporários para mim perto de suas diversas bases durante seu treinamento no KAR. Eu arranjava pequenos serviços como cuidar dos filhos do pessoal e trabalhar em escolas primárias, e também fui hóspede pagante. Uma vez o comandante de John deu aos homens do pelotão a ordem de tomar Addis Abeba, e arrematou que era melhor serem rápidos, senão Jean Dawkins chegaria primeiro!

Entre os vários e caridosos anfitriões de Jean durante esse período estiveram o dr. e a sra. McClean, em Uganda, que a acolheram como babá de sua filhinha, "Snippet".

> Os McClean, em Jinja, foram muito carinhosos comigo. Minha função era não sair da cola de Snippet. As casas em Jinja rodeavam um campo de golfe à beira do lago, e à noite hipopótamos vinham brincar no gramado, aos arrotos e grunhidos, além de roubar dos jardins. Havia bandos de crocodilos se espreguiçando na água e tomando sol às margens rasas logo abaixo das cascatas, onde eu,

* Grupo de aristocratas e aventureiros britânicos que se estabeleceram na região do vale Wanjohi, Quênia, para ali levar uma vida excêntrica e decadente de festanças dispendiosas, drogas e promiscuidade sexual no meio da selva. (N. E.)

imbecil, ia remar. Os crocodilos eram engraçados: deixavam as mandíbulas abertonas para que os amigos passarinhos viessem limpar os dentes para eles!

O hábito da higiene simbiótica já está muito bem descrito no caso de peixes que vivem nos recifes de coral. Escrevi em *O gene egoísta* sobre isso e sobre a interessante teoria evolucionista a sustentá-la, mas foi só depois de ler o livro de minha mãe, há pouquíssimo tempo, que me ocorreu como a relação entre crocodilos e pássaros é semelhante. Suspeito que esteja subjacente aí a mesma teoria evolucionista, mais bem expressa na linguagem matemática da teoria dos jogos.

Foi enquanto estava hospedada com os McClean que minha mãe teve um de seus primeiros acessos de malária, que viriam a se tornar recorrentes em seus nove anos de África e uma das razões para meus pais por fim decidirem voltar à Inglaterra. Em uma ocasião posterior, já encerrada a guerra, quando estavam morando na Niassalândia, ela teve a vívida lembrança de ouvir durante um delírio febril a voz apressada do dr. Glynn, médico sênior do hospital de Lilongwe: "Se não chamarem John Dawkins logo, talvez seja tarde demais". Provavelmente sem razão, ela atribuiu sua recuperação ao fato de ter entreouvido o temor do médico de que ela estivesse prestes a morrer e então se determinado a provar que ele estava errado.

Contudo, uma das suas primeiras suspeitas de malária durante a estadia na casa dos McClean acabou merecendo outro diagnóstico:

> O médico era um camarada muito alegre, muito jovial, e um dia falou "Você sabe o que tem, não sabe?", eu respondi "Malária?", e ele: "Você está grávida, minha cara!". Foi um choque, mas ficamos encantados. Claro que, em retrospecto, foi um grande erro da

nossa parte, em situação tão imprevisível e ainda sem teto. Só que, tivéssemos sido prudentes, racionais e seguros, não teríamos tido Richard! Então pronto! Encaramos, seguimos em frente, comecei a fazer roupinhas de bebê e, é claro, tivemos sorte. A sorte nos acompanhou o tempo todo. Mas hoje percebo como deve ter sido duro para Richard ser arrastado pelo mundo afora, e como ele deve ter achado aquilo assustador. Fizemos uma lista de quantas vezes sua maletinha foi arrumada nos primeiros anos dele. Passamos muitas noites de trem pelas ferrovias do Quênia e de Uganda. Eram rostos novos a cada lugar, e seus primeiros anos devem ter sido de uma insegurança de dar dó.

Encontrei a lista que minha mãe fez, cobrindo todas as minhas peregrinações entre 1941 e 1942. Ela escreveu a lista numa caderneta, o "livro azul", hoje aos frangalhos, onde também registrou alguns de meus dizeres infantis e, mais tarde, os de minha irmã, Sarah. O único lugar da lista de que recordo é o Grazebrook's Cottage, em Mbagathi, próximo a Nairóbi, provavelmente porque estivemos lá em duas ocasiões separadas. Lá éramos hóspedes da sra. Walter, de sua nora e viúva de guerra, Ruby, e de seus netinhos.

As memórias de minha mãe prosseguem:

> Quênia, Uganda e Tanganica despertam tantas recordações, muitas delas felizes e maravilhosas. Mas também bastante tristeza, temor, nervosismo e solidão quando John partia por longos períodos sem dar notícias. As cartas eram raras e costumavam chegar em pilhas com datas distantes. Eu ficava muito assustada e sozinha, sempre ansiosa, mas contávamos com bons amigos e nisso tive muita sorte. Entre os mais próximos estavam os Walter, de Mbagathi — que, para todos os efeitos, adotaram a mim e a Richard.

Eu estava lá quando chegou o telegrama informando que John [o filho da sra. Walter], que acabara de ficar um período de licença em casa, havia sido morto. A sra. Walter já passara pela mesma coisa com o marido na Primeira Guerra Mundial, quando John era bebê. Foi um dia muito ruim.

Então nos concentramos todos no pequeno William Walter e mais tarde no póstumo Johnny. Richard tratava-os como irmãos, e a sra. Walter foi vovó por um bom tempo. Era uma senhora esplêndida e memorável, mantinha a mente ocupada e a atitude positiva. Preocupava-se em dar fins de ano felizes a guerreiros de folga e costumava me pedir que fosse até Nairóbi, numa barca chamada *Juliana*, para buscar bandos de soldados, marujos e pilotos. *Juliana* não era um meio de transporte muito previsível — tinha dois tanques de combustível: começava a gasolina e, com sorte, passava ao querosene. Uma vez eu mal sobrevivi aos 35 quilômetros para chegar em casa. Um cozinheiro da Marinha, descomunal de gordo, que eu mesma tinha ido buscar de carro no New Stanley Hotel e que logo percebi estar muito bêbado, caiu no sono, foi transbordando para fora do assento até se encostar em mim, tão pesado que eu mal conseguia manusear o volante, e também não conseguia tirá-lo de lá. Foi bem difícil.

Acho que aqueles homens gostavam muito de como os Walter administravam a casa. Brincavam com as crianças, faziam vários serviços domésticos masculinos para a sra. Walter, que os tratava como meninos e lhes preparava refeições maravilhosas. Para todos nós, era um lar de verdade.

Richard e eu construímos outra cabana de argila em Mbagathi, esplêndida: uma casa dupla com dois rondavéis [a forma circular tradicional] conectados por um tubo. Era linda.

Essas duas cabanas com teto comum ficaram prontas em uma semana. Elas fazem parte do que creio ser minha primeira lembrança.

A sra. Walter já havia adquirido algumas terras. Um dia, quando ia abrindo as matas junto com um africano, deu de cara com uma grande explosão, e então viu que a batata da perna do pobre coitado havia sido arrancada por (assim deduzimos) uma mina terrestre, relíquia da Primeira Guerra. Muito alta e forte, ela ergueu-o, colocou-o na carroceria de sua caminhonete velha e trouxe-o para casa. Nós o amparamos e ela levou-o a Nairóbi. Ele se manteve alegre e conversadeiro durante todo o trajeto. Não conseguíamos acreditar em tamanha bravura!

É comum esquecer que a Primeira Guerra Mundial chegou até a África Subsaariana. Tanganica (além de Ruanda e de Burundi) naqueles tempos integrava a África Oriental Alemã, e eram frequentes os conflitos na região, inclusive batalhas navais no lago Tanganica, com barcos alemães de um lado e britânicos e belgas do outro (a costa oeste do lago ficava no Congo Belga). Elspeth Huxley, em seu excelente romance *Red Strangers* [Forasteiros vermelhos], uma saga épica sobre a vida dos kikuyus, retrata a guerra pelos olhos deles como uma aberração misteriosa e indizível dos homens brancos, na qual os africanos acabaram envolvidos de forma aterradora. Não só aterradora mas sem nenhum sentido, pois o lado vencedor não levava para casa o gado nem as cabras do perdedor.

Nem todos os choques dessa época, porém, tinham a ver com guerras, fossem atuais ou pregressas.

Às vezes me mandavam ir, montada no cavalo de Ruby, chamado Bonnie, levar uma mensagem à fazenda vizinha, dos Lennox Brown. Da primeira vez que fui, o pajem me conduziu à grande sala de visitas e foi chamar a *memsahib.** A sala era escura, pois as cortinas

* Híbrido do híndi entre a palavra inglesa "ma'am" (madame) e a árabe "sahib" (senhor), usado como pronome de tratamento para mulheres brancas de alto status social, principalmente esposas de dignitários coloniais britânicos. (N. E.)

floridas estavam fechadas contra o sol forte. Enquanto esperava, de repente percebi não estar só. Havia uma enorme leoa estirada no sofá, que olhou para mim e bocejou! Fiquei paralisada. Quando a sra. Lennox Brown chegou, deu um tapinha na criatura e enxotou-a do sofá. Entreguei minha mensagem e parti.

Pouco tempo atrás minha mãe fez uma pintura que retrata o incidente. A ilustração aparece no segundo caderno de imagens.

Um tempo depois, vi Richard e William Walter brincando com dois filhotes de leão em outra fazenda. Tinham tamanho e peso similares aos de labradores adultos (com pernas curtas), muito brutos e potentes. Mas ele e William pareciam estar se divertindo. Costumávamos ir fazer piquenique nas colinas de Ngong, dirigindo sobre a grama curta dos pastos montanhosos — não havia estrada. Frias, altas e esplêndidas. Mas é certo que éramos idiotas, pois havia búfalos que rondavam aquelas colinas às manadas.

Minhas duas lembranças seguintes são de injeções: a primeira foi do dr. Trim, no Quênia, e a segunda (mais doída) de um escorpião, mais tarde, na Niassalândia. O dr. Trim [dr. Corte] havia sido fortuitamente bem batizado, pois, segundo o que me dizem, foi ele o responsável pela minha circuncisão. É óbvio que não pediram o meu consentimento, mas parece que também não pediram o dos meus pais! Meu pai, em guerra, de nada sabia. Minha mãe foi simplesmente informada pela enfermeira, por mera questão protocolar, de que era hora de eu ir para a circuncisão, e assim eu fui. Ao que parece, esse era o procedimento-padrão na clínica do dr. Trim — assim como devia ser em muitos hospitais britânicos da época: nos meus vários internatos, o número de circuncidados e não circuncidados era mais ou menos igual, e não havia correlação clara com religião, posição social ou nenhum outro fator que eu pudesse detectar. Hoje a situação na Grã-Bretanha é diferente, e sei que os Estados Unidos começam a tomar o mesmo rumo. Um caso recente e já histórico nas cortes alemãs decidiu que mesmo a circuncisão religiosa das crianças consiste em violação dos direitos dos que ainda não têm idade para dar seu consentimento. O veredicto alemão provavelmente será anulado perante as ondas de protestos de que impedir os pais de circuncidar os filhos é violar o direito deles de praticar sua religião. Acho curioso que os direitos da criança não sejam mencionados. A religião desfruta de privilégios espantosos nas nossas sociedades, privilégios negados a qualquer outro grupo de pressão em que se possa pensar — e certamente negados a indivíduos.

Quanto ao escorpião, ele me deu uma reprimenda dolorosa por conta de minhas deficiências como leigo em história natural. Vi o animal arrastando-se pelo chão e tomei-o por lagarto. Mas *como*? Lagartos e escorpiões não se parecem em aspecto nenhum, pelo que atualmente me consta. Achei que seria divertido ver o "lagarto" andar sobre meu pé descalço, aí resolvi deixar o pé no caminho do bicho. A sensação seguinte foi de dor lancinante. Saí gritando pela casa e acho que desmaiei. Minha mãe diz que três africanos ouviram meus gritos e vieram correndo. Quando viram o que tinha acontecido, revezaram-se em chupar o veneno do meu pé. É um conhecido procedimento de emergência para mordida de cobra. Não faço ideia se tem alguma eficácia com ferroadas de escorpião, mas fico enternecido por terem tentado. Hoje tenho pavor de escorpiões; não pegaria um nem que ele estivesse sem o ferrão. E não consigo nem pensar nos euripterídeos, escorpiões marinhos gigantes da Era Paleozoica, alguns dos quais chegavam a um metro e oitenta.

Muitos me perguntam se minha infância africana serviu de preparação para a biologia, e o episódio do escorpião não é o único indicativo de que a resposta é não. Outra anedota sugere o mesmo, e fico enrubescido ao contá-la. Perto da casa da sra. Walter, quando morávamos lá, um bando de leões havia abatido uma presa e uns vizinhos ofereceram-se para levar toda a casa para assistir à cena. Viajamos num carro de safári até ficar a dez metros da presa, que alguns leões mastigavam, enquanto outros se deitavam em volta como se já tivessem comido demais. Os adultos sentados dentro do veículo ficaram petrificados de empolgação e espanto. Minha mãe agora me conta, porém, que William Walter e eu ficamos no chão, absortos com nossos carrinhos de brinquedo, brincando de *vruum vruum.* Nossa indiferença aos leões era total, mesmo com as insistentes tentativas dos adultos para despertar nosso interesse.

O que me faltava em curiosidade zoológica pareço ter compensado em sociabilidade humana. Minha mãe diz que eu era excepcionalmente extrovertido, sem medo nenhum de estranhos — um conversador precoce apaixonado pelas palavras. Apesar de minhas deficiências na função de naturalista, parece que fui um cético precoce. No Natal de 1942, um homem chamado Sam se vestiu de Papai Noel e entreteve uma festa infantil na casa da sra. Walter. Pelo jeito ele havia conseguido enganar todas as crianças, e no fim da noite começou a se despedir em meio a muitos acenos e ho-ho-hos. Assim que ele saiu, olhei para cima e comentei num tom descontraído, para desolação geral: "O Sam foi embora!".

Meu pai voltou da guerra incólume. Acho que ele teve sorte de não enfrentar nem os alemães nem os japoneses, mas os italianos, que possivelmente já haviam se tocado da jactância absurda de seu *Duce* e tido o bom senso de perder o interesse pela vitória. John cumpriu seu papel de oficial subalterno dentro de carros blindados nas campanhas abissínia e somaliana e, após a vitória sobre os italianos, foi enviado para treinamento em Madagascar com o Regimento de Cavalaria Blindada da África Oriental, esperando ser transferido para a Birmânia. Talvez tenha encontrado lá seu irmão Bill, que nesse período era major no Regimento de Serra Leoa e lutou contra os temíveis japoneses, tendo mais tarde recebido menção nos despachos de guerra. Contudo, em 1943, o governo deu prioridade mais alta aos conhecimentos agronômicos de John do que à sua ação militar, e ele foi reconvocado à vida civil, assim como outros do Departamento de Agricultura da Niassalândia.

A bem-vinda notícia da desmobilização deixou Jean tão animada que ela quase foi atropelada na rua enquanto me carregava. Ela havia ido buscar a correspondência, como sempre fazia, na sua caixa *poste restante* em Nairóbi. A carta de John pretendia parecer a descrição de uma partida de críquete. Jean, porém, não tinha interesse nenhum por críquete, como John bem sabia, e ele jamais iria aborrecê-la com aquilo. A carta precisava ter um sentido oculto. O casal já havia combinado um código particular, e feito uso dele muitas vezes, pois as cartas de militares em tempos de guerra eram rotineiramente abertas e lidas por censores. O código deles era simples: ler apenas a primeira palavra de cada linha e ignorar o resto. E as primeiras palavras das três linhas seguintes sobre a partida de críquete eram "bowler", "hat" e "soon". Infelizmente a carta não sobreviveu até os dias de hoje, mas é fácil imaginar. O "bowler" era uma referência ostensiva ao lançador do críquete, e John deve ter encaixado o "hat" de algum jeito (talvez o chapéu-panamá do árbitro — minha mãe não se recorda) e o "soon" em algum comentário plausível sobre a partida. O que significava aquilo? Bem, o *bowler hat* [chapéu-coco] era o epítome da vestimenta civil — soldado desmobilizado, vida civil. "Bowler hat soon" [chapéu-coco em breve] só podia significar uma coisa, e Jean nem precisava ser especialista em palavras cruzadas para discerni-la. John estava prestes a ser desmobilizado, e Jean, na empolgação da notícia, quase foi atropelada me levando junto.

Na prática, retornar à Niassalândia não foi tão simples, contudo. A ilegalidade da entrada original de Jean no Quênia havia voltado a assombrá-la. Os *dundridges** do governo colonial não podiam lhe dar um visto para deixar o Quênia porque, pelo que mostravam seus registros, ela nunca havia entrado no país. E Jean e John não tinham como sair de carro juntos da mesma forma como haviam entrado, pois dessa vez John estava sob ordens estritas de viajar com o Exército: não estaria oficialmente desmobilizado até chegar ao quartel-general do batalhão da Niassalândia em seu país-sede. Assim, o casal teve de deixar o Quênia separadamente, e Jean não podia ir porque não estava lá. A sra. Walter foi convocada para atestar a existência dela e o dr. Trim a minha — afinal, tendo me trazido ao mundo, ele estava apto para tal. Por fim, foi minha certidão de nascimento que resolveu o certame, e os *dundridges*, relutantes e ressentidos, carimbaram os documentos de saída de Jean. Ela e eu, à época com dois anos, partimos num aviãozinho do tipo que, em inglês, hoje em dia chamariam de *puddle-jumper*, ou pula-poça — poças sem dúvida bem animadas, cheias de crocodilos e hipopótamos, flamingos e elefantes banhistas. Perdemos toda a nossa bagagem quando trocamos de avião na Rodésia do Norte (atual Zâmbia), mas o aborrecimento logo passou. Meus pais ficaram encantados de ver que seus baús, enviados da Inglaterra por via marítima ainda no início da guerra, haviam enfim chegado à Niassalândia, tendo sobrevivido, presume-se, a um comboio escoltado pela Marinha e con-

* Palavra que eu e minha esposa inventamos para burocratas inexoravelmente apaixonados por regras, e que venho tentando introduzir na língua inglesa. A origem é um livro humorístico de Tom Sharpe, no qual J. Dundridge sintetizava o tipo. É uma palavra de sonoridade tão apropriada. Para que uma nova palavra mereça registro no *Oxford English Dictionary*, ela deve ser usada com frequência suficiente na linguagem escrita, sem definição nem atribuição. Falo por experiência própria: encanta-me dizer que um termo cunhado por mim, "meme", cumpriu o critério e encontrou um cantinho para ele entre os Ms. Por favor, use *dundrige* e ajude-o a entrar em circulação.

tendo, como minha mãe com entusiasmo contou em suas memórias, "todos os nossos presentes de casamento, quase esquecidos, e minhas roupas novas. Foi um belo presente de boas-vindas, e Richard estava lá para me ajudar a explorar as caixas".

A terra do lago

Nossa vida continuou em itinerância constante, assim como fora no Quênia. John e os outros retornados do Exército ficaram de substitutos dos oficiais agrônomos residentes, pois estes não haviam recebido licença dos trópicos desde o início da guerra e foram tirar férias no suave refúgio da África do Sul. Assim, a cada poucos meses John era transferido para um novo cargo, em outra região da Niassalândia. Mas, como reconheceu minha mãe, isso tudo era "uma diversão, e sem dúvida boa experiência para John, pois vimos muito da Niassalândia e moramos em várias casas curiosas".

Nesse período, a casa de que mais me recordo é a de Makwapala, ao pé do monte Mpupu e perto do lago Chilwa, onde meu pai estava encarregado da faculdade de agronomia e de uma prisão-fazenda. Os prisioneiros, que eram a mão de obra da fazenda, pareciam ter ampla liberdade. Lembro-me de vê-los jogando futebol com pés descalços e calejados. Minha irmã, Sarah, nasceu no hospital de Zomba por essa época, e minha mãe lembrou que os prisioneiros de Makwapala, alguns deles acusados de homicídio, "faziam fila para empurrá-la no carrinho de criança depois do chá".

Quando chegamos a Makwapala, tivemos de dividir a casa oficial do agrônomo-chefe com a família que estava de saída, cujo retorno à Inglaterra havia sido adiado por duas semanas. Eles tinham dois filhos, e o mais velho, David, cultivava o desagradável hábito de morder as outras crianças. Meus braços ficaram cobertos de marcas de dentadas. Numa ocasião, durante o chá no gramado, meu pai pegou David no ato e interpôs o sapato com jeitinho entre nós dois para detê-lo. A mãe de David ficou escandalizada. Puxou o menino contra o próprio peito e repreendeu com veemência o coitado do meu pai. "Você tem *alguma noção* de psicologia infantil? Qualquer um sabe que o *pior* que se pode fazer com a criança mordedora é detê-la no meio da mordida."

Makwapala era um lugar quente, úmido e infestado de mosquitos e cobras. Era remoto demais para contar com um serviço postal regular, e o acampamento tinha seu próprio "mensageiro", Saidi, cuja função diária era fazer 24 quilômetros de bicicleta até Zomba e voltar com a correspondência. Um dia Saidi não voltou; ficamos sabendo que

> a chuva sem precedentes na montanha de Zomba fizera desmoronar todos os barrancos, derrubando grandes porções da montanha e rochas enormes. Na cidade de Zomba, estradas e pontes sumiram. Pessoas que estavam dentro de carros e de casas ficaram isoladas e, obviamente, a estrada para Makwapala foi apagada do mapa.

Saidi estava a salvo, mas fiquei triste ao saber que um caríssimo homem chamado sr. Ingram, que me deixava dirigir seu carro sentado no colo, morrera quando a ponte que ele atravessava foi levada por uma enxurrada. "Mais tarde", escreveu minha mãe, "ficamos sabendo pelos locais que esse tipo de coisa já tinha acontecido, mas não nos últimos tempos. Era obra de criaturas enormes e serpentescas chamadas Nyapolos, que avançavam pelos vales e destroçavam tudo o que viam pela frente."

Eu amava a chuva. Acho que ainda tenho resquícios da sensação de alívio típica dos habitantes de países sujeitos a períodos de seca, aquela sensação de "dia em que cai a chuva". Na época da grande chuva dos Nyapolos, após ter "perdido boa parte da chuva", parece que eu fiquei "extasiado — ele arrancou a roupa e saiu correndo pelo aguaceiro, maluquinho, gritando de alegria". Ainda me vem uma sensação gostosa quando cai chuva forte, embora não goste mais de ficar debaixo dela, talvez porque a chuva inglesa seja mais fria.

Makwapala é o local de minhas primeiras lembranças com alguma coerência, e também onde meus pais registraram o que eu dizia e fazia. Algumas falas:

> Vem ver, mamãe. Eu descobri onde a noite vai dormir quando é hora do sol [a escuridão debaixo do sofá].
>
> Medi a banheira da Sally com a minha régua e dizia 27 pence, então ela tá atrasada pro banho.

Como toda criança pequena, eu era obcecado por fantasiar.

> Não, acho que eu vou ser acelerador.
>
> Agora você para de ser o mar, mamãe.
>
> Eu sou anjo e você é o sr. Nye, mamãe. Você diz "Bom dia, anjo". Mas os anjos não falam, eles só resmungam. Agora esse anjo vai dormir. Eles sempre dormem com a cabeça embaixo dos pés.

Eu também apreciava a metafantasia de segunda ordem.

> Mamãe, deixa eu ser um menininho que faz de conta que é o Richard.
>
> Mamãe, eu sou uma coruja que se faz de roda-d'água.

Havia perto de casa uma roda-d'água que me deixava fascinado. Meu eu de três anos tentou anotar instruções de como montar uma roda-d'água.

> Amarre um pedaço de barbante nos galhos dando a volta toda, tem que ter uma vala perto e água que passe bem rápido. Depois pegue um pedaço de madeira e coloque um pouco de estanho nele pra servir de manivela e use pra fazer a água vir. Aí pegue tijolos pra fazer a água jorrar pra baixo, e pegue madeira e deixe ela redonda pra fazer um monte de coisa sair dela, depois ponha um cabo comprido e tá pronta uma roda-d'água que gira e gira na água e faz um barulhão de BANG BANG BANG.

Suponho que a próxima citação seja uma fantasia de ordem zero, pois eu e minha mãe tínhamos de nos passar por nós mesmos:

> Agora você é a mamãe e eu sou o Richard e a gente vai pra Londres nesse *garrimotor* [é bem provável que esse anglo-indianismo tenha entrado na minha família por meio de meus avós e bisavós coloniais, mas pode ter se disseminado da Índia por todo o Império].

Em fevereiro de 1945, quando eu estava próximo de completar quatro anos, meus pais registraram: "Ele nunca foi visto desenhando algo identificável". Esse pode ter sido um grande desgosto para minha mãe, com todo o talento dela para as artes: aos dezesseis anos ela foi contratada para ilustrar um livro e depois viria a frequentar uma escola de artes. Até hoje continuo uma nulidade completa em artes visuais, e tenho um bloqueio até mesmo para apreciá-las. Disso se excluem a música e a poesia. Sou capaz de me desfazer em lágrimas com poesia e (não tão fácil) com música — por exemplo, com a seção lenta do quinteto de cordas de Schubert, ou com algumas canções de Judy Collins e de Joan Baez. As anotações de meus pais mostram meu fascínio precoce pelos ritmos de fala. Eles ficavam só ouvindo enquanto eu fazia a sesta em Makwapala.

O vento sopra
O vento sopra
A chuva vem
O frio vem
A chuva vem
Todo dia a chuva vem
Por causa das árvores
A chuva das árvores

Consta que eu falava ou cantava sozinho o tempo todo, geralmente em cadências disparatadas mas ritmadas.

O naviozinho preto vagava pelo mar
O naviozinho preto vagava com o vento
Vai indo lá pelo mar, lá pelo mar
Lá nas campinas, um naviozinho preto
O naviozinho preto estava lá nas campinas
As campinas estavam lá no mar
Lá nas campinas, e lá no mar
O naviozinho preto lá nas campinas
Lá nas campinas, lá no mar

Acho que é comum entre crianças pequenas essa variedade de solilóquio em que se experimentam ritmos e se permutam palavras apenas parcialmente entendidas. Há um exemplo muito similar na autobiografia de Bertrand Russell, quando ele conta que espiou sua irmã de dois anos, Kate, falando sozinha, e ouviu-a dizer:

O vento norte sopra no polo Norte.
As margaridas caem na grama.
O vento sopra as campânulas.
O vento norte sopra o vento no sul.

Suponho que minha alusão deturpada a Ezra Pound a seguir tenha sido resultado do costume cultivado por meus pais de ler em voz alta.

O askari caiu do avestruz
Na chuva
Canta grande, Maldito
E o que houve com o avestruz?
*Canta grande, Maldito**

Meus pais registraram também que eu tinha um amplo repertório de músicas, as quais interpretava sempre afinadinho, fingindo ser um gramofone e às vezes fazendo gracinhas, como travar numa ranhura e ficar repetindo a mesma palavra até que a "agulha" (meu dedo) fosse erguida. Tínhamos um gramofone de corda, portátil, igualzinho ao tipo imortalizado na "Song of Reproduction" de Flanders e Swann:

I had a little gramophone
I'd wind it round and round.
And with a sharpish needle,
It made a cheerful sound.

And then they amplified it
It was much louder then.

* A corruptela baseia-se no poema "Ancient Music", de Pound. (N. T.)

And used sharpened fibre needles,
*To make it soft again.**

Meu pai não comprava agulhas de fibra. Como era do seu feitio, preferia improvisar com os espinhos na ponta das folhas de sisal.

Acho que algumas das minhas canções eu tirei de discos, mas outras eram bobagens que eu bolava de improviso, como as citadas acima, e outras ainda vinham de meus pais. Meu pai, em especial, encantava-se em me ensinar músicas sem sentido, geralmente vindas de seu próprio pai, e muitas noites correram nas toadas de pérolas como "Mary had a William goat", "Hi Ho Cathusalem, the harlot of Jerusalem" e "Hoky Poky Winky Fum" — esta última depois fiquei sabendo que era cantada diariamente pelo meu bisavô Smythies somente enquanto amarrava as botas e em nenhuma outra hora. Certa vez me perdi numa praia do lago Niassa e fui encontrado entre duas senhorinhas deitadas em espreguiçadeiras, a deliciá-las com a canção "Gordouli" — aquela serenata zombeteira que desde 1896 é berrada por estudantes de Balliol para transpor o muro e chegar aos ouvidos da faculdade vizinha, Trinity. Era das preferidas do meu pai e do meu avô.

Gordoooooooli.
He's got face like a ham.
Bobby Johnson says so.
And he ought to know.
Bloody Trinity. Bloody Trinity.
If I were a bloody Trinity man
I would. I would.

* Em tradução livre: "Eu tinha um pequeno gramofone/ Dava corda nele sem parar./ E com sua agulha afiada/ Ele fazia sons de alegrar.// Então o amplificaram,/ Ficou muito barulhento./ E usava agulhas de fibra amolada,/ Para voltar a ser suave". (N. T.)

I'd go into the public rear,
I would. I would.
I'd pull the plug and disappear.
I would. I would.
*Bloody Trinity. Bloody Trinity.**

Sei que não é poesia lá de grande qualidade nem algo que se vá cantar sóbrio, mas me intriga pensar o que é que aquelas senhoras acharam. Minha mãe diz que, apesar de serem missionárias, pareciam estar gostando. A propósito, quando eu mesmo cheguei a Balliol, em 1959, descobri que a música havia mudado para pior — passara por uma mutação memética destrutiva e perdera todas as sutilezas — em algum ponto durante os 22 anos desde que meu pai havia saído.

Minha metáfora do gramofone sempre vinha à tona como ardil para postergar a hora de dormir: o gramofone começava a diminuir a rotação, a música ia ficando mais lenta e perdendo o volume, de maneira que era necessário "dar corda". Isso era parte do cotidiano, pois não tínhamos eletricidade e precisávamos dar corda no nosso gramofone a manivela para tocar a coleção de 78 rotações do meu pai — principalmente Paul Robeson, que venero até hoje, e outra grande voz grave, Feodor Chaliapin, cantando *Tom der Reimer* em alemão (queria encontrar esse disco, mas até agora o iTunes só me decepcionou) e uma miscelânea de músicas orquestradas que inclui as *Variações sinfônicas* de César Franck — que eu chamava de "Pingos d'água", em provável referência à parte no piano.

* Em tradução livre: "Gordoooooooli./ Ele tem cara de presunto./ Bobby Johnson que disse./ E ele entende muito./ Trinity maldita. Trinity maldita./ Se eu fosse da Trinity maldita/ Eu saberia. Eu saberia./ Eu me esconderia do público,/ Me esconderia, me esconderia./ Eu sumiria do mapa./ Sumiria, sumiria./ Trinity maldita. Trinity maldita". (N. T.)

Sem eletricidade, nossas casas eram iluminadas por lampiões a querosene de pressão. Eles tinham de ser preparados com álcool desnaturado para aquecer a camisa e depois bombeados com vapor de querosene — daí produzirem aquele chiar acalentador noite adentro. Na maior parte do nosso período na Niassalândia, também não dispúnhamos de banheiro com água; tínhamos de usar uma latrina, às vezes num banheirinho externo. Em outros aspectos, porém, nossa vida era de luxo. Sempre tivemos cozinheiro, jardineiro e vários serviçais (conhecidos, lamento dizer, por "boys"), sob o comando de Ali, que se tornou minha companhia constante e amigo fiel. Servia-se o chá no gramado, com um lindo bule de prata e um cântaro de água quente, mais um jarro de leite sob uma tampa de musselina sopesada por conchas de gastrópode costuradas nas bordas. Também tínhamos *drop scones* (panquecas escocesas), que até hoje são a minha versão das madeleines proustianas.

Passávamos as férias fazendo castelos de areia nas praias do lago Niassa, que é tão grande que parece mar — não se vê terra no horizonte. Ficávamos num belo hotel cujos quartos eram choupanas de praia com telhado de sapê. Uma vez tiramos férias num chalé emprestado no alto da montanha Zomba. Uma anedota dessa viagem demonstra minha falta de capacidade crítica (e talvez desvirtue a história de quando eu, com um aninho só, revelei a verdadeira identidade do Papai Noel). Brincando de esconde-esconde com um simpático homem africano, fui procurá-lo numa choupana e não o encontrei. Mais tarde voltei e lá estava ele, num lugar onde eu tinha certeza que havia olhado. Ele jurou que estivera ali o tempo todo, mas que tinha ficado invisível. Aceitei a explicação por soar mais plausível que a hipótese, hoje óbvia, de que ele estava mentindo. Não posso deixar de me perguntar se é mesmo saudável à educação infantil uma dieta à base de contos de fada cheios de feitiços e portentos, inclusive homens invisíveis.

Mas hoje em dia, sempre que levanto esse questionamento, sou esculachado por tentar interferir na magia da infância. Creio que não cheguei a contar aos meus pais a história do esconde-esconde na montanha Zomba, mas acho de verdade que ficaria muito satisfeito se eles tivessem entrado numa detalhada explicação dos milagres baseada nas meditações de Hume a respeito. Qual você diria ser o maior milagre? O milagre de um homem contar uma mentira para entreter uma criança crédula? Ou o milagre de ele realmente ter se tornado invisível? Portanto, pequeno Richard, o que você diria, hoje, do que aconteceu naquela choupana, lá no alto da montanha Zomba empinada em meio à planície?

Mais uma ilustração da credulidade infantil: quando eu estava aflito com a morte de uns bichinhos de estimação, alguém tentou me consolar com a história de que, ao morrer, os animais vão para o seu paraíso próprio, chamado Terra da Caça Feliz. Acreditei piamente, e nem cheguei a cogitar se também era um "paraíso" para as presas ali caçadas. Uma vez, na enseada de Mullion, conheci um cão e perguntei de quem era. Entreouvi "O cachorro da sra. Ladner, aquele que voltou". Não entendi direito a resposta. Sabia que, antes de eu nascer, minha mãe tivera um cachorro chamado Saffron, falecido já havia muito tempo. Deduzi, com curiosidade crédula e meiga demais para perdurar, que aquele cão era Saffron em carne e osso, retornado da Terra da Caça Feliz para uma visitinha.

Por que é que os adultos estimulam a credulidade das crianças? Quando a criança acredita no Papai Noel, seria mesmo errado conduzi-la por um exercício moderado de reflexão? A quantas chaminés ele teria de chegar, se precisa entregar presentes a todas as crianças do mundo? A que velocidade suas renas teriam de voar para ele conseguir terminar sua tarefa na manhã de Natal? Não diga logo de cara que Papai Noel não existe. Apenas estimule o hábito infalível da ponderação cética.

Como estávamos a milhares de quilômetros de parentes e de centros comerciais, era inevitável que os presentes de Natal e de aniversário durante o período da guerra fossem limitados. Meus pais, porém, compensavam com a engenhosidade. Minha mãe me fez um urso de pelúcia magnífico, do meu tamanho. E meu pai inventou uma série de engenhocas, incluindo um caminhão que tinha debaixo do *bonnet* (capô) uma única vela de ignição (fora de escala, sem propósito nenhum, mas encantadora). Esse caminhãozinho era a maior alegria da minha vida quando eu tinha quatro anos. Segundo as anotações dos meus pais, eu fingia que ele havia "estragado", situação em que eu me punha a:

Remendar o furo
Limpar a água do estridibutor (distribuidor)
Consertar a bateria
Verter água no radiador
Coçar o carburador
Puxar o afogador
Girar a chave
Consertar as velas
Inserir as pilhas extras da forma correta
Pôr óleo no motor
Conferir se o volante está funcionando
Encher o tanque
Deixar o motor esfriar
Virar o caminhão para olhar embaixo
Testar os estalos encurtando os terminais [Não faço ideia do que seja.]
Trocar uma mola
Consertar os freios
Etc.

Cada item é acompanhado de movimentos e ruídos apropriados, seguidos de um Grr ãr ãr ãr ãr ãr Grr ãr ãr ãr ãr na partida, que deveria ativar o motor, embora geralmente não ative.

Em 1946, tendo a guerra se encerrado no ano anterior, pudemos ir "para casa", a Inglaterra, durante um período de licença (a Inglaterra sempre foi "casa" mesmo que eu nunca tivesse lá estado; conheço neozelandeses de segunda geração que seguem a mesma convenção de base nostálgica). Fomos de trem à Cidade do Cabo, onde iríamos embarcar no *Empress* (eu achava que era "Emprist") *of Scotland*, com destino a Liverpool. Os trens sul-africanos tinham uma passarela aberta entre os vagões, com amuradas iguais às de navio, em que a pessoa se apoiava para assistir ao mundo passar e para respirar as cinzas megapoluentes da locomotiva a vapor. Ao contrário das do navio, porém, essas amuradas tinham de ser telescópicas, para se alargarem ou encurtarem enquanto o trem fazia uma curva. Eu estava pedindo para me machucar, e foi o que aconteceu. Enganchei meu braço esquerdo na amurada e não notei que o trem tinha começado a fazer a curva. Meu braço ficou preso quando a amurada se fechou telescopicamente, e meus pais, arrasados, só conseguiram me soltar depois que a longa curva terminou e a ferrovia voltou a ficar reta. Na estação seguinte, Mafeking, o trem ficou impedido de prosseguir enquanto eu era conduzido a um hospital e levava pontos no braço. Espero que os outros passageiros não tenham se irritado muito com o atraso. Ainda tenho a cicatriz.

Quando enfim chegamos à Cidade do Cabo, o *Empress of Scotland* se revelou um navio sinistro. Já transportara tropas na guerra, mas fora recondicionado: não tinha cabines, mas dormitórios que mais pareciam calabouços, com fileiras de beliches. Havia dormitórios para homens e dormitórios à parte para mulheres e crianças. O espaço era tão exíguo que as pessoas precisavam se revezar, por exemplo, para se vestir. O dormitório feminino, registra o diário de minha mãe,

> era uma baderna, com tanta criança ali. Vestíamos as crianças e levávamos até a porta para entregar ao respectivo pai, que aguardava numa longa fila para coletar a sua. Aí cada pai levava seu filho para a fila do café da manhã. Richard tinha consultas frequentes com o médico do navio para tratar do braço, e é óbvio que a meio caminho das três semanas de viagem tive malária e Sarah e eu fomos alocadas no hospital do navio. O coitadinho do Richard teve de ficar sozinho naquele dormitório horrendo. Não deixavam ele ficar com John nem comigo, o que foi uma crueldade.
>
> Acho que na época não percebemos o quão horrível aquela jornada deve ter sido para Richard, e o quanto deve ter sido duradouro o efeito dela sobre ele. Deve ter sentido que toda a segurança com o mundo sumiu de uma hora para outra. Ao chegarmos à Inglaterra, ele era um garotinho tristonho, havia perdido todo o pique. Quando começamos a ver as docas de Liverpool do navio, em meio à chuva espessa, aguardando para chegar em terra, ele perguntou, admirado: "Essa que é a Inglaterra?". E, logo em seguida: "Quando a gente volta?".

Chegamos à casa dos meus avós paternos, The Hoppet, em Essex, onde

> fevereiro foi de um frio cruel e espartano, a autoconfiança de Richard caiu e ele começou a gaguejar. Ele não conseguia se arranjar com as roupas. Tendo vivido a maior parte da vida com pouquíssimas peças, os botões e os cadarços faziam ele se sentir um incompetente. Os avós achavam-no apalermado: "Ele ainda não sabe se vestir?". Nem nós nem eles tínhamos livros de psicologia infantil, então eles começaram a impor disciplina e Richard virou um me-

nino introvertido e um pouco travado. Havia um ritual na Hoppet: ele deveria aprender a dizer "bom dia" ao chegar para o café da manhã, e era expulso do recinto até que aprendesse. O gaguejar foi piorando e nenhum de nós estava contente. Hoje tenho vergonha de termos permitido aquele comportamento dos avós.

As coisas não foram muito melhores com os avós maternos, na Cornuália. Eu não gostava de quase nenhuma comida dali; fazia cara de nojo e me forçava a vomitar quando meus avós me obrigavam a comer. O pior era aquela abóbora aguada, horrível. Cheguei a vomitar de verdade no meu prato. Creio que o alívio foi geral quando chegou a hora de embarcar no *Carnarvon Castle* em Southampton, com destino à Cidade do Cabo, e voltar à Niassalândia — não a Makwapala, lá para o sul, mas sim ao distrito central em torno de Lilongwe. Meu pai foi transferido primeiro para a estação de pesquisa agronômica em Likuni, nos arredores de Lilongwe, e depois para a própria Lilongwe, atual capital do Malaui, mas à época ainda uma cidadezinha provinciana.

Tanto Likuni quanto Lilongwe são lugares de recordações felizes. Devo ter me interessado por ciências lá pelos seis anos, pois me lembro de regalar minha pobre e sofredora irmãzinha, no nosso quarto comum em Likuni, com histórias de Marte, Vênus e outros planetas, a distância entre eles e a Terra e a respectiva probabilidade de cada um abrigar vida. Eu adorava observar as estrelas naquele lugar tão despoluído de luz artificial. A noite era um período de magia e segurança, que eu associava ao hino de Baring-Gould:

Now the day is over,
Night is drawing nigh,
Shadows of the evening
Steal across the sky.

Now the darkness gathers,
Stars begin to peep;
Birds, and beasts, and flowers
*Soon will be asleep.**

Não sei como é que pude vir a aprender qualquer hino que fosse, pois na África nunca frequentamos a igreja (apenas quando ficávamos com os avós na Inglaterra). Suponho que meus pais tenham me ensinado esse hino, assim como este aqui: "There's a friend for *littul* chuldren, above the bright blue sky" [Toda criancinha tem um amigo, lá depois do céu azul].

Likuni foi também onde pela primeira vez notei e me fascinei com as longas sombras da tardinha, que na época ainda não traziam o mau agouro evocado por T.S. Eliot no verso "sombra que à tarde se ergue para receber-te". Hoje, quando ouço os noturnos de Chopin, sou conduzido de volta a Likuni e à sensação reconfortante e segura de finalzinho de tarde, quando as "estrelas começam a espreitar".

Meu pai inventava para mim e para Sarah histórias de ninar maravilhosas, geralmente com destaque a um "Broncossauro", que falava "Tiddly-widdly-widdly" em falsete e morava muuuuuito longe, numa terra distante chamada Gonwonkylândia (só fui entender a alusão durante a faculdade, quando me apresentaram a Gondwanalândia, o grande continente do sul que se separou para formar África, América do Sul, Austrália, Nova Zelândia, Antártida, Índia e Madagascar). A gente adorava ficar vendo o mostrador luminoso do seu relógio de pulso no escuro, e ele desenhava um relógio no nosso pulso com caneta-tinteiro, para que

* Em tradução livre: "Agora o dia acaba,/ A noite se aproxima,/ As sombras da tardinha/ Furtam-se pelo céu.// Agora chega o escuro,/ Estrelas começam a espreitar;/ Passarinhos, e bichos, e flores/ Logo vão dormir". (N. T.)

pudéssemos acompanhar a hora sob as redes contra mosquitos durante a noite serena.

Lilongwe é também onde guardo preciosas recordações da infância. A residência oficial do agrônomo-chefe do distrito era revestida por cascatas de buganvílias. O jardim era tomado de nastúrcios, e eu adorava comer as folhas. Aquele gosto singular, apimentado, que vez por outra ainda encontro em saladas, é outro candidato à minha madeleine proustiana.

A casa vizinha, idêntica, era a do médico. O dr. Glynn e a sra. Glynn tinham um filho, David, da minha idade. Brincávamos todos os dias na casa dele, na minha ou entre as duas. Havia grânulos azul-escuros em meio à areia, que deviam ser ferro, pois conseguíamos erguê-los arrastando um ímã na ponta de um barbante. Na varanda construíamos "casas", com saletas e corredores, estendendo tapetes, carpetes e cobertores sobre cadeiras e mesas viradas do avesso. Chegamos a equipar nossas "casas" na varanda com água encanada — fizemos os encanamentos conectando ramos ocos de uma árvore do jardim. Talvez fosse uma cecrópia, mas nós chamávamos de "ruibarbeiro", tendo provavelmente derivado esse nome de uma canção que gostávamos de cantar (ao som de "Little Brown Jug"):

Ha ha ha. Hee hee hee.
*Elephant's nest in a rhubarb tree.**

Colecionávamos borboletas, principalmente rabos-de-andorinha amarelas e negras — que, agora me dou conta, deviam ser várias espécies do gênero *Papilio*. Eu e David, porém, não fazíamos distinção: chamávamos todas de "Papai Noel", que ele

* Em tradução livre: "Rá, rá, rá. Ri, ri, ri./ Um ninho de elefante no ruibarbeiro". (N. T.)

afirmava ser o nome correto, embora não tivesse nexo nenhum com o esquema cromático amarelo e negro.

Minha coleção de borboletas era incentivada por meu pai, que me fez uma caixa para alfinetá-las, usando sisal seco em vez da cortiça preferida pelos profissionais, e pelo meu avô Dawkins — ele próprio colecionador — quando ele e minha avó vieram nos visitar. Eles haviam planejado uma grande excursão pela África Oriental, para visitar um filho de cada vez. Primeiro foram a Uganda ver Colyear, depois seguiram para o sul rumo à Niassalândia, passando por Tanganica, como contou minha mãe,

> numa série de viagens curtas de ônibus, absurdamente desconfortáveis, espremidos entre multidões de africanos, mal-afortunadas galinhas de pernas atadas e gigantescos lotes de mercadoria. Mas o transporte só ia até Mbeya [no sul de Tanganica]. Contudo, um jovem com uma aeronave leve ofereceu-se para levá-los adiante. Assim partiram, mas pegaram tempo ruim e tiveram de voltar. Nesse meio-tempo não tivemos nenhuma notícia deles. Quando o clima melhorou, tentaram mais uma vez, voando tão baixo que Tony [meu avô, apelido de Clinton] conseguia se esticar para fora, identificar rios e estradas a partir de um mapa antigo e passar orientações ao piloto.

Era tudo que meu avô apreciava, uma boa aventura. Ele adorava mapas. E também cronogramas de ferrovia, que conhecia de cor e que viriam a se tornar sua única leitura na idade avançada.

> Em Lilongwe, todos já sabiam dez minutos antes quando um avião estava para chegar. Isso porque uma família local tinha grous-coroados de estimação no jardim. Esses pássaros ouviam a aproximação de um avião muito antes das pessoas e começavam a gralhar. Se de medo ou de alegria, não se sabe! Como não havia

previsão do avião semanal, ficamos pensando se não seriam os avós quando os grous começaram a berrar, certo dia. Fomos então ao campo de pouso, Richard e David pedalando triciclos. Chegamos a tempo de ver o aviãozinho dar duas voltas na cidade antes de aterrissar com fortes solavancos, e então Vovó e Vovô desembarcaram.

Nada tão óbvio como Controle de Tráfego Aéreo. Grous-coroados.

Foi em Lilongwe que fomos atingidos por um raio. Uma noite, começou uma trovoada violenta. Estava muito escuro. As crianças tomavam o jantar sob os mosquiteiros, cada uma em sua cama (de madeira). Eu lia sentada no chão, encostada no que chamávamos de sofá (constituído por um antigo estrado de ferro). De repente senti como se uma marreta tivesse batido na minha cabeça e fiquei estirada no chão. Foi um golpe tremendo, de mira precisa. Vimos que a antena do telégrafo e uma cortina estavam em chamas e saímos em disparada até o quarto das crianças para ver se estavam bem. Estavam perfeitamente intactas e mastigavam suas espigas de milho com tédio absoluto!

A história não diz se meus pais apagaram o fogo na cortina antes ou depois de correr ao nosso quarto. As memórias de minha mãe prosseguem:

Fiquei com uma queimadura vermelha e comprida no flanco todo, que encostou na cama de metal. Depois descobrimos várias coisas bizarras. Um pedaço de concreto se desprendeu do chão e foi parar no telhado da garagem! Uma faca foi arrancada da mão do cozinheiro e o nocauteou. Um varal de roupas derreteu. As chapas de vidro na sala de estar ficaram salpicadas de fios derretidos do poste telegráfico, que sumiu totalmente. Etc. etc. Já nem lembramos mais de tudo, mas foi um drama.

Minhas reminiscências desse raio são turvas, mas me pergunto se a faca do cozinheiro foi mesmo arrancada de sua mão ou se ele a jogou para cima de susto — como eu teria feito. Lembro dos desenhos multicoloridos que ficaram nas janelas, deixados por algum tipo de resíduo. E o momento exato do raio, quando o barulho, em vez do usual *bum bum di bum bum bum* (em grande parte ecos), foi um estrondo solo e estupendo. Deve ter havido no mesmo instante um clarão muito forte, mas não tenho recordação disso.

> Ainda bem que aquilo não nos deixou traumatizados com trovoadas, pois elas eram frequentes e grandiosas na África. Eram estupendas, lindas, desenhavam cordilheiras em silhueta contra céus fulgurantes, tudo ao acompanhamento operático de trovões por vezes incessantes.

Foi em Lilongwe que compramos nosso primeiro carro zero, uma Rural Willys chamada Creeping Jenny, para substituir Betty Turner, o velho Standard Twelve. Lembro-me com nostálgico deleite do cheiro de carro novo emanado pela Creeping Jenny. Nosso pai explicou a Sarah e a mim as vantagens que ela tinha sobre os outros carros, a mais memorável delas os para-lamas planos sobre as rodas dianteiras. Explicou-nos que aquelas eram especialmente projetadas para servir de mesas, onde poderíamos servir nosso piquenique.

Aos cinco anos fui mandado para a escola da sra. Milne, escolinha de uma sala só, dirigida por uma vizinha. A sra. Milne não tinha muito que me ensinar, pois as outras crianças estavam aprendendo a ler e a minha mãe já havia me ensinado; assim, a sra. Milne me mandava ir para um canto com um livro "de adulto" e ler a sós. Era maturidade demais para mim: embora eu me forçasse, obediente, a passar os olhos por cada palavra, não entendia a maioria. Lembro-me de perguntar à sra. Milne o que significava "indagador", mas eu não tinha coragem de ficar perguntando o significado das palavras quando ela já tinha tantos afazeres com as outras crianças. De modo que eu passei, então,

> a dividir com o filho do médico, David Glynn, aulas dadas pela esposa do médico. Os dois eram menininhos espertos e vivazes, e cremos que aprenderam muito. Depois ele e David foram juntos para a Eagle School.

Águia nas montanhas

A Eagle School era um internato novinho em folha que ficava entre as coníferas do alto das montanhas Vumba, próxima à fronteira com Moçambique, na Rodésia do Sul (atual Zimbábue, vivendo essa ditadura que é uma piada de mau gosto). Uso o pretérito porque a escola fechou as portas em definitivo durante os conflitos que vieram a assolar o desgraçado país. Sua fundação foi obra de Frank Cary (o "Tank"), ex-superior da Dragon School, de Oxford, a maior e talvez a melhor escola preparatória inglesa, de um fantástico espírito de aventura e com uma lista impressionante de egressos distintos. Tank fora para a África em busca de fortuna, e sua nova escola era cria da Dragon. Tínhamos o mesmo lema (*Arduus ad solem*, citação de Virgílio) e a mesma música, na melodia de "Onward, Christian Soldiers", de Sullivan: "Arduus ad solem/ By strife up to the sun" [Arduus ad solem/ Em contenda rumo ao sol]. Tank visitara nossa família em Lilongwe quando viajava para fomentar os negócios com os pais da Niassalândia; os meus gostaram de sua figura e decidiram que a Eagle seria a escola para mim, assim como o dr. e a sra. Glynn resolveram que seria para David. Daí é que fomos juntos.

Minhas recordações da Eagle são enevoadas. Acho que só passei dois trimestres lá, incluindo o segundo trimestre de existência do colégio. Lembro-me de comparecer à cerimônia de abertura da escola. Nas semanas anteriores, o zum-zum-zum sobre o "Dia da Inauguração" havia sido constante. Aquilo me deixava desorientado, porque achava que era uma alusão a "Ó Deus, eterno ajudador":

Time like an ever-rolling stream,
Bears all its sons away;
They fly forgotten, as a dream
Dies at the opening day.*

Os hinos me deixavam muito impressionado na Eagle, até mesmo "Fight the good fight with all thy might",** cantado em tom entorpecentemente melancólico, mais apropriado ao cochilo do que ao combate. Pedia-se a todos os pais que os filhos viessem com uma Bíblia. Meus pais, sabe-se lá por quê, me deram *A Bíblia das crianças*, que estava longe de ser a mesma coisa, de modo que me senti excluído e "diferente". A maior particularidade do livro era não ter a divisão em capítulos e versículos, o que senti ser uma terrível privação. Fiquei tão intrigado com o método bíblico de subdividir a prosa para facilitar a referência que repassei meus livros de historinhas banais numerando também neles os "versículos". Recentemente tive oportunidade de conhecer o *Livro dos mórmons*, forjado por um charlatão do século XIX chamado Smith, e me ocorre que ele deve ter tido o mesmo fascínio pela Bíblia do

* A tradução mais consagrada desse trecho do hino para o português ("O tempo é qual vagante rio que corre para o mar, qual sonho breve é seu feitio, fugaz seu caminhar") omite a referência a "dia da inauguração" (*opening day*). (N. T.)

** Literalmente, "Lutai o bom combate com toda a tua força". Hino composto por John S. B. Monsell e William Boyd, publicado em 1864. (N. T.)

Rei James, pois organizou seu livro em versículos e inclusive imitou o estilo do inglês quinhentista. Aliás, ainda me é um mistério por que esse fato por si só já não o denunciou no ato como falsário. Será que seus contemporâneos achavam que a Bíblia havia sido escrita originalmente no inglês de Tyndale e Cranmer? Como comentou Mark Twain, com toda a sua verve, se retirássemos todas as ocorrências da expressão "E aconteceu que", o *Livro dos mórmons* se reduziria a um panfleto.

Na Eagle meu livro predileto era *A história do doutor Dolittle*, de Hugh Lofting, que descobri na biblioteca da escola. Hoje ele está banido de quase todas as bibliotecas devido ao teor racista, e entende-se bem o porquê. Saturado de contos de fadas, o príncipe Bumpo, da tribo Jolliginki, queria mais do que tudo ser um príncipe do tipo em que se transformam sapos, ou do tipo que se apaixona por uma Cinderela. Preocupado porque seu rosto negro poderia assustar alguma Bela Adormecida por aí ao acordá-la com um beijo principesco, ele implorou ao Doutor Dolittle para tornar seu rosto branco. É fácil entender por que esse livro, de pouco interesse e nenhuma controvérsia em 1920, quando publicado, tornou-se vítima do *Zeitgeist* moral mutante no final do século XX. Mas, se é para falar em lições de moral, os imaginativos livros do doutor Dolittle, dentre os quais considero *Doctor Dolittle's Post Office* [A agência postal do doutor Dolittle] o melhor, são redimidos do seu toque racista por seu antiespecismo muito mais manifesto.

Além da música e do lema institucionais, a Eagle trouxe da Dragon School a tradição de chamar os professores pelo apelido ou primeiro nome. Todos chamávamos o diretor de Tank, mesmo durante o castigo aplicado por ele. Na época, achei que o nome era referência ao tanque que guarda água no telhado, mas hoje vejo que é bem mais provável a referência ao implacável veículo militar. Durante seu período na Dragon, o sr. Cary deve ter adquirido uma reputação de persistência ferrenha, avançando firme e resoluto em linha reta fossem quais fossem os obstáculos. Entre os outros professores havia Claude (também vindo da Dragon), Dick (que tinha a tarefa muito quista de distribuir uma ração abençoada de chocolate durante o descanso vespertino das quartas-feiras) e Paul, um húngaro ao mesmo tempo jovial e obscuro que ensinava francês. A sra. Watson, professora dos meninos mais novos, era "Wattie", e a supervisora, a srta. Copplestone, era "Coppers".

Não vou fingir que fui feliz na Eagle, mas provavelmente fui tão feliz quanto pode ser um garoto de sete anos mantido por três meses longe de casa. Muito pungente era a fantasia que eu me permitia quase todo dia enquanto Coppers fazia sua silenciosa ronda matinal pelos dormitórios e ainda cochilávamos: imaginar que, num passe de mágica, ela seria transformada em minha mãe. Rezei sem parar para que isso acontecesse — Coppers tinha cabelos encaracolados e escuros como os de minha mãe, de maneira que, na minha inocência infantil, concluí que não seria preciso um milagre tão grande assim para que se efetuasse a transformação. E tinha certeza de que os meninos gostariam de minha mãe tanto quanto gostavam de Coppers.

Coppers era maternal e gentil. Prefiro pensar que o depoimento que ela deu sobre mim ao fim do primeiro trimestre não foi inteiramente desprovido de afeto: eu, escreveu ela, tinha "apenas três velocidades: lento, muito lento e parado". Uma vez ela me assustou sem a menor intenção. Eu tinha horror à ideia de ficar cego, pois uma vez vira um africano a me fitar com olhos vazios como ovos cozidos. Eu ficava aflito de pensar que poderia ficar cego ou surdo e concluí, após longa e tortuosa deliberação, que o páreo era duro, mas que ficar cego seria pior. A Eagle School era moderna o bastante para ter luz elétrica, produzida por nosso gerador. Uma noite, enquanto Coppers conversava conosco no dormitório, o motor do gerador deve ter morrido. Quando a luz deu lugar à treva, tremi de medo e perguntei: "As luzes apagaram?". "Não,

não", disse Coppers, em seu sarcasmo descontraído, "foi você que ficou cego." Pobre Coppers, mal sabia o que havia dito.

Eu também tinha muito medo de fantasmas, os quais imaginava na forma de esqueletos com plena articulação óssea e com as órbitas dos olhos vazias, correndo na minha direção pelos longos corredores a uma velocidade incrível e armados de picaretas, cujos golpes eles mirariam com precisão devastadora no meu dedão do pé. Também tinha fantasias bizarras em que era cozinhado e devorado. Não tenho ideia de onde surgiam essas imagens tétricas. Não eram dos livros que eu lia, e é certo que não vinham de nada que meus pais me contavam. Talvez fossem histórias fantásticas contadas por outros meninos do dormitório — histórias do tipo que eu viria a conhecer muito bem na minha escola seguinte.

Pois a Eagle também foi meu primeiro contato com a crueldade infinita das crianças. Não fui vítima de bullying, ainda bem, mas havia um menino chamado Aunty Peggy que vivia sendo importunado sem dó, a pretexto de nada mais do que seu apelido, ao que parecia. Como numa cena de *O senhor das moscas*, ele era cercado por dezenas de garotos, que dançavam em volta dele entoando "Aunty *Peggy*, Aunty *Peggy*, Aunty *Peggy*" numa melodia monótona de playground. O coitado ficava irascível, jogava-se às cegas contra seus algozes na roda, distribuía socos. Em uma ocasião ficamos todos em volta assistindo a uma briga feia, de rolar pelo chão, entre ele e um garoto chamado Roger, e nos admiramos porque Roger tinha doze anos. A torcida estava do lado do valentão, que era bonito e bom nos esportes, ao contrário da vítima. Foi um episódio vergonhoso, mas comum até demais entre escolares. Antes que acontecesse alguma tragédia, Tank pôs fim ao bullying coletivo com uma advertência solene durante a reunião matinal.

No dormitório, toda noite tínhamos de nos ajoelhar na cama, voltados para a parede da cabeceira, e nos revezar na oração de boa-noite:

Ilumina as nossas trevas, nós te pedimos, Senhor; e, pela tua misericórdia, defende-nos nas incertezas e perigos desta noite. Amém.

Nenhum de nós já havia visto aquilo escrito, nem sabia o que queria dizer. Toda noite um imitava o outro feito papagaio, noite após noite, e consequentemente as palavras foram evoluindo até se tornarem uma insignificância truncada. Daria uma bela experiência para a teoria dos memes, caso você se interesse por esse tipo de coisa — se não se interessa e não sabe do que estou falando, pode pular para o próximo parágrafo. Se entendêssemos as palavras da oração, elas não sairiam truncadas, porque o significado delas teria um efeito "normalizador", similar à capacidade "corretora" do DNA. É essa normalização que possibilita aos memes sobreviver através de "gerações" suficientes para cumprir sua analogia com os genes. Mas, como muitas das palavras da oração nos eram desconhecidas, só nos restava imitar os sons delas, foneticamente. Assim, conforme eram transmitidas através de "gerações" de meninos imitadores, as palavras apresentavam alta "taxa de mutação". Acredito que seria interessante realizar uma investigação experimental desse efeito, mas ainda não tive a oportunidade.

Um dos professores, provavelmente Tank ou Dick, costumava nos comandar no canto coral, incluindo "The Camptown Races" e:

I have sixpence, jolly jolly sixpence,
Sixpence to last me all my life
I've tuppence to lend and tuppence to spend
*And tuppence to take home to my wife.**

* Em tradução livre: "Tenho seis pence, belos, belos seis pence,/ Seis pence até o fim da vida/ São dois pence para emprestar e dois pence para gastar/ E dois pence para levar à patroa". (N. T.)

Nesta a seguir, foi-nos ensinado como pronunciar o "r" de "birds", por motivos que à época não entendi, mas talvez fosse porque se supunha tratar de uma canção norte-americana:

Here we sit like brrrds in the wilderness
Brrrds in the wilderness
Brrrds in the wilderness
Here we sit like brrrds in the wilderness
*Down in Demerara.**

Parte do famoso espírito aventureiro da Dragon School fora exportado para a Eagle. Lembro de um dia de enorme agitação, quando os professores dividiram o colégio inteiro numa grande partida de Matabeles e Mashonas (versão local de polícia e ladrão, usando os nomes das duas tribos predominantes na Rodésia) que levou a gente a se embrenhar pelas matas e prados de Vumba ("as montanhas da névoa", na língua xona). Sabe-se lá como a gente não se perdeu para sempre. E, embora a escola não tivesse piscina (foi construída depois que fui embora), éramos levados para nadar (nus) numa bela piscina natural ao pé de uma cachoeira, o que era bem mais empolgante. Que menino vai querer piscina quando se tem uma cachoeira?

Fiz uma viagem à Eagle de avião, grande aventura para um garoto de sete anos viajando sozinho. Tomei um biplano Dragon Rapide de Lilongwe a Salisbury (atual Harare), a partir de onde deveria seguir para Umtali (atual Mutare). Os pais de outro menino da Eagle, que moravam em Salisbury, deveriam me buscar para dar prosseguimento à minha jornada, mas não deram as ca-

* Em tradução livre: "Aqui sentamos como passarinhos silvestres/ Passarinhos silvestres/ Passarinhos silvestres/ Aqui sentamos como passarinhos silvestres/ Aqui em Demerara". (N. T.)

ras. Passei o que me pareceu um dia inteiro (em retrospecto, não pode ter sido tanto tempo) perambulando sozinho pelo aeroporto de Salisbury. As pessoas eram bastante carinhosas comigo, alguém me pagou o almoço, e me deixaram andar pelos hangares e olhar os aviões. O estranho é que minha memória registra esse como um dia muito feliz, em que eu não sentia medo de estar sozinho ou do que podia acontecer comigo. As pessoas que deveriam me receber enfim apareceram. Cheguei a Umtali, onde, creio eu, Tank me buscou em sua Rural Willys, que me agradou porque me lembrava de Creeping Jenny e de casa. Conto essa história segundo as minhas lembranças. As de David Glynn são diferentes, e creio que talvez tenham sido duas viagens, uma com ele e outra sozinho.

Adeus à África

Em 1949, meus pais tiveram sua primeira licença depois de três anos e viajamos à Inglaterra. Mais uma vez partimos da Cidade do Cabo, só que agora num naviozinho charmoso chamado *Umtali*, do qual não lembro tanto afora os belos lambris polidos e os candeeiros, que, imagino agora, provavelmente eram estilo art déco. A tripulação era muito reduzida para ter um oficial de entretenimento remunerado; assim, um dos passageiros, um tipo festeiro chamado sr. Kimber, foi eleito para desempenhar a função. Entre outras coisas, quando passamos pelo equador ele organizou uma cerimônia de "travessia da linha", ocasião em que o Pai Netuno surgiu fantasiado, com direito a barba de algas e tridente. O sr. Kimber também promoveu um jantar à fantasia no qual eu fui de pirata. Tive inveja de outro garoto que foi de caubói, mas meus pais explicaram que a fantasia dele, embora reconhecidamente superior, havia sido comprada em loja, enquanto a minha era improvisada e, por isso, muito melhor. Hoje entendo a vantagem, mas na época não. Um garotinho foi de cupido, totalmente nu, com um arco e flechas que disparava contra os outros. Minha mãe foi de garçom indiano, tendo enegrecido a pele com permanganato de potássio (que deve ter levado dias para sair) e tomado emprestado de um garçom um uniforme com cinta e turbante. Os outros garçons entraram na brincadeira, e nenhum dos convivas percebeu quem era, nem mesmo eu e tampouco o capitão, quando ela de propósito lhe serviu sorvete no lugar da sopa.

No meu aniversário de oito anos, aprendi a nadar na piscininha minúscula do *Umtali*, feita de lona esticada entre canos e erguida no deque. Fiquei tão feliz com minha nova aptidão que quis tentar no mar. Quando o navio atracou em Las Palmas, nas Ilhas Canárias, para buscar um grande carregamento de tomates, os passageiros tiveram um dia em terra e fomos a uma praia onde nadei com orgulho no oceano, minha mãe na praia, sempre vigilante. De repente ela avistou uma onda gigante que estava, calculou ela, prestes a rebentar sobre meu diminuto corpo em nado cachorrinho. Ela disparou mar adentro com toda a sua valentia e todas as suas roupas para me salvar. Aconteceu que a onda me ergueu suave e inofensivamente — e aí quebrou-se com toda força sobre ela, que ficou encharcada dos pés à cabeça. Os passageiros só tinham permissão para retornar ao *Umtali* à noite, de modo que ela passou o resto do dia com a roupa molhada e salgada. O relato é dela — tremenda ingratidão minha não guardar recordação desse ato de heroísmo maternal.

O carregamento de tomates deve ter sido mal executado, pois fez o navio pender de forma assustadora. Ficou tão querenado para estibordo que a portinhola da nossa cabine submergiu em caráter permanente, o que levou minha irmãzinha Sarah a acreditar que "agora afundamos *mesmo*, mamãe". A coisa piorou ainda mais na infame baía de Biscay, onde o *Umtali* foi apanhado por uma ventania impressionante, tão forte e intensa que mal dava para ficar de pé. Corri eufórico até nossa cabine e puxei um lençol do beliche para usar de "vela", pois eu queria ser soprado ao longo do deque como um iate. Minha mãe ficou furiosa e me disse — talvez com razão — que eu podia ter sido soprado ao mar. A mantinha de Sarah, a "Bott", essa foi mesmo soprada ao mar, o que teria sido uma tragédia caso nossa mãe não houvesse tido a precaução de cortá-la ao meio para guardar um pedaço sobressalente com o cheiro certo. Tenho interesse pelo fenômeno das naninhas, embora nunca tenha tido a minha. Parece que a naninha tem de ficar numa posição determinada para o bebê cheirá-la enquanto chupa o dedo. Suspeito que haja alguma conexão com a pesquisa de Harry Harlow sobre macacos *Rhesus* e mães substitutas feitas de pano.

Por fim atracamos no porto de Londres e seguimos para uma linda fazenda da era Tudor chamada Cuckoos, em frente à Hoppet, que meus avós paternos haviam comprado para proteger as terras contra empreiteiros. Moravam conosco a irmã de minha mãe, Diana, sua filha Penny e seu segundo marido, o irmão de meu pai, Bill, então de licença de Serra Leoa. Penny nasceu depois que seu pai, Bob Keddie, foi morto na guerra, assim como o foram os dois bravos irmãos de Bob — uma grande tragédia para o sr. e sra. Keddie, já idosos, que compreensivelmente passaram a se desdobrar em atenção à pequena Penny, agora sua única descendente. Eles também foram muito generosos comigo e com Sarah, primos de Penny mas tratados como netos honorários. Davam-nos presentes caros de Natal e levavam-nos anualmente a uma peça de teatro ou pantomima em Londres. Eram ricos — a família era dona da loja de departamentos Keddies, em Southend —; possuíam uma casa gigantesca com piscina e quadra de tênis externas e, no interior, um belo piano de quarto de cauda Broadwood e um dos primeiros aparelhos de TV. Nós, crianças, nunca tínhamos visto uma televisão, e ficamos hipnotizados com as imagens embaçadas em preto e branco da Mula Muffin na telinha colocada ao centro do grande gabinete de madeira envernizada.

Esses poucos meses de convivência como duas famílias em uma passados em Cuckoos renderam recordações mágicas que só poderiam vir da infância. O querido tio Bill arrancava-nos risinhos, chamando-nos de "Treacle Trousers"* (que o Google hoje me informa ser gíria australiana para o que os ingleses chamam de *trousers at half mast*)** e cantando suas duas musiquinhas, que pedíamos com frequência.

> *Why has the cow got four legs? I must find somehow.*
> *I dont know and you dont know and neither does the cow.****

E esta, numa melodia típica de *hornpipe* de marinheiro:

> *Tiddlywinks old man, get a kettle if you can,*
> *If you can't get a kettle get a dirty old pan.*****

O meio-irmão de Penny, Thomas, nasceu em Cuckoos enquanto morávamos lá. Thomas Dawkins é duplamente meu primo, um parentesco bastante incomum. Compartilhamos quatro avós e, portanto, todos os nossos ancestrais com exceção dos pais. Nossa proporção de genes em comum é a mesma de meios-irmãos, apesar de não sermos nada parecidos. Quando Thomas nasceu, a família contratou uma babá, mas ela durou só até ver meu querido tio Bill em ação durante seu preparo habitual do café da manhã para as duas famílias. Ele estava no chão de pedra da cozinha, com um círculo de pratos em volta, nos quais atirava

* Literalmente, "calças meladas". (N. T.)

** Calças curtas. Literalmente, "calças a meio mastro". (N. T.)

*** Em tradução livre: "Por que a vaca tem quatro patas? Tenho que dar um jeito de saber./ Eu não sei e você não sabe e nem a vaca". (N. T.)

**** Em tradução livre: "Tiddlywinks, meu velho, me arranje uma chaleira,/ Se não acha chaleira, que seja panela velha". (N. T.)

ovos e bacon um de cada vez, como se distribuísse cartas. Foi antes dos tempos de "saúde e segurança", mas era mais do que a melindrosa babá podia suportar. Ela se foi, para nunca mais voltar.

Sarah, Penny e eu íamos todo dia à St. Anne's School em Chelmsford, a escola em que Jean e Diana haviam estudado com a mesma idade e com a mesma professora, a srta. Martin. Não me lembro bem do colégio, fora o cheiro de carne moída das ceias, um menino chamado Giles, que afirmava que o pai havia se deitado entre os trilhos e deixado um trem passar por cima, e o fato de que o professor de música se chamava sr. Harp. O sr. Harp nos botou para cantar "Sweet Lass of Richmond Hill": "I'd crowns resign to call her mine", mas não interpretei a letra como "Renunciaria a coroas para chamá-la de minha". Ouvi "crownresign" como um verbo só, que, pelo contexto, suspeitei significar "parecer-se muito". Havia incorrido no mesmo equívoco com o hino "New every morning is the love/ Our wakening and uprising prove" [Toda manhã nova é amor/ Provam nosso despertar e renascer]. Não sabia o que era "our prisingprove", mas era evidente que quem tivesse uma *prisingprove* deveria ficar agradecido. O lema da escola St. Anne era admirável: "I can, I ought, I must, I will" [Eu posso, eu devo, eu preciso, eu vou] (não necessariamente nessa ordem, mas é algo assim). Os adultos de Cuckoos lembravam-se da música dos "Commissariat Camels", de Kipling, e recitavam-na com tanta ginga que nunca esqueci os versos:

Can't! Don't! Shan't! Won't!
*Pass it along the line!**

Em St. Anne sofri bullying de meninas grandonas — não um bullying muito sério, mas sério o bastante para me levar a fantasiar

* Em tradução livre: "Não posso! Não quero! Não devo! Não vou!/ Passe adiante!". (N. T.)

que, se eu rezasse com fé suficiente, poderia invocar poderes sobrenaturais para me vingar das brutamontes. Imaginava uma nuvem purpúreo-escura a formar um rosto humano carrancudo de perfil, cruzando o céu acima do playground para me salvar. Eu só precisava *acreditar* que aquilo ia acontecer; não aconteceu, supus, porque não rezei com fé suficiente — assim como não aconteceu na Eagle School quando rezei pela metamorfose da srta. Copplestone. Tal é a ingenuidade das crianças quanto ao poder da oração. É claro que alguns adultos jamais a superam e rezam para que Deus lhes reserve uma vaga no estacionamento ou lhes garanta a vitória numa partida de tênis.

Minha expectativa era voltar à Eagle após um trimestre em St. Anne's. Enquanto estávamos na Inglaterra, contudo, os planos da família sofreram uma mudança radical. Eu nunca mais voltaria a ver a Eagle, nem Coppers, nem Tank. Três anos antes, meu pai recebera um telegrama da Inglaterra informando que ele havia herdado de um primo muito distante a propriedade da família Dawkins em Oxfordshire, que incluía a Over Norton House, o Over Norton Park e vários chalés na vila de Over Norton. A propriedade era ainda maior na época em que passou à família, adquirida em 1726 por James Dawkins MP (1696-1766). Este deixou-a para o sobrinho, meu pentavô Henry Dawkins MP (1728-1814), pai daquele Henry que fugiu para se casar auxiliado por coches que saíram a galope em várias direções. A partir daí ela passou por diversas gerações de Dawkins, inclusive o desastroso coronel William Gregory Dawkins (1825-1914), um colérico veterano da Guerra da Crimeia que, segundo consta, ameaçava os inquilinos de despejo caso não votassem conforme o voto dele, que era — por incrível que pareça — progressista. Genioso e litigioso, o coronel William dilapidou boa parte de sua herança processando oficiais mais antigos do Exército por calúnia: processo arrastado e fútil que não fez bem a ninguém exceto

— como sempre — aos advogados. Aparentemente paranoico e delirante, ofendeu a rainha em público, atacou seu superior, Lord Rokeby, numa rua de Londres, e processou o comandante-chefe, o duque de Cambridge. Infelicidade ainda maior foi ter derrubado a Over Norton House, bela casa georgiana que ele acreditava mal-assombrada, e em 1874 ter construído uma versão vitoriana. Seus processos afundaram-no cada vez mais em dívidas, obrigando-o a hipotecar a propriedade de Over Norton muito além do limite. Foi morar numa pensão de Brighton, sobrevivendo a duas libras por semana que seus credores cediam, e ali morreu na penúria. A dívida da hipoteca foi enfim liquidada por seus infelizes herdeiros no início do século XX, mas apenas depois de venderem boa parte das terras, sobrando o pequeno núcleo que acabou sendo repassado a meu pai.

Em 1945, o proprietário do que ainda restava era o sobrinho-neto do coronel William, o major Hereward Dawkins, que morava em Londres e raramente ia para lá. Hereward, como William, era solteiro, e não tinha relação próxima com nenhum parente do lado Dawkins. É evidente que, ao preparar seu testamento, consultou a árvore genealógica e deparou-se com o único Dawkins vivo: meu avô. Presume-se que o advogado o tenha aconselhado a pular uma geração, e assim ele acabou nomeando meu pai como herdeiro, esse tal primo em terceiro grau, bem mais novo que ele. Essa escolha provou-se certeira, embora na época ele não tivesse como saber que meu pai seria a pessoa ideal para preservar as terras e fazê-las prosperar: os dois nunca haviam se encontrado, e não creio que meu pai sequer soubesse da existência de Hereward quando, na África, recebeu o telegrama do nada.

Em 1899, uma certa sra. Daly ganhou de presente de casamento o contrato de arrendamento de longo prazo da Over Norton House. O valor do arrendamento decerto sumira no poço sem fundo da dívida contraída pelo coronel Williams. A sra. Daly lá vivia em grandioso estilo com a família — pilar da pequena nobreza local, com todos os membros afiliados à Heythrop Hunt —,* enquanto meus pais não tinham a menor expectativa de que o legado de Hereward pudesse mudar suas vidas. A intenção de meu pai era ascender nas fileiras do Departamento de Agricultura de Niassalândia até se aposentar (ou, como de fato aconteceria, até o país proclamar independência e virar Malaui).

Quando o *Umtali* atracou na Inglaterra, em 1949, contudo, meus pais receberam uma notícia inesperada: a sra. Daly havia falecido. O que primeiro lhes passou pela cabeça foi procurar outro arrendatário. Mas a possibilidade de deixarem a África e virarem fazendeiros na Inglaterra começou a seduzi-los, os prós da mudança pouco a pouco superando os contras. Um dos motivos era a suscetibilidade de Jean a uma perigosa cepa de malária, e quero crer também que eles tenham se interessado pela ideia de escolas britânicas para mim e Sarah. Os pais deles desaconselharam a mudança, assim como o advogado da família. Os pais de John consideravam ser dever dele preservar a tradição familiar e continuar a servir ao Império britânico na Niassalândia, ao passo que a mãe de Jean ficou cheia de maus augúrios, prenunciando que eles seriam "fazendeiros fracassados", como acontecia com a maioria. No fim, contrariando todas as opiniões, Jean e John decidiram renunciar à África, morar em Over Norton e assumir as terras para transformá-las em fazenda funcional — a primeira vez depois de dois séculos como parquinho da aristocracia desocupada. John demitiu-se do Serviço Colonial, privando-se da pensão, e foi ser aprendiz de uma série de pequenos fazendeiros ingleses para se instruir nas novas habilidades que precisaria do-

* Associação de caçadores de raposas que opera na região de Oxfordshire, sudeste da Inglaterra. (N. T.)

minar. Ele e minha mãe decidiram não morar na Over Norton House, mas reparti-la em apartamentos na esperança de que ela se pagasse sozinha (a sugestão dos advogados foi demoli-la para cortar prejuízos). Nós moraríamos no chalé logo à entrada da fazenda, mas ele precisaria de muita reforma. Durante a obra moramos — seria melhor dizer que acampamos — num cantinho da Over Norton House.

Eu ainda era muito afeito ao dr. Dolittle, e minha maior fantasia durante esse breve interlúdio na Over Norton House era aprender a conversar com animais não humanos, como fazia ele. Mas eu daria um passo a mais que o dr. Dolittle: faria-o telepaticamente. Desejei e rezei muito que todos os bichos nos arredores convergissem ao Over Norton Park, especialmente até mim, de forma que eu pudesse praticar boas ações para com eles. A julgar pela frequência com que fazia essas preces ávidas, devo ter sido profundamente influenciado pelos pastores que me diziam que, desde que você queira com muito afinco, fará acontecer; que basta a força de vontade, ou o poder da oração. Eu acreditava até que uma pessoa podia mover montanhas se a sua fé fosse forte o bastante. Algum pastor deve ter dito isso quando eu estava escutando e, como é muito comum entre os pastores, esqueceu-se de deixar clara, para a criança ingênua, a distinção entre metáfora e realidade. Aliás, às vezes me pergunto se eles mesmos percebem que há distinção. Muitos não parecem achar que isso importe tanto.

Nessa época, minhas brincadeiras infantis eram marcadas por uma fértil imaginação de ficção científica. Eu e meu amigo Jill Jackson brincávamos de espaçonaves na Over Norton House. A cama de cada qual era uma espaçonave, e passávamos horas e horas de felicidade eufórica envolvidos na interpretação de nossos papéis. É interessante como duas crianças conseguem ir construindo uma fantasia conjunta sem jamais se sentarem para combinar a trama. Em um segundo a criança diz "Cuidado, capitão, torpedos

Troon atacando pelo flanco esquerdo!", e a outra instantaneamente toma ação evasiva antes de anunciar seu lado da fantasia.

Meus pais já haviam cancelado formalmente a matrícula da Eagle e saíram em busca de uma nova escola na Inglaterra. Provavelmente teriam gostado de me enviar à Dragon, que ficava perto, em Oxford, para que eu desse continuidade à experiência "aventuresca" da Eagle. Porém, a demanda por escolas como a Dragon era tamanha que, para entrar, a criança precisava ter o nome inscrito na lista de espera ao nascer. Assim, enviaram-me para a Chafyn Grove, em Salisbury (a Salisbury inglesa, que deu o nome à rodesiana), por onde meu pai e seus dois irmãos haviam passado, a qual não era má escola.

Aos que desconhecem os exotismos britânicos, preciso explicar que a Chafyn Grove e a Eagle eram ambas "escolas preparatórias". E para o que é que elas nos "preparavam"? A resposta é ainda mais confusa: para as "escolas públicas", assim chamadas por não serem de fato públicas, mas sim particulares — abertas somente àqueles com pais em condições de pagar a mensalidade. Perto de onde eu moro, em Oxford, há um colégio chamado Wychwood, que durante alguns anos teve uma placa maravilhosa fixada nos portões: ESCOLA WYCHWOOD PARA MENINAS (PREPARATÓRIA PARA MENINOS).

Enfim, a Chafyn Grove foi a escola preparatória para onde fui enviado dos oito aos treze anos, em preparação para a escola pública dos treze aos dezoito. A propósito, não acho que tenha chegado jamais a ocorrer a meus pais enviar-me para qualquer lugar que não os mesmos internatos já frequentados por todos os Dawkins. Eram caros, mas valiam o sacrifício — pelo menos assim pensavam meus pais.

Sob o campanário de Salisbury

Ingressar em uma nova escola é sempre uma experiência desconcertante. Já no primeiro dia percebi que havia novas palavras a aprender. "Puce" era um enigma. Vi isso escrito numa parede e achei equivocadamente que se devia pronunciar "pucky". Acabei descobrindo que era um termo depreciativo, similar a "wet", também palavra muito empregada por lá, ambas com o significado de "fraco". "Muscle" era o contrário: "Nasci na *muscle* Índia, a África é *puce*" (naqueles tempos, muitas crianças que iam para um colégio como aquele haviam nascido em uma das regiões que o mapa-múndi coloria de rosa imperial). "Wig", no mesmo dialeto escolar, significava "pênis". "Você é cabeça-redonda ou encapado? O teu *wig*, entendeu? É tipo cogumelo ou tipo cadarço?" Tais detalhes anatômicos de fato não eram nem poderiam ser confidenciais, visto que precisávamos nos enfileirar toda manhã para o banho frio. Assim que soava o sino de despertar, tínhamos de saltar da cama, tirar o pijama, pegar a toalha e correr até o banheiro, onde uma das três banheiras estava cheia de água gelada. Mergulhávamos e saíamos o mais rápido possível sob a supervisão de nosso diretor, o sr. Galloway. De tempos em tempos o mesmo sino era usado para nos acordar no meio da noite em treinamentos de incêndio. Numa dessas ocasiões, eu estava tão tonto de sono que executei mecanicamente o procedimento matinal: tirei meu pijama e cheguei ao fim da escada de incêndio totalmente nu, segurando minha toalha, até notar o engano — todos os outros estavam de pijama, roupão e pantufas. Por sorte, era verão. O banho frio não era nosso único banho, é claro. Tínhamos um banho quente decente à noite (esqueci quantas vezes por semana), em que ficávamos de pé e éramos escovados por uma supervisora, o que nos agradava bastante, sobretudo se fosse pela bonitinha da supervisora auxiliar.

Era um período de austeridade, já próximo do fim da guerra e ainda sujeito aos racionamentos. Em retrospecto, a comida era tenebrosa. Doces estavam entre os bens racionados pelo governo, o que teve um efeito paradoxal, provavelmente em detrimento dos nossos dentes: acabávamos comendo mais doce do que se fossem tempos de paz, pois nossa ração açucarada era rigorosamente entregue após o chá. Eu costumava passar o meu quinhão para os outros. Aliás, por que é que a ração de doces na guerra não se reduzia a zero? Será que o pouco açúcar que sobreviveu aos submarinos alemães não podia ter sido mais bem utilizado?

Eu vivia com os pés gelados, e sofria muito de frieira. É sabido que os cheiros são gatilhos da memória, e o cheiro de eucalipto do unguento contra frieira que minha mãe enviava é irrevogavelmente associado à Chafyn Grove e ao tormento da coceira nos dedos. Costumávamos passar frio na cama, e tentávamos amenizá-lo dormindo de roupão. Havia um penico embaixo de cada cama para prevenir a necessidade de sair pelo corredor no meio da noite. Queria ter sabido na época o nome que dão a esse utensílio no norte do país: *gazunder* (porque fica *under*, embaixo).

Restava apenas um professor da época de meu pai: H. M. Letchworth, um tipo velhinho gentil à la Mr. Chips* que fora combatente na Primeira Guerra Mundial e também já fora diretor adjunto da escola. Nós o chamávamos de Slush [lodo], mas não na cara dele, pois a Chafyn Grove não seguia a mesma convenção da Dragon e da Eagle para apelidos. A única exceção era durante o acampamento escoteiro anual, quando ele preferia ser chamado de Chippi, apelido antigo que acredito ter se originado na época em que ele conheceu Baden-Powell. Não gostava de ser chamado de Slush. Uma vez, numa aula de latim, a palavra "tabes" apareceu no vocabulário que tínhamos de aprender. O sr. Letchworth estava testando nosso conhecimento e, quando chegou a hora de um menino traduzir "tabes" ("slush", no contexto do que estávamos lendo), todos começaram a dar risinhos abafados. O sr. Letchworth nos contou, com um ar triste, que o apelido vinha exatamente daquele trecho de Tito Lívio ("Tantos anos atrás... essa mesma frase... tantos anos atrás..."), embora ele nunca tenha nos contado como aquilo havia se conectado à sua pessoa.

O diretor, Malcolm Galloway, era uma figura extraordinária (quem sabe todo diretor não é, ex officio, extraordinário). Nós o chamávamos de Gallows, que significa forca. Ele fazia jus a esse apelido e não hesitava em recorrer à penalidade extrema, que, no caso da Chafyn Grove, era a bengala. Ao contrário dos açoitamentos inofensivos da Eagle, aplicados com régua, a bengala de Gallows doía de verdade. Dizia-se que ele tinha duas bengalas, a Slim Jim e a Big Ben, e que o castigo variava entre três e seis golpes conforme a gravidade do delito. Tive a sorte de nunca receber o trato da Big Ben, mas três golpes da Slim Jim já doíam bastante

* Referência ao livro *Goodbye, Mr. Chips*, de James Hilton, publicado originalmente em 1934, que trata de um professor adorado pelos alunos num internato inglês. (N. T.)

e deixavam feridas — que costumávamos exibir com orgulho no dormitório, como se fossem cicatrizes de guerra. Levavam semanas para desaparecer, passando de roxo a azul e depois a amarelo. Os meninos brincavam que iam enfiar o caderno de exercícios por dentro da calça para aliviar o golpe, mas é óbvio que Gallows teria notado na hora, e tenho certeza de que ninguém chegou a tentar a artimanha.

Hoje em dia, o castigo físico é ilegal na Inglaterra, e suspeita-se que os professores empregavam-no por crueldade ou sadismo. Estou convicto de que Gallows não era culpado de nenhum dos dois. Temos aqui um exemplo da velocidade com que mudam os costumes e valores — um aspecto daquilo que chamei, em *Deus: um delírio*, de "*Zeitgeist* moral mutante". Com outra denominação, o *Zeitgeist* moral mutante está fartamente documentado por Steven Pinker em *Os anjos bons da nossa natureza.**

Gallows era capaz de imensa bondade. Fazia a ronda nos dormitórios antes do apagar das luzes como se fosse um tio querido, animando-nos, chamando-nos pelo nome de batismo (só neste momento: jamais durante o dia letivo). Uma noite Gallows notou o *Jeeves Omnibus* numa prateleira do meu dormitório e perguntou se algum de nós conhecia P. G. Wodehouse. Ninguém sabia quem era, aí ele se sentou numa das camas e nos leu uma história. Era "The Great Sermon Handicap" [A grande aposta dos sermões], e suponho que ele tenha espaçado a leitura por várias noites. Nós *amamos.* Ainda é uma das minhas histórias prediletas de Jeeves, e P. G. Wodehouse é um dos meus autores prediletos, lido, relido e inclusive parodiado para propósitos pessoais.

Todo domingo ao cair da tarde a sra. Galloway lia para nós na sala de estar particular da família. Deixávamos os sapatos do

* Steven Pinker, *Os anjos bons da nossa natureza: Por que a violência diminuiu.* Trad. de Bernardo Joffily e Laura Teixeira Motta. São Paulo: Companhia das Letras, 2013.

lado de fora e nos sentávamos todos no chão de pernas cruzadas, em meio a um leve odor de meias suadas. Ela lia um ou dois capítulos por vez, levando um trimestre para encerrar um livro. Eram geralmente histórias de grandes aventuras, como *Moonfleet: O tesouro do Barba Negra*, *Maddon's Rock* [O rochedo de Maddon] e *Mar cruel* (a "edição para cadetes", sem cenas de sexo). Num domingo, a sra. Galloway não estava e quem leu foi Gallows. Havíamos chegado à parte de *As minas do rei Salomão* em que os bravos heróis de chapéu colonial eram defrontados pelas montanhas gêmeas chamadas Seios de Sabá (acho fascinante que o nome tenha sido censurado na adaptação cinematográfica estrelada por Stewart Granger — obra que, estranhamente, incluía uma mulher na expedição). Gallows fez uma pausa para nos explicar que essas montanhas eram as colinas Ngong. (*Ora, meus camaradas, mas que disparate. Gallows só quer se exibir e dizer que já esteve no Quênia.* As minas do rei Salomão *não se passava no Quênia. Subam para o dormitório, vamos.*)

Quando trovejava forte à noite, Gallows ia ao dormitório júnior, acendia a luz e reconfortava os menorzinhos (tão pequenos que lhes era permitido ter ursos de pelúcia). Em meados de cada trimestre, no "domingo externo", quando os pais vinham buscar os filhos para passar o dia com eles, sempre havia um ou dois meninos sem visitantes, talvez porque os pais estivessem no exterior ou adoentados. Aconteceu comigo uma vez. O sr. e a sra. Galloway nos levaram junto com seus filhos nos dois automóveis deles: o Grey Goose, um carro de turismo dos anos 1930, e o pequeno Morris 8, batizado de James. Fizemos um piquenique encantador à beira de uma barragem, e quase sinto os olhos marejados ao lembrar como eles foram gentis conosco, ainda mais porque podiam perfeitamente ter preferido passar o dia só com os próprios filhos.

Em seu papel de professor, porém, Gallows dava medo. Ele berrava até o limite de sua potente voz, e seu escárnio retumbante podia ser ouvido com clareza em todas as salas do colégio, provocando sorrisos conspiratórios entre os meninos e os outros professores. “O que você faz quando encontra ‘*ut* com o subjuntivo’?... PARE E PENSE!” (Hoje sei que regras como essa não correspondem ao funcionamento real da linguagem.) O sr. Mills, um dos vários professores de latim, era ainda mais assustador: inquietante demais até para ganhar um apelido. Tinha uma presença ameaçadora. Exigia precisão total e caligrafia perfeita: um errinho e você tinha de reescrever o trecho todo. A srta. Mills — sem parentesco com ele —, roliça, doce e maternal, com rabichos amarrados como uma espécie de halo na nuca, dava aula aos pequenos e chamava a todos de “querido”. O sr. Dowson, jovial professor de matemática, sempre com seus oclinhos, tinha o apelido de Ernie Dow. Nenhum de nós sabia de onde vinha o “Ernie”, até que um dia ele nos leu um poema e acabou contando o nome do autor: Ernest Dowson, é claro. Não lembro qual era o poema, talvez fosse “They are not long, the weeping and the laughter” [Não são longos, o riso e o choro], mas é certo que para nós a leitura foi perda de tempo. Ernie Dow foi um bom professor que, com seu leve sotaque nortista, me ensinou a maior parte do cálculo que eu viria a aprender. O sr. Shaw não tinha apelido, mas sua filha adolescente era chamada de “Pretty Shaw” apenas para justificar a piada pueril que inevitavelmente se seguia quando alguém dizia “I’m pretty sure...”.* Havia alta rotatividade de professores jovens, imagino que na maioria estudantes que estavam esperando para entrar na universidade ou haviam acabado de se graduar, na maioria das vezes queridos por nós, provavelmente por serem jovens. Um deles era o sr. Howard, Anthony Howard, que mais tarde se tornaria um renomado jornalista e editor da *New Statesman*.

* *Pretty sure* [estou quase certo de que] tem pronúncia similar a “Pretty Shaw” [a bela Shawn]. (N. T.)

Em meu primeiro trimestre, na segunda série, minha professora era a srta. Long, uma mulher magra, de meia-idade, traços angulosos, cabelos retos e óculos sem aro, carinhosa como a maioria dos professores. Além de lecionar na segunda série, ela ensinava piano. Minhas primeiras aulas de música, aliás, foram com ela, e vangloriei-me para meus pais dizendo que meu progresso estava muito mais rápido do que realmente estava. Já que a verdade cedo ou tarde emergiria, por que se vangloriar tanto? Jamais saberei.

Ficou claro como fora equivocado o pessimismo de meus pais quanto aos padrões acadêmicos da Eagle, na Rodésia do Sul. Entre meus contemporâneos da Eagle eu havia sido aluno mediano, mas me vi bem adiantado quando cheguei à Chafyn Grove. Vergonhosamente até, a ponto de, já que a proficiência acadêmica não era admirada, eu fingir saber menos do que sabia. Ao me perguntarem sobre o significado de uma palavra em latim ou francês, por exemplo, eu afetava uns *ahms* e *uhms*, em vez de mostrar na mesma hora o que sabia e assim me arriscar a perder o respeito de meus colegas. Essa tendência atingiu as raias do absurdo no ano seguinte à segunda série, quando cheguei ao ridículo de concluir que, como os garotos *muscle* que iam bem nos esportes não costumavam ir bem em termos acadêmicos, a única maneira de eu ir bem nos esportes era ir mal nos estudos. Parando agora para pensar nisso, essa atitude foi tão cretina que é óbvio que eu nem merecia mesmo ir bem nos estudos.

É evidente que eu estava muito confuso quanto ao que significava ir bem nos esportes. Havia três irmãos, Sampson *ma*, Sampson *me* e Sampson *mi* (*maior*, *menor* e *mínimo*), que iam todos bem, principalmente o Sampson *mi*, que era excepcional em todos os esportes e uma vez, numa partida de críquete, quando ele já vinha carregando o time nas costas, conseguiu apanhar a bola no ar em um lance miraculoso. Ocorreu-me a ideia estapafúrdia de que a semelhança do nome Sampson com o do famoso fortão bíblico não podia ser acidental. Minha mente ingênua conjecturou que os Sampsons haviam herdado a proeza esportiva, se não do próprio herói bíblico, Sansão, de algum ancestral musculoso do medievo que recebera o nome da mesma maneira que "Smith" [ferreiro] ou "Miller" [moleiro] — ou, quem sabe, "Armstrong", que realmente deriva de um apelido para homem com braços fortes. Entre muitos outros enganos meus estava a suposição de que qualidades hereditárias perceptíveis recuam mais do que algumas poucas gerações — o mesmo engano que mencionei no primeiro capítulo ao comentar *Tess d'Urbervilles*.

O pai dos Sampsons, que tinha um olho só — o outro havia sido bicado por uma garça-real (ou assim nos disseram, por implausível que fosse) —, era dono de uma fazenda em Hampshire, onde a Tropa de Escoteiros da Chafyn Grove fazia seu acampamento anual, supervisionada por Slush, com a assistência de Gallows e de um senhor corpulento chamado Dumbo, que fora convocado para aquela ocasião. Para mim, o acampamento escoteiro era um dos pontos altos do ano. Armávamos nossas barracas, cavávamos nossas latrinas e fazíamos nossa fogueira, que usávamos para cozinhar deliciosos *dampers* e *twists*.* Aprendíamos a amarrar gravetos com nós elegantes em barbante de sisal, e improvisávamos toda sorte de utensílios para o acampamento, desde porta-xícaras até varais de roupa. Cantávamos ao redor da fogueira — canções de escoteiro como "Dai's got a head like a ping pong ball", ensinadas por Slush/Chippi, fáceis de decorar, a maioria curtinha:

Gaily sings the donkey, as he goes to grass.
Who knows why he does so, because he is an ass.
*Ee aw. Ee aw. Ee aw, ee aw, ee aw.***

* *Damper* é um pão australiano tradicional, que costuma ser preparado em camping; e *twist*, um pedaço de massa retorcido e geralmente chamuscado. (N. E.)

** Em tradução livre: "O burro canta de alegria, quando vai pastar/ Sabe-se lá por quê, deve ser porque é burro./ Irró. Irró. Irró, irró, irró". (N. T.)

Algumas delas não tinham melodia e estavam mais para mais berros de solidariedade do que para canções:

There ain't no flies on us.
There ain't no flies on us.
There may be flies
On some of you guys
*But there ain't no flies on us!**

Pièce de résistance era uma saga épica sobre um ovo podre cantada por Chippi. Eu a reproduzi no apêndice para a web, na esperança sentimental de que alguns leitores possam querer cantar em torno da fogueira essa música esquecida e metaforicamente agitar as cinzas de Henry Murray Letchworth, bacharel em artes por Oxford, integrante dos Fuzileiros Reais de Dublin, codinomes Slush e Chippi, o afável e melancólico patriarca da Chafyn Grove que lembrava o personagem de *Goodbye, Mr. Chips*. Em 2005, na festa do nonagésimo aniversário do meu pai, realizada no alojamento dos professores do Balliol College, transcrevi com fidelidade a letra inteirinha da música do ovo para uma apresentação magnífica da adorável soprano Ann Mackay com sua acompanhante ao piano, e meu pai, muitíssimo jovial, ainda que nem tão afinado, se juntou a ela.

No acampamento escoteiro, ganhávamos insígnias por alcançar excelência em atividades como manipular o machado, atar nós e dominar o código de bandeiras ou o código Morse. Eu era bom em Morse; usava uma técnica aperfeiçoada por meu pai na Somalilândia durante a guerra, quando emitia sinais a partir de seu blindado. Para cada letra, você aprende uma frase que co-

* Em tradução livre: "Não tem mosca na gente./ Não tem mosca na gente./ Pode ter mosca/ Em alguns aí/ Mas não tem mosca na gente!". (N. T.)

A família Dawkins faz parte do grupo Chipping Norton desde os princípios do século XVIII, quando meu pentavô Henry Dawkins MP construiu o mausoléu da família na igreja de St. Mary "para si e seus herdeiros", nas palavras da inscrição sobre a mesa memorial. Um retrato da família de Henry pintado em 1774 serve como pano de fundo a uma foto da família tirada na Over Norton House por volta de 1958. Meu avô Dawkins, com sua gravata rosa do clube Leander, senta-se entre a esposa, Enid, e sua nora, Diana. Minha irmã, Sarah, aparece na frente dele; tio Bill está atrás dele, entre tio Colyear e eu. Meu pai é o da extrema esquerda. Minha mãe está entre Enid e a esposa de Colyear, Barbara.

Será que Zuleika Dobson está entre os espectadores a bordo da barcaça da faculdade enquanto meu avô Clinton G. E. Dawkins, encurvado para a frente, se prepara para remar por Balliol?

A formação superior do meu avô (*à direita*) foi financiada por seu tio (futuro Sir) Clinton Edward Dawkins (*acima*), cujas ideias de livre-pensador foram exaltadas nas rimas Balliol.

Meu pai (*acima*) e Bill (*à direita*), seu irmão jogador de rúgbi, acompanharam o pai deles e vários outros Dawkins a Balliol após uma infância idílica nas florestas da Birmânia.

Acima, a família Smythies em Dolton, Devon. *No alto*, minha avó paterna, Enid, com o cachorro e o livro, está sentada ao lado da mãe (com o chapéu requintado), do irmão Evelyn (com a raquete de tênis) e do pai (de chapéu-panamá), junto com dois convidados não identificados. *Abaixo*, os primos Smythies por volta de 1923. Sentados no chão, da direita para a esquerda, Bill, Yorick, John e a irmã de Yorick, Belinda. Colyear está nos braços da mãe.

Na página ao lado: a esposa de Evelyn Smythies, Olive, era conhecida como "Tiger Lady" por seu desagradável passatempo de alvejar tigres. O filho de Olive, Bertram Smythies, primo em primeiro grau de meu pai, cultivava o interesse menos aniquilador e mais literário pelo mundo natural.

The Author on an Elephant

THE BIRDS OF BORNEO

BY

BERTRAM E. SMYTHIES

B.A., M.B.O.U.

with special chapters by TOM HARRISSON, Curator of the Sarawak Museum, LORD MEDWAY, formerly Technical Assistant, Sarawak Museum, and J. D. FREEMAN, Reader in Social Anthropology at the National University, Canberra, Australia

With 50 plates in colour by

COMMANDER A. M. HUGHES

O.B.E., R.N. (retd.)

and

45 photographic plates (1 in colour) by

OLIVER AND BOYD

EDINBURGH: TWEEDDALE COURT

LONDON: 39A WELBECK STREET, W.1

Meu avô materno, "Bill" Ladner (na primeira foto da página ao lado, o terceiro sentado da esquerda para a direita), integrava um grupo de oficiais da Marinha enviados ao Ceilão para ajudar a construir uma estação radiotelegráfica durante a Primeira Guerra Mundial. Será que o cachorro era mascote da estação? Parece ser o mesmo cachorro que recebe o afago de minha avó Connie. A família voltou à Inglaterra quando minha mãe, Jean (*à esquerda*), tinha três anos. Eles foram morar em Essex (*acima, à direita*: minha mãe é a que está com os braços em volta de um amiguinho) e passavam as férias em Mullion, na Cornuália: na foto tirada na praia, minha tia Diana está de mãos dadas com a mãe e a irmã.

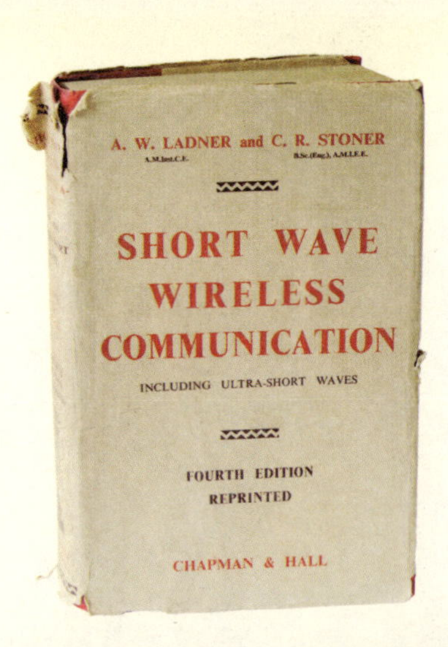

Acima, meu avô Ladner, engenheiro telegráfico contratado pela Marconi e autor do livro de referência sobre comunicação radiotelegráfica de ondas curtas, demonstra equipamentos durante visita da realeza árabe. Ele conheceu minha avó na Cornuália enquanto trabalhava na Estação Radiotelegráfica de Poldhu. Algumas das chapas da estação, usadas como material isolante dos painéis de instrumentos, acabaram virando blocos de pavimentação da nossa casa na enseada de Mullion.

meça com essa letra. Palavras de uma sílaba são pontos, palavras maiores são traços. G, por exemplo, era "Gordon Highlanders go" — traço traço ponto. Não consegui criar um auxílio mnemônico semelhante para o código de bandeiras, e talvez por isso eu me atrapalhasse tanto nessa linguagem. Ou talvez fosse porque tenho baixa inteligência espacial: vou bem em testes de QI até chegar às questões de rotação espacial ali pelo fim, que derrubam minha pontuação.

O outro momento alto do ano era a peça anual da escola, sempre uma opereta, sempre produzida por Slush, numa tradição que já vinha pelo menos desde a época de meu pai. Meu tio Bill depois me contou: "Cheguei a fazer um teste para o papel de uma lâmpada, mas minha atuação foi considerada insatisfatória". Os papéis principais ficavam com meninos que soubessem cantar, e eu era um deles. *O prato do salgueiro-chorão*, na qual fiz a protagonista feminina em meu último ano, era uma das peças típicas. O pano de fundo era uma grande pintura naquele estilo de porcelana azul e branca. O pagode era a residência da princesa real; ela havia morrido e, para evitar a ameaça da republicanização, os três homenzinhos na ponte vinham conspirando para manter a morte dela em segredo. O plano deles foi ameaçado quando um formoso príncipe tártaro mandou avisar que estava a caminho para pedir a mão da princesa. Naquele instante eu, como donzela da aldeia, aparecia e fazia meu grande número musical. Eu descrevia, com gestos histriônicos e burlescos para o cenário, o mundo cerâmico azul em que todos vivíamos:

Blue is the sky above my aching head.
The grass is blue beneath my weary feet.
Blue are the trees that o'er the blue path shed
A deeper shade of everlasting blue.

And all the world is clothed in robes of blue.
*The restless sea is of the self-same hue.**

Este último verso é bastante espirituoso (uma pérola lançada aos porquinhos que éramos), e quero crer que tenha conseguido extrair um risinho da plateia adulta, que consistia quase toda ela de pais incansavelmente tolerantes, mais o repórter do *Salisbury Chronicle* (que, aliás, me fez uma menção gentil mas desmerecida).

The royal pagoda glistens in the sun.
The footballs grow on yon preposterous tree.
(The song has several verses more to run
*But that's the lot in my poor memory.)***

Os três homenzinhos na ponte aproveitavam a chance e me enfiavam no pagode para eu fazer as vezes da princesa falecida, bem a tempo da chegada do príncipe tártaro ao palco — de bigode negro desenhado no rosto e espada desembainhada. Não lembro quais eram os desdobramentos até o final feliz, mas o príncipe acabava me jogando por cima do ombro que nem bombeiro e me carregava de volta à Tartária.

Há momentos de constrangimento agudo que perduram na memória e me arrancam um gemido quando me recordo deles. Na Chafyn Grove tínhamos todo dia o momento de sentar, tomar chá e comer pão com manteiga. Enquanto fazíamos fila para o

* Em tradução livre: "Azul é o céu sobre minha cabeça dolorida./ A grama é azul sob meus pés cansados./ Azuis são as árvores que se debruçam sobre o caminho azul/ Um tom mais profundo de azul perpétuo./ E o mundo inteiro se veste em mantos de azul./ O mar inquieto tem a mesmíssima coloração". (N. T.)

** Em tradução livre: "O pagode real cintila ao sol./ As bolas de futebol crescem naquela absurda árvore./ (A música tem muitos versos pela frente/ Mas isto é o que resta em minha péssima memória.)". (N. T.)

salão de jantar, por vezes o bedel lia uma lista de nomes fornecida pelo menino aniversariante. Os convidados nomeados podiam sair da fila e dirigir-se a uma mesa especial para aniversários, situada numa extremidade do salão e servida com bolo, geleia e outras delícias enviadas pela mãe amorosa. Eu entendia o princípio, e entendia o dever de fornecer ao bedel a lista com os nomes de meus amigos. Isso estava bem claro. O que me fugiu à atenção foi o detalhe de que se devia avisar a mãe com antecedência para enviar o bolo e a geleia. No meu aniversário — acho que o de nove anos —, fiz a lista dos meus amigos e entreguei ao bedel, que leu em voz alta. Os amigos selecionados chegaram babando ao salão de jantar, inspecionaram a mesa vazia e... Mesmo depois de tantos anos, a vergonha me impede de continuar a descrever a cena. O que ainda me deixa perplexo é por que nunca me ocorreu a questão de onde deveria vir o bolo. Talvez eu achasse que ele seria preparado pelo cozinheiro do colégio. Mas, mesmo assim, eu não devia ter me perguntado como é que o cozinheiro iria saber que era meu aniversário? Talvez eu achasse que o bolo se materializaria num passe de magia sobrenatural, como moedinhas de seis pence quando se deixa um dente debaixo do travesseiro. Assim como a história do esconde-esconde na montanha Zomba, esse incidente revela uma triste ausência de qualquer coisa remotamente parecida com pensamento crítico ou cético na minha infância. Embora eu ache esses exemplos constrangedores, a incapacidade de pensar conforme a *plausibilidade* das coisas é um traço humano comum o bastante para ser digno de nota. Retomarei o assunto.

Eu era excepcional em termos de desleixo e desorganização durante meus primeiros anos na Chafyn Grove. Meu primeiro boletim escolar tocava com insistência no tema tinta:

> DEPOIMENTO DO DIRETOR: Produziu bons trabalhos e merece seu prêmio. No momento é um garoto muito entintado, dado a manchar os trabalhos.

MATEMÁTICA: Trabalha muito bem, mas nem sempre consigo ler seus trabalhos. Precisa aprender que a tinta serve para escrever, não para lavar.

LATIM: Fez progresso constante, mas infelizmente, ao usar tinta, seu trabalho escrito fica deveras sujo.

A srta. Benson, minha idosa professora de francês, pareceu de algum modo ter conseguido omitir o leitmotiv tintesco, mas até o depoimento dela vinha com uma alfinetada.

FRANCÊS: Grande potencial, boa pronúncia e uma capacidade formidável de fugir dos deveres.

Tinta? Bom, o que é que se pode esperar ao equipar todas as carteiras da classe com um tinteiro aberto e entregar às crianças canetas para imersão, que parecem ter sido projetadas para respingar tinta por toda a sala, ou no mínimo para depositar volumosos e reluzentes pingos de tinta por toda a página — pingos que eu então expandia em aranhas ou, dobrando o papel, transformava em manchas de Rorschach? Não é à toa que as fileiras de pias eram repletas de pedra-pomes (achávamos que se dizia "pedra-pontes") para limpar a tinta dos dedos. Lamentavelmente, a ubíqua tinta se espalhou para muito além do meu caderno de exercícios. Eu também maculava livros impressos. Não estou falando de transformar o *Guia de conjugação em latim* no *Guia de conspurcação com pudim*: isso todos faziam. Meu vício na tinta ia além. Eu garatujava todos os livros didáticos, preenchendo as letras com tinta ou desenhando figurinhas no canto superior direito das páginas para que elas se movimentassem cineticamente quando se folheava o volume. Os livros não eram nossos: tínhamos de devolvê-los ao fim de cada trimestre, para serem herdados pela próxima turma. E eu sabia que estaria encrencado quando chegasse a hora de entregar meus livros incrustados de tinta. Essa preocupação me rendeu noites de insônia, me deixou infeliz de verdade e me afastou da comida (embora fosse nojenta mesmo), mas não me impediu de continuar. Reconheço que, em um sentido, a criança maculadora de livros era a mesma pessoa que o adulto bibliófilo atual, mas aquele comportamento infantil depravado foge à minha compreensão presente. Também não atino com a minha reação de outrora ao bullying, e suspeito que meus coetâneos se vejam, hoje, diante da mesma incógnita.

Grande parte do bullying explícito era pura bravata, ameaças fúteis cuja vacuidade era atestada pela invocação de um futuro indefinido: "Então tá! Chega. Vou botar você na minha *lista de porrada*" era uma ameaça tão nebulosa quanto "Quando morrer você vai pro inferno" (embora nem todos tratem a última ameaça como nebulosa). Mas havia também o bullying de verdade, na forma particularmente indigna do bullying em que gangues de capangas bajuladores se agrupam em torno de um líder valentão, buscando sua aprovação.

O "Aunty Peggy" da Chafyn Grove sofria um bullying ainda mais sério que o da Eagle. Era um estudioso brilhante e precoce, um menino grandalhão, desastrado e canhestro, com uma voz desarmoniosa que havia engrossado prematuramente, e de poucos amigos. Não mencionarei o nome, caso ele venha a ler este trecho e a lembrança ainda lhe traga dor. Era um desajustado, um patinho feio sem dúvida destinado a ser cisne, que deveria provocar compaixão, e o teria feito em qualquer ambiente justo — mas não na selva de *O senhor das moscas* que era aquele pátio. Havia até uma turminha que levava o nome dele, a "gangue anti-______", sendo o exclusivo propósito da organização tornar a vida dele uma desgraça. Seu único crime, porém, era ser diferente e desengonçado, sem coordenação suficiente para agarrar uma bola, incapaz de correr exceto com um porte deselegante, num passo arrastado — e ser muito, muito inteligente.

Ele era aluno do período diurno apenas, de maneira que podia fugir para casa no fim da tarde — ao contrário das vítimas do bullying atual, perseguidas para além dos portões do colégio via Facebook e Twitter. Mas chegou um trimestre em que, sabe-se lá por quê — talvez os pais tivessem ido morar no exterior —, ele se tornou interno. E aí a diversão alçou voo. Seu tormento era agravado pelo fato de que ele não suportava os banhos gelados. Não sei se era a água fria ou a nudez, mas o que todos nós aceitávamos com naturalidade reduzia Aunty Peggy a um estado de horror abjeto, ganindo, tremendo incontrolavelmente e agarrando-se à toalha, recusando-se a soltá-la. Era o seu Quarto 101.* Por fim Gallows teve piedade do garoto e dispensou-o do banho frio. O que, obviamente, fez maravilhas em favor de sua já imensa popularidade entre os colegas.

Não consigo nem começar a imaginar como seres humanos podiam ser tão cruéis, mas, em maior ou menor grau, nós eramos mesmo cruéis, no mínimo por não tentarmos impedir a crueldade. Como podíamos ser tão desprovidos de empatia? Há uma cena de *Sem olhos em Gaza*, de Aldous Huxley, em que os homens recordam com vergonha e perplexidade como haviam atazanado um patinho feio parecido com o nosso no dormitório do colégio. Talvez a culpa sentida por mim e provavelmente por todos os meus amigos da Chafyn Grove que se lembram do episódio ajude a nos dar alguma vaga noção de como os guardas dos campos de concentração conseguiam exercer sua função. Será que a Gestapo poderia representar a retenção, até a maturidade, de um traço psicológico normal nas crianças, gerando assim uma psicopatia

* Referência ao livro *1984*, de George Orwell. O Quarto 101 é uma sala de torturas do Ministério do Amor. (N. T.)

adulta? Talvez isso seja simplista demais, mas meu eu adulto continua perplexo. Não é que eu não sentisse empatia. O dr. Dolittle me ensinara a ter compaixão por animais não humanos em um grau que a maioria das pessoas consideraria excessivo. Lá pelos meus nove anos, estava pescando num barco pelas águas do porto de Mullion com minha avó, quando tive o infortúnio de pescar uma cavalinha. Fiquei no mesmo instante tomado de remorso lacrimejante e quis jogá-la de volta. Chorei porque não me deixaram. Minha avó foi bondosa e me consolou, mas não bondosa a ponto de me deixar devolver a criatura ao mar.

Eu também me condoía, de novo com provável excesso, dos meus colegas que passavam por maus bocados com as autoridades. Chegava a níveis absurdos — aliás, níveis corajosamente imprudentes — para tentar absolvê-los, e só posso perceber isso como sinal de empatia. Mesmo assim, não levantei um dedo para deter o bullying grotesco que acabei de descrever. Acho que isso se deve em parte ao desejo de continuar sendo bem aceito pelos indivíduos dominantes e populares. É marca de qualquer valentão bem-sucedido contar com um pelotão de tenentes leais, e mais uma vez vemos isso se manifestar com cruel brutalidade no bullying verbal que se tornou epidêmico nos fóruns da internet, onde os autores dos maus-tratos contam com a proteção extra do anonimato. Mas não me lembro de ter sentido sequer nenhuma piedade secreta pela vítima da Chafyn Grove. Como é possível isso? Essas contradições me perturbam até hoje, junto com um forte sentimento de culpa retrospectiva.

Mais uma vez, como com o problema da tinta, estou me esforçando para conciliar a criança com o adulto que ela se tornou; e o mesmo empenho, suspeito, é despertado na maioria das pessoas. A contradição evidente surge porque compramos a ideia de que a criança era a mesma "pessoa" que o adulto; de que "o menino é pai do homem". É natural pensar assim por causa da continuidade da memória dia após dia e, por extensão, década após década, muito embora, pelo que dizem, nenhuma molécula física do corpo infantil sobreviva às décadas. Como eu não tinha diário, é justamente essa continuidade que me torna possível escrever este livro. Alguns dos filósofos britânicos mais densos, como Derek Parfit e outros por ele citados em *Reasons and Persons* [Razões e pessoas],* já demonstraram, com o auxílio de intrigantes experimentos mentais, que não é nem um pouco óbvia a afirmação de que permanecemos a mesma pessoa ao longo do tempo. Psicólogos como Bruce Hood abordaram tal problema em outras dimensões. Este não é um espaço para indagações filosóficas; contento-me em observar que a continuidade da memória me faz *sentir* como se minha identidade houvesse permanecido contínua ao longo de toda a minha vida, mas paralelamente me sinto incrédulo de que sou aquele mesmo danificador de livros, aquele mesmo fracasso de empatia.

Eu era também um fracasso nos esportes. Mas a escola tinha uma quadra de squash e fiquei obcecado por esse jogo em específico. O que eu apreciava não era vencer um oponente. Gostava apenas de ficar batendo a bola contra a parede, sozinho, vendo até quando aguentava. Durante os feriados escolares apresentava sintomas de abstinência de squash — sentia saudade do eco da bola atingindo a parede e do cheiro da borracha preta — e ficava sonhando com jeitos de improvisar uma quadra em algum canto da fazenda, talvez num chiqueiro vazio.

Quando voltava à Chafyn Grove, assistia da arquibancada aos jogos de squash, aguardando a partida terminar para poder entrar e ficar praticando sozinho. Um dia — eu devia ter onze anos — havia um professor na arquibancada comigo. Ele me puxou para sentar em sua coxa e colocou a mão dentro do meu short. Não passou de uma leve apalpada, mas foi extremamente

* Derek Parfit, *Reasons and Persons*. Oxford: Oxford University Press, 1984.

desagradável (o reflexo cremastérico não é doloroso; mas, num sentido sinistro e horripilante, é quase pior que uma dor), além de vergonhoso. Assim que consegui me desvencilhar de seu colo, corri para contar a meus amigos, muitos dos quais já tinham passado pela mesma experiência com ele. Não acho que ele tenha nos causado nenhum dano duradouro, mas poucos anos depois ele se suicidou. O clima das orações matinais nos dizia que havia algo no ar mesmo antes de Gallows fazer seu lúgubre anúncio. Uma das professoras estava chorando. Muitos anos mais tarde, em Oxford, um bispo corpulento sentou-se do meu lado à mesa dos *fellows* do New College. Reconheci o nome. Ele fora (ah, eu, tão pequeno na época) cura na igreja de St. Mark, à qual os alunos da Chafyn Grove dirigiam-se em pares para as preces matinais todo domingo, e estava obviamente a par das fofocas. Contou-me que aquela professora andava perdidamente apaixonada pelo professor pedófilo suicida. Nenhum de nós havia jamais suspeitado.

As missas matutinas de domingo aconteciam na St. Mark, ao passo que as orações eram feitas na capela do colégio toda manhã e toda noite de dia útil. Gallows era religioso ao extremo. E religioso de verdade, por dentro, não só por fora: ele acreditava mesmo naquele negócio, ao contrário de muitos educadores (e clérigos) que fingem acreditar por obrigação, e de políticos que fingem acreditar por terem a impressão (que suspeito ser exagerada) de que isso lhes renderá votos. Gallows costumava referir-se a Deus como "the King", ou o rei (ele pronunciava "Kiiiing", o que surpreendia porque sua fala costumava se pautar pela pronúncia britânica padrão). Acho que isso causou certa desordem na minha cabeça. Eu devia saber que o rei George VI não era Deus, mas criou-se na minha mente certa confusão sinestésica entre realeza e divindade. Isso perdurou até depois da morte do rei George VI e a coroação de sua esposa, quando Gallows nos instilou profunda reverência por bobagens cerimoniais como a unção com óleo sagrado. Ainda consigo invocar um eco dessa reverência quando vejo uma antiga caneca comemorativa da coroação, ou quando ouço o magnífico hino "Zadok, o Sacerdote", de Handel, ou a marcha "Orbe e cetro", de Walton, ou "Pompa e circunstância", de Elgar.

Toda noite de domingo havia sermão. Gallows e Slush revezavam-se na pregação — Gallows em sua beca de mestre por Cambridge, com capelo branco; Slush em sua beca de mestre por Oxford, com capelo vermelho. Um sermão extraordinário jamais me fugiu à memória, só não lembro quem era o orador. Era a história de um pelotão de soldados que ia marchando rente a uma ferrovia. Lá pelas tantas o sargento se distraiu e deixou de gritar "Meia-volta, volver!". Os soldados, assim, seguiram em marcha — e entraram bem no caminho de um trem que vinha em disparada a poucos metros. A história não tinha como ser verídica, e hoje penso que tampouco pode ser verdade que — pelo que me lembro do sermão — devêssemos admirar os soldados por sua obediência incondicional à autoridade militar. Talvez seja um problema de memória. Espero que seja. Psicólogos como Elizabeth Loftus já demonstraram que memórias falsas podem ser indistinguíveis das verdadeiras, mesmo quando plantadas de propósito por terapeutas sem escrúpulos que buscam, por exemplo, persuadir gente angustiada a crer que *só pode* ter sofrido abuso sexual na infância.

Certo domingo, um professor júnior, um bom moço chamado Tom Stedman, foi convencido, obviamente com extrema relutância, a pregar o sermão. Ficou óbvio que ele odiava a função. Lembro que ele repetia com frequência: "De que serve um paraíso?". Teria feito mais sentido se eu percebesse — na hora, e não anos depois — que era uma citação de Browning. Outro professor jovem e muito querido, o sr. Jackson, tinha uma belíssima voz de tenor. Um dia ele foi incitado a cantar "A trombeta soará", de Handel, o que também fez com enorme relutância, evidentemente percebendo — com razão — que estava desperdiçando seu talento conosco.

Também desperdiçadas conosco eram as visitas ocasionais de palestrantes e artistas, embora suponha que só o fato de me lembrar deles já signifique algo. Os que se grudaram à minha memória são R. Keith Jopp em "Continua lá" (arqueologia), Lady Hull tocando o piano de armário no salão de jantar (a *Faschingsschwank* de Schumann), alguém que falou sobre as expedições de Shackleton à Antártida, alguém mais que mostrou filmes tremeluzentes em preto e branco de atletas dos anos 1920 e 1930, inclusive Sidney Wooderson, e um trio de trovadores irlandeses que montou um palquinho e cantou "I bought my fiddle for ninepence, and this is Irish too".* Um palestrante falou sobre explosivos: puxou o que disse ser uma banana de dinamite e comentou com ar casual que, se deixasse cair no chão, o colégio inteiro iria pelos ares. Aí jogou-a para o alto e pegou de volta. Claro que acreditamos nele, ingenuozinhos que éramos. E como não acreditar? Era um adulto, e fomos criados para acreditar em tudo que eles nos dissessem.

Não acreditávamos somente nos adultos. Éramos crédulos também no dormitório, onde o cascateiro residente nos sacaneava toda noite. Contava-nos ele que o rei George VI era seu tio. O desafortunado rei estava em cativeiro no Palácio de Buckingham, de onde enviava mensagens desesperadas em código, com um holofote, para nosso narrador do dormitório, seu sobrinho. O jovem fantasista nos aterrorizou com a história de um inseto horrendo que pulava da parede direto na cabeça da pessoa, cavava na têmpora um buraco redondo do tamanho de uma bolinha de gude e ali enterrava um glóbulo de veneno letal. Durante uma

* Tradicional canção irlandesa. Em tradução literal: "Comprei minha rabeca por nove pence, e ela também é irlandesa". (N. T.)

trovoada violenta, ele nos disse que, se você fosse atingido por um relâmpago, não perceberia na hora, só se daria conta quinze minutos depois. O primeiro indício viria quando o sangue começasse a escorrer pelas orelhas. Pouco depois você estaria morto. Acreditamos nele e ficamos esperando em suspense depois de cada relâmpago. Por quê? Que razão teríamos para pensar que ele sabia algo mais do que nós? Seria remotamente plausível não sentir nada ao ser atingido por um raio, mas sim quinze minutos depois? Mais uma vez, a triste carência de pensamento crítico. Não deveriam as crianças aprender o pensamento crítico e cético desde tenra idade? Não deveríamos ser ensinados a duvidar, a pesar a plausibilidade, a exigir provas?

Bem, talvez devêssemos, mas na época não éramos. Pelo contrário: a credulidade era até incentivada. Gallows se desdobrava para que todos nós nos crismássemos na Igreja anglicana antes de terminar o colégio, e quase todos nos crismamos. As únicas exceções que lembro foram um garoto que veio de uma família católica romana (que ia a outra igreja todo domingo, na invejada companhia da supervisora auxiliar bonitinha) e o garoto precoce que nos deixou a todos boquiabertos ao se dizer ateu — ele chamava a Bíblia de Lorota Sagrada, e esperávamos que raios caíssem do céu (sua iconoclastia, ainda que não sua lógica, transferia-se ao seu estilo de prova geométrica: "o triângulo ABC *parece* isósceles, logo…").

Inscrevi-me para a crisma junto com os demais de minha turma. O vigário da St. Mark, o sr. Higham, vinha dar aulas semanais de crisma na capela da escola. Boa-pinta, grisalho, era como um tio para nós, e seguíamos tudo que ele dizia. Não entendíamos nada, pois nada parecia fazer sentido, e achávamos que isso era por sermos novos demais para entender. É só em retrospecto que eu percebo que não fazia sentido por um motivo simples: não havia sentido. Tudo bobagem inventada. Ainda possuo, e não raro tenho motivo para consultar, a Bíblia que recebi na crisma. Dessa vez era a legítima, a tradução do rei James, e até hoje guardo na cabeça as melhores partes, principalmente o Eclesiastes e o Cântico dos Cânticos (não o de Salomão — desnecessário dizer por quê).

Minha mãe me contou recentemente que o sr. Galloway telefonava aos pais, um a um, para dizer como não via a hora da nossa crisma. Ele afirmava que treze anos é uma idade sugestionável, e que o recomendável é não demorar muito para crismar a criança, a fim de lhe dar uma base sólida na religião antes de ela ter de confrontar influências opostas nas escolas públicas. Bem, não se pode dizer que ele não era sincero nos seus desígnios para com as mentes ingênuas e infantis.

Tornei-me profundamente religioso por volta da época em que fiz a crisma. Todo carolinha, censurava minha mãe por não frequentar a igreja. Ela nem ligava e nunca me mandou, como deveria ter feito, plantar batatas. Eu rezava todas as noites, não ajoelhado ao lado da cama, mas curvado em posição fetal debaixo dos lençóis, no que eu chamava de "meu cantinho com Deus". Eu queria (mas nunca ousei) entrar sorrateiramente na capela no meio da noite e me ajoelhar no altar, onde, acreditava eu, um anjo podia me surgir numa visão. Se eu rezasse com a convicção necessária, é claro.

No meu último trimestre, quando eu tinha treze anos, Gallows me escolheu para decurião da classe. Não sei por que fiquei tão feliz com aquilo, mas passei o trimestre nas nuvens. Muitos anos mais tarde, quando o chefe do meu departamento de Oxford foi nomeado cavalheiro pela Rainha, compareci à festa de comemoração. Perguntei a um colega se o nosso professor estava feliz com aquela honra e obtive uma resposta memorável: "Como um cão de três picas, meu rapaz". Foi mais ou menos como me senti ao ser nomeado decurião. Também me senti assim ao ser aceito no Clube Ferroviário.

O Clube Ferroviário era o principal motivo da minha felicidade com a decisão dos meus pais de me enviar para a Chafyn Grove. Era conduzido pelo sr. K. O. Chetwood Aiken, que não era bem professor, a não ser nas raríssimas ocasiões em que algum garoto optasse por estudar alemão. Homem melancólico, de rosto comprido e triste, seu verdadeiro amor e aparentemente único passatempo na vida era a Sala da Ferrovia (embora há pouco tempo eu tenha descoberto, via Google, que antes ele havia sido um artista de renome na Cornuália). Uma sala da escola foi separada para ele, e lá ele construiu um mágico simulacro da Great Western Railway, elétrico, bitola 0, com dois terminais, chamados Paddington e Penzance, e uma estação no meio do caminho, chamada Exeter. Cada locomotiva tinha seu nome, por exemplo Susan ou George, e as duas belas locomotivas de manobra se chamavam ambas Boanerges (Bo Um e Bo Dois). Cada estação tinha sua fileira de interruptores, e cada um deles ativava uma parte da via — interruptores vermelhos para a linha Up e azuis para a Down. Quando um trem chegava a Paddington, era necessário desengatá-lo da grande locomotiva que o puxara, aí conduzir uma das locomotivas de manobra a partir de seu desvio para levar o trem da linha Up à linha Down, depois enviar a locomotiva à mesa giratória para dar meia-volta, e então acoplá-lo à frente do trem e enviá-lo de volta pela linha Down até Penzance, onde o processo todo seria alternado. Eu amava o cheiro de ozônio que saía das faíscas elétricas, e adorava descobrir qual era a combinação certa de interruptores para ativar e desativar cada operação. Acho que o prazer que eu tinha naquilo era similar ao que senti bem mais tarde ao programar computadores, e similar também ao prazer de soldar as conexões dentro do meu radinho de válvula. Todo mundo queria entrar para o Clube Ferroviário, e todos que entravam morriam de amores pelo sr. Chetwood Aiken, mesmo com seu semblante lúgubre. Em retrospecto, acho que ele já devia estar bastante doente, pois morreu de câncer não muito depois que deixei o colégio. Não sei dizer se a Sala da Ferrovia sobreviveu à sua morte, mas acho que seria insanidade do colégio abandoná-la.

Por mais que eu gostasse de frequentar o Clube Ferroviário e ter permissão para entrar sem convite e com toda pompa pela porta do escritório dos decuriões, chegou o momento em que precisei me mudar para outro colégio e começar do zero mais uma vez. Quando eu tinha só três meses de idade, meu pai já havia me inscrito na Marlborough, sua antiga escola, mas lhe disseram que estava atrasado: eu devia ter sido inscrito ao nascer. A carta esnobe de Marlborough magoou-o muito como ex-aluno, mas mesmo assim ele deixou meu nome na lista de espera para que, quando chegasse a hora, eu fosse para Marlborough. Nesse meio-tempo, contudo, os pensamentos de meu pai tomaram outro rumo. Ele estava impressionado com a capacidade técnica do fazendeiro vizinho, o major Campbell, um especialista em soldagens que tinha uma oficina muito bem equipada. Meu pai naturalmente pensou que eu poderia me tornar fazendeiro e que as habilidades em oficina trariam grandes vantagens à minha carreira (como descobri recentemente com um dos fazendeiros de maior sucesso e com certeza um dos empreendedores menos convencionais que já conheci, o intimidante e heroico George Scales).*

O major Campbell adquirira conhecimentos especializados em seu antigo colégio, Oundle, em Northamptonshire. Oundle dispunha de oficinas melhores do que qualquer outro na zona rural, e seu grande diretor de 1901 a 1922, F. W. Sanderson, introduzira um sistema em que cada aluno passava uma semana intei-

* <http://old.richarddawkins.net/articles/2127-george-scales-war-hero-and-generous-friend-of-rdfrs>.

ra de cada trimestre nas oficinas, com todas as outras matérias suspensas. Nem Marlborough nem nenhuma outra escola oferecia esse atrativo. Assim, meus pais me inscreveram em Oundle, e fiz o exame para bolsa em meu último trimestre de Chafyn Grove. Não consegui a bolsa, mas me saí bem o bastante para conseguir uma vaga, e para Oundle me mandei aos treze anos, em 1954.

Não sei, a propósito, o que mais o major Campbell havia aprendido durante seu período em Oundle. Imagino que sua severidade com subalternos desobedientes tenha vindo do seu período no Exército. Uma vez ele flagrou um de seus funcionários cometendo um furto bobo, digamos, de uma ferramenta da oficina, e demitiu-o com as seguintes palavras: "Eu te dou cinquenta metros de vantagem antes de começar a atirar". Claro que ele não iria cumprir a ameaça, mas a história é boa e ilustra mais uma vez o *Zeitgeist* moral mutante.

“E o verão inglês se foi”

É claro que existia vida para além da escola. Na Chafyn Grove, ansiávamos pelo fim de cada trimestre, e nosso hino predileto era o que cantávamos no último dia: “God be with you until we meet again” [Que Deus esteja convosco até que nos reencontremos]. Esse superava até o inspirador hino missionário marcial que também amávamos:

Ho, my comrades! See the signal waving in the sky
Reinforcements now appearing, victory is nigh.
“Hold the fort, for I am coming,” Jesus signals still.
*Wave the answer back to Heaven, “By thy grace we will.”**

Ao fim do ano letivo, partíamos todos felizes para casa. Alguns tomavam o trem para Londres, alguns eram buscados pelos pais de carro — no meu caso, um Land Rover velho, caindo aos

* Em tradução livre: “Ó meus camaradas! Vede o sinal que vem do céu./ Os reforços já surgem, a vitória está próxima./ ‘Mantenham-se a postos, estou chegando’, Jesus sinaliza./ Acenai a resposta ao Céu: ‘É pela tua graça que o faremos’”. (N. T.)

pedaços, que nunca me causou a vergonha que afirmam sentirem as crianças esnobes de internato quando os pais aparecem dentro de qualquer coisa mais barata que um Jaguar. Eu tinha orgulho daquele ferro-velho, esfarrapado e cheio de goteiras, no qual nosso pai nos dirigia desbravando a vegetação, seguindo a reta que a bússola apontava e se fiando na fabulosa teoria de que devia haver uma estrada romana ligando as duas vias expressas ilustradas naquele mapa surrado que tínhamos em mãos.

Aquilo era típico de meu pai. Assim como o pai dele, ele adorava mapas; e os dois adoravam manter registros. Registros climáticos, por exemplo. Ano após ano meu pai enchia cadernos inteirinhos com medidas meticulosas das temperaturas máximas e mínimas, assim como de índices pluviométricos. Seu entusiasmo só arrefeceu um pouco quando pegamos o cachorro urinando dentro do pluviômetro. Não tínhamos como saber quantas vezes o querido Bunch já havia ampliado e adulterado o registro da chuva.

Meu pai tinha sempre um passatempo obsessivo em andamento. Geralmente era um passatempo que exercitasse sua engenhosidade, que era considerável, embora ele fosse mais da escola ferro-velho e barbante de sisal do que da escola torno e kit de solda do major Campbell. A Royal Photographic Society elegeu-o *fellow* por suas lindas fusões. Eram sequências de slides coloridos, produzidas com esmero e exibidas por projetores gêmeos que trabalhavam lado a lado em alternância, cada slide artisticamente se fundindo no seguinte, com acompanhamento de voz e música. Hoje seria tudo por computador. Naqueles tempos, porém, o fade-in e o fade-out tinham de ser executados pelos diafragmas-íris, conectados em ordem inversa para que um abrisse quando o outro fechava. Meu pai moldou diafragmas-íris de papelão para os dois projetores, acoplados um ao outro por um sistema diabolicamente engenhoso de elásticos e náilon vermelho, ativado por uma alavanca de madeira.

A tradição familiar transformou "dissolving", ou seja, fusão, em "drivelling", que significa baboseira, pois foi como uma vez alguém entendeu a palavra ao passar os olhos pelas anotações garranchentas do meu pai. Ficamos tão acostumados a chamar essa arte de "drivelling" que nunca pensamos em chamá-la de outra coisa, e a palavra perdeu o sentido original. Certa vez meu pai estava fazendo uma apresentação pública (uma das muitas nesse período) para um clube fotográfico. Ocorreu que essa apresentação específica foi em grande parte montada com fotografias antigas, tiradas antes de ele se entregar a seu passatempo "fusor", e ele começou explicando isso à plateia. Ele tinha uma articulação adoravelmente enrolada, hesitante, e o público, ainda que sem entender direito, se deliciou com a frase de abertura: "Hã, na verdade, na verdade eu, hã, estas fotografias são de, hã, a maioria de antes de eu começar a fazer *baboseiras*...".

Seu estilo pouco fluente de falar havia se apresentado durante sua corte à minha mãe, quando olhou fundo nos olhos dela e murmurou: "Seus olhos são como... *nécessaires*". Por mais bizarro que soe, acho que consigo entrever algum sentido nisso, e mais uma vez tem relação com diafragmas-íris. Quando vistas por uma das pontas, as costuras de algumas *nécessaires* se parecem um pouco com as linhas radiantes que são uma característica atraente da íris ocular.

Ano novo, passatempo novo: agora, criar pingentes para todas as suas relações femininas, sempre uma pedrinha serpentina córnica polida pelo mar, amarrada a uma tira de couro. Em outro momento da vida, sua obsessão era projetar e construir o próprio pasteurizador de laticínios automatizado, com luzes de sinalização coloridas e piscantes e transportador aéreo para os latões de leite, que inspiraram um lindo poema de um de seus empregados, Richard Adams (não o famoso homem dos coelhos), responsável pelos porcos:

With clouds of steam and lights that flash, the scheme is most giganto,
*While churns take wings on nylon slings like fairies at the panto.**

A mente de meu pai era de uma criatividade incessante. Enquanto cultivava terras com seu tratorzinho Ferguson cinza, vestindo seu boné velho e puído da KAR e cantando salmos a plenos pulmões ("Moab é a bacia em que me lavo" — a propósito, o fato de ele cantar salmos com tanta intensidade não significava que fosse religioso), ele tinha bastante tempo para pensar. Calculou que todo o tempo que se gastava dando a volta em cada fileira era desperdício. Então inventou um esquema muito bem bolado para fazer zigue-zagues diagonais ao longo do campo e através dele, com curvas em ângulos *rasos*, de modo que se podia cobrir o campo inteiro duas vezes em pouco mais que o tempo normalmente gasto para cobri-lo uma vez.

Por mais engenhoso que ele fosse ao volante do trator, nem sempre era racional. Numa ocasião, a embreagem do trator ficou presa. Sem conseguir trocar a marcha, ele se enfiou embaixo do veículo para conferir o mecanismo, e acabou conseguindo soltá-lo. Mas, ora, se você se deita sob a embreagem de um trator, há de constatar que está deitado logo à frente da imensa roda traseira esquerda. O trator deu um solavanco e passou por cima dele, e só posso dizer que fico feliz que tivéssemos um Ferguson, e não um desses tratores gigantes de hoje em dia. O pequeno Fergie saiu correndo triunfante pelos campos, e Norman, o empregado de meu pai, ficou ali parado, pasmo de horror. Meu pai, atirado no chão, teve de mandá-lo correr atrás do trator. O coitado do Norman também estava abalado demais para levá-lo ao hospital, de maneira que meu pai precisou dirigir o carro sozinho. Passou algum

* Em tradução livre: "Entre nuvens de vapor e luzes piscantes, esta máquina é um colosso,/ Os latões abrem asas penduradas em fios, como fadas de uma pantomima". (N. T.)

tempo no hospital com a perna imobilizada, mas ao que parece não sofreu nenhum dano permanente. Sua estadia no hospital teve um efeito colateral benéfico: precisou parar de fumar cachimbo. Nunca voltou a fumar, e o único legado desse hábito são centenas de latinhas de tabaco vazias que traziam o slogan E ASSEGURAMOS QUE ESTE TABACO É DO BOM, VELHO E FORTE, as quais décadas depois ele ainda usava para guardar parafusos, porcas, arruelas e as mais sortidas pecinhas de metal sujas e velhas que lhe davam tanta alegria.

Sob a influência de um escritor agrônomo evangélico chamado F. Newman Turner, e talvez também sob a de seu excêntrico amigo dos tempos de Marlborough e Oxford, Hugh Corley, meu pai foi um dos primeiros convertidos à agricultura orgânica, muito antes de ela entrar na moda ou ser apadrinhada por príncipes. Ele nunca usava fertilizantes nem herbicidas que não fossem orgânicos. Seus mentores na agricultura orgânica também eram contra colheitadeiras combinadas. Em todo caso, nossa fazenda era pequena demais para justificar a máquina; naqueles primeiros tempos, fazíamos a colheita com uma enfardadeira velha. Ela ia soltanto uns estalos e parecia que ia se desmantelar enquanto atravessava o campo atrás do tratorzinho, tesourando o trigo ou a cevada pela frente e cuspindo feixes apertados e bem amarradinhos por trás (eu ficava maravilhado com o engenhoso mecanismo que dava os nós). E aí começava o trabalho de verdade, pois os feixes tinham de ser empilhados. Fazíamos mutirão para ir atrás da enfardadeira recolhendo os feixes, dois por vez, e jogando-os um sobre o outro para formar pequenos *wigwams* (pilhas), seis feixes em cada. Era trabalho pesado, que deixava o antebraço todo arranhado, ralado, às vezes sangrando, mas que dava satisfação e trazia bom sono. Minha mãe vinha servir jarros de sidra aos empilhadores, e um sentimento caloroso de camaradagem tomava conta da atmosfera, como numa cena de Thomas Hardy.

O propósito de empilhar era secar a colheita; depois disso, os feixes eram carregados e empilhados numa meda. Quando garoto, eu não tinha força suficiente com a forquilha para jogar um feixe em cima de uma meda alta, mas tentava com afinco e invejava os braços fortes e mãos calejadas de meu pai, iguais aos dos seus empregados. Semanas depois, eles alugavam uma debulhadora e estacionavam ao lado da meda. Os feixes eram introduzidos manualmente, o grão, debulhado, e a palha, enfardada. Os trabalhadores da fazenda vinham todos de boa vontade para dar uma mão, não importava quais fossem suas ocupações próprias — ordenhar as vacas, cuidar dos porcos, fazer pequenos reparos ou o que fosse. Com o tempo, evoluímos e passamos a alugar a colheitadeira de um vizinho.

Em capítulo anterior eu disse que fui um leitor clandestino que fugia para meu quarto com um livro em vez de sair correndo mundo afora fizesse chuva ou fizesse sol, bem na tradição dos Dawkins. Leitor clandestino até fui, mas não posso afirmar sem mentir que minha leitura nos feriados escolares tivesse muito a ver com filosofia ou o sentido da vida ou outras questões muito profundas. Era ficção juvenil rasa: *Billy Bunter*, *Just William*, *Biggles*, *Bulldog Drummond*, Percy F. Westerman, *O pimpinela escarlate*, *A ilha do tesouro*. Não sei por quê, mas minha família era contra Enid Blyton e desencorajava a leitura de suas obras. O tio Colyear me deu os livros de Arthur Ransome volume atrás de volume, mas nunca me fisgaram. Acho que eu considerava muito de menina, o que era patetice da minha parte. Os *William* de Richmal Crompton têm, ainda acho, genuíno mérito literário; são de uma ironia que tem apelo tanto para adultos quanto para crianças. E mesmo os livros de *Billy Bunter*, embora sigam tantas fórmulas que podiam ter sido escritos por computador, têm pretensões a alusões literárias em frases do tipo "Como o Moisés de tempos idos, ele olhou para lá e para cá, e não viu homem nenhum" ou "Como um Peri rechonchudo aos portões do Paraíso". *Bulldog Drummond* sonda as profundezas da intolerância racial e maniqueísta e sem dúvida marcou época, mas passou batido por minha cabecinha ingênua. Meus avós maternos tinham um exemplar de ... *E o vento levou*, que reli com avidez em mais de um período de férias, só vindo a notar o racismo paternalista muito mais tarde.

Em Over Norton a vida em família era tão feliz quanto pode ser a vida em família. Meus pais formavam um casal muito unido, que comemorou o septuagésimo aniversário de casamento pouco antes do falecimento de meu pai, em dezembro de 2010, aos 95 anos. Não éramos uma família excepcionalmente rica, mas também não éramos pobres. Faltava-nos aquecimento central e televisão, embora a última fosse mais por opção do que por pobreza. O carro da família era o Land Rover velho e sujo que já mencionei ou uma perua cor de creme — nenhum dos dois era um luxo, mas davam para o gasto. Meu colégio e o de Sarah eram caros, e meus pais com certeza tiveram de fechar a carteira em outras áreas da vida para nos matricular. As férias da nossa infância não eram nos hotéis chiques de Côte d'Azur, mas em barracas do Exército encharcadas pela chuva, no País de Gales. Nessas viagens de acampamento, a gente se lavava numa banheira de lona que pertencera ao Departamento de Silvicultura da Birmânia, aquecida pela mesma fogueira em que preparávamos as refeições. Eu e Sarah, na nossa barraquinha, ouvimos nosso pai sentar-se em sua banheira com os pés para fora, ponderando consigo mesmo: "Olha só, eu nunca tinha tomado banho de botas".

Durante os três anos da minha pré-adolescência tive o equivalente a um irmão mais velho. Nossos grandes amigos da África, Dick e Margaret Kettlewell, haviam ficado na Niassalândia. Em idade precoce Dick ascendera a diretor de Agricultura; nesse cargo ele se distinguiu tanto que mais tarde, já no governo provisório que rumava à independência total, foi nomeado ministro das Terras e Minas. Quando o filho deles, Michael, meu colega de brincadeiras ainda na primeiríssima idade, completou treze anos, ele virou aluno interno da Sherborne School, na Inglaterra; e, assim como com meu pai uma geração antes, surgiu a questão de onde ele deveria passar as férias escolares. Fiquei encantado em saber que seria conosco. A diferença de idade era de pouco mais de um ano, e fazíamos tudo juntos: nadar no córrego congelante do vale; atividades dentro de casa com kits de química, Meccano,* pingue-pongue, canastra, badminton, minibilhar, diversas receitinhas para pratos infantis e para vinho de beterraba, detergentes ou pílulas de vitamina. Com Sarah, conduzíamos um empreedimento rural juvenil chamado Os Capatazes. Meu pai nos dera uma ninhada de leitões, que chamávamos de Toneizinhos. Nós os alimentávamos diariamente e tínhamos responsabilidade total pelos cuidados deles. Mike e eu continuamos amigos por toda a vida. Aliás, ele é meu cunhado e avô da maioria dos meus familiares jovens.

Há um lado negativo em ter irmão mais velho durante seus anos de formação, contudo. Seja o que for que façam, funciona assim: ele é quem realiza a operação e você só passa os instrumentos (visto que Mike se tornaria um cirurgião renomado, a metáfora não é inadequada). Provavelmente pelo mesmo motivo, meu tio Bill ganhou a reputação vitalícia de "não ser bom com as mãos", enquanto meu pai tinha a reputação oposta. O irmão mais novo está apto a ser o aprendiz, nunca o artífice mestre. O irmão mais velho costuma ser aquele que toma as decisões, o mais novo aquele que segue, e os primeiros hábitos ficam. À diferença do tio Bill, não cultivei a reputação de ser ruim com as mãos. Também

* Marca inglesa de jogo de montar baseado nos princípios de engenharia, com peças de metal como vigas, rodinhas, polias e engrenagens. (N. E.)

nunca fui bom — e continuo não sendo. Mike era quem fazia tudo, tendo-me ao lado como assistente supérfluo, e meu pai provavelmente ansiava por me ver logo nas famosas oficinas de Oundle, o que me levaria, com algum atraso, a seguir os passos do major Campbell. Mas aquelas oficinas, como veremos, mostraram-se uma decepção.

Provavelmente eu também era decepcionante como naturalista, apesar do raro privilégio de passar um dia com o jovem David Attenborough. Antes disso, já famoso no meio científico mas ainda não para o grande público, ele fora convidado do meu tio Bill e da tia Diana para filmar uma expedição às selvas de Serra Leoa, e aí começou a amizade entre eles. Quando Bill e Diana se mudaram para a Inglaterra e aconteceu de eu estar hospedado com eles, David levou seu filho Robert para uma visita, e mandou a criançada toda ir chafurdar em valas e se arrastar por lagos segurando redes de pesca e potes de vidro amarrados com barbante. Esqueci o que fomos procurar — salamandras, girinos, larvas de libélula, imagino —, mas o dia em si jamais foi esquecido. Mesmo aquela experiência com o zoólogo mais carismático do mundo, contudo, não foi suficiente para me transformar no naturalista mirim que tanto meu pai como minha mãe haviam sido. Oundle já me acenava.

O campanário às margens do Nene

> By *the boys,* for *the boys. The boys know best.*
> *Leave it to them to pick the rotters out*
> *With that rough justice decent schoolboys know.**
>
> John Betjeman, *Summoned by Bells*

Minha experiência na escola pública inglesa foi posterior — ainda bem — às crueldades da era John Betjeman. Mesmo assim foi dura. Havia regras absurdas, inventadas "pelos meninos, para os meninos". O número de botões do casaco que você podia deixar desabotoados era rigorosamente determinado conforme o seu tempo de colégio, e devia ser respeitado com o mesmo rigor. Até certo tempo, você tinha de carregar os livros com o braço reto. Por quê? Os professores provavelmente sabiam que esse tipo de coisa acontecia, mas nada faziam para impedir.

* Em tradução livre: "*Pelos* meninos, *para* os meninos. Os meninos é que sabem./ Eles sabem aplicar nos patifes/ A justiça bruta que todo bom menino conhece". (N. T.)

O sistema do *fagging* ainda estava em alta, embora felizmente já há muito não esteja. (Nota aos leitores habituados ao inglês americano: não é o que vocês estão pensando. No inglês britânico, um *faggot* não é um homossexual, mas sim um feixe de gravetos ou uma almôndega asquerosa. E a palavra "fag" quer dizer "cigarro", "tarefa tediosa" ou — como neste caso — "escolar escravo".) O monitor de cada casa em Oundle escolhia um dos novos garotos para escravo pessoal, ou *fag*. Fui escolhido pelo vice-líder da casa, conhecido por Tremelico, porque sofria de um tique nervoso. Era gentil comigo, o que não quer dizer que eu não precisasse fazer tudo que ele mandasse. Tinha de lavar seus sapatos, polir as insígnias que iam no seu uniforme do Corpo de Cadetes e, na hora do chá, preparar suas torradas num fogareiro de querosene em seu escritório. Precisava estar sempre à sua disposição para ir buscar ou levar qualquer coisa.

Não que os *fags* fossem de todo imunes à molestação sexual. Houve quatro ocasiões em que precisei me defender de visitantes noturnos à minha cama — sempre garotos mais velhos, maiores e mais fortes que eu. Suspeito que a motivação deles não fosse homossexualidade nem pedofilia no sentido que é corriqueiro no mundo exterior, mas o simples fato de que não havia meninas ali. Garotos pré-pubescentes às vezes têm uma beleza afeminada, como eu tinha. Havia também o folclore, corrente no colégio, de meninos que tinham quedinhas por outros meninos de aura mais delicada. Outra vez, fui vítima de muitos desses rumores, cujo único dano real foi o — considerável — tempo perdido com frivolidades.

Ainda habituado à Chafyn Grove, muitas coisas em Oundle me deixaram intimidado. Na oração matinal do meu primeiro dia, os recém-chegados ainda não tinham lugar determinado no Grande Salão; foi preciso achar algum assento vago por conta própria. Encontrei um e, com timidez, perguntei ao grandalhão ao lado se estava ocupado. "Até onde se pode observar, não", respondeu ele, com uma cortesia gélida, e eu me senti esmagado como um inseto. Após o coro de sopranos e o suave harmônio da Chafyn Grove, eram amedrontadores os mugidos graves de "New every morning is the love" em Oundle, acompanhados de um órgão gigantesco e trovejante. O diretor, Gus Stainforth, todo arqueado em sua beca negra, era formidável de uma maneira diferente de Gallows. Em tons nasais ele nos exortava a "fazer o grosso do trimestre" até a terceira semana — eu não sabia ao certo como é que se fazia o grosso de nada, quanto mais o grosso do trimestre.

O professor da minha turma, 4B1, era um homem chamado Snappy Priestman, caridoso, refinado, gentil e civilizado, exceto nas (raras) vezes que perdia as estribeiras. Mesmo então, havia algo de cavalheiresco na maneira como se irritava. Durante uma aula, certa vez, ele pegou um garoto aprontando. Após um momento de calmaria em que não proferiu uma palavra e pareceu não ter se incomodado com nada, começou a nos dar uma advertência verbal de sua fúria interna prestes a explodir, falando com toda a placidez, como um observador objetivo de seu próprio estado interno.

> Vixe, Maria. Não vou conseguir me conter. Vou perder a calma. Escondam-se debaixo das mesas. Não digam que não avisei. Está quase lá. Escondam-se debaixo das mesas.

À medida que sua voz subia num crescendo constante, seu rosto foi ficando cada vez mais vermelho, e por fim ele pegou tudo que estava em volta — giz, tinteiros, livros, apagadores de quadro, tudo — e começou a atirar com ferocidade atroz na direção do malfeitor. No dia seguinte ele era o charme em pessoa, pediu breves mas elegantes desculpas ao mesmo garoto. Era um gentil cavalheiro provocado além dos limites — e como não o seria, nessa profissão? Quem não o seria na minha profissão, aliás?

Snappy nos deu Shakespeare para ler e despertou minha primeira estima por esse gênio sublime. Encenamos *Henrique IV* (as duas partes) e *Henrique V*, e ele próprio interpretou o moribundo Henrique IV, repreendendo Hal por lhe ter tirado a coroa antes do tempo: "Oh meu filho. Foi Deus quem te inspirou para levá-la, porque o amor de teu pai acrescentasses advogando tua causa desse modo". Ele pediu voluntários que soubessem fazer o sotaque galês (Williams) e o irlandês (Rumary: "Ah, Rumary, você é um achado"). Snappy também nos leu Kipling, com um sotaque escocês convincente para o hino do engenheiro-chefe, M'Andrew (grafia do próprio Kipling). A primeira estrofe de "The Long Trail" [O caminho prolongado], em seu ritmo assombroso, lançou-me numa melancólica nostalgia das medas de Over Norton e da satisfação do "tudo armazenado e seguro" do início de outono (leia por favor em voz alta para captar o ritmo Kipling).

There's a whisper down the field where the year has shot her yield,
And the ricks stand grey to the sun,
Singing: "Over then, come over, for the bee has quit the clover,
*And your English summer's done."**

E então, na deixa mais doce e fecunda possível, o sr. Priestman nos leu Keats.

Nosso professor de matemática do mesmo ano, Frout, era dado a acessos de tontura. Uma vez, antes de ele chegar à sala de aula, lembro que deixamos todas as lâmpadas do teto balançando no ar. Então ele entrou e nós começamos a balançar no mesmo ritmo delas. Não lembro o que aconteceu a seguir. Talvez o remorso tenha me bloqueado a memória. Ou talvez seja uma me-

* Em tradução livre: "Ouve-se um sussurro campo afora, onde o ano já valeu seu peso,/ E as medas de feno acinzentam-se ao sol,/ E cantam: 'Vocês aí, venham, pois a abelha já largou o trevo,/ E o verão inglês se encerrou'". (N. T.)

mória falsa baseada numa lenda de moleque sobre o que outros já haviam feito com ele. Seja o que for, agora vejo esse como mais um exemplo da lamentável crueldade das crianças — tema recorrente nas minhas recordações de colégio.

Nem sempre saíamos impunes. Uma vez, nosso professor de física, Bufty, estava doente e a turma ficou aos cuidados do professor sênior de ciências, Bunjy. Após confirmar que já havíamos chegado à Lei de Boyle no nosso currículo, ele passou à aula, chamando os alunos não pelos nomes, mas por números que ele ali na hora nos atribuiu e que não tivemos tempo de decorar. Pequenininho, recurvado, idoso e mais míope do que qualquer pessoa que eu já tenha encontrado antes ou depois na vida, sua figura caquética significava, assim julgamos, carta branca para a algazarra. Ele mal parecia notar nossa insolência. Pois estávamos redondamente enganados. Podia ter hipermiopia, mas percebia tudo. Ao fim da aula, Bunjy anunciou com toda a calma do mundo que todos ficariam em detenção naquela mesma tarde. Cabisbaixos, à tarde voltamos e recebemos a ordem de escrever numa página em branco de nossos cadernos: "Lição extra para a Turma 4B1. Objetivo da lição: ensinar boas maneiras e a Lei de Boyle à 4B1". Tenho certeza de que esta não é uma memória falsa e eu, pelo menos, nunca me esqueci da Lei de Boyle.

Um dos nossos professores — o único que tínhamos a permissão de chamar pelo apelido — era dado a apaixonar-se pelos meninos mais bonitinhos. Até onde eu sei, ele nunca foi além de pousar o braço sobre os ombros do aluno durante a aula e fazer comentários sugestivos, mas hoje em dia isso já seria o bastante para metê-lo em sérios apuros com a polícia — e com os vigilantes estimulados pelos tabloides.

Como quase todas as escolas de sua estirpe, Oundle era dividida em casas. Cada menino morava e jantava numa das onze casas, e ela exigia dele lealdade em todas as áreas competitivas de diligência. A minha era a Laundimer. Não sei como as outras eram por dentro, pois nos desencorajavam de visitá-las, mas suspeito que eram praticamente a mesma coisa. O interessante, porém, é como nossas mentes tendiam a ver cada casa com a sua "personalidade" própria, e inconscientemente transplantávamos aquela personalidade para cada garoto da casa. Essas personalidades eram tão nebulosas que não consigo achar nenhum meio de sequer tentar descrever qualquer uma delas. Era apenas algo que se "sentia", subjetivamente. Suspeito que essa observação represente, sob uma forma talvez mais inocente do que as predominantes no mundo mais amplo, aquele impulso humano "tribal" por trás de quase tudo o que há de mais sinistro, como o preconceito racial ou o sectarismo. Falo da propensão humana de identificar indivíduos com o grupo a que pertencem em vez de vê-los como indivíduos por si mesmos. Psicólogos experimentalistas já demonstraram que isso acontece mesmo quando indivíduos são redistribuídos ao acaso entre grupos e rotulados com distintivos totalmente arbitrários, como camisetas de cores diferentes.

Uma ilustração específica desse efeito — no caso, um exemplo agradável — era o único garoto de ascendência africana em Oundle enquanto estive lá. Tenho a impressão de que ele não sofria nenhum preconceito racial na época, talvez porque, sendo o único garoto negro, ele não era identificado no colégio como parte de um grupo racial. Era, porém, identificado com a casa a que pertencia. Assim como a seus contemporâneos da Casa Laxton, não o enxergávamos como negro, mas como "do bando da Laxton", com uma personalidade semelhante à dos outros da casa. Hoje, com o devido distanciamento, duvido que exista um só traço de personalidade que se possa com alguma razão associar à Laxton ou a qualquer outra casa. Minha observação não tem nenhuma relação com a realidade que se vivia em Oundle, mas com uma característica geral da psicologia humana: a tendência de enxergar indivíduos com crachás de um rótulo grupal.

O motivo que me levou a escolher a Laundimer como minha casa foi o rumor, que logo em seguida se provaria infundado, de que era uma das poucas casas sem a tradição de um ritual de iniciação (o que os estudantes de faculdades norte-americanas chamam de "hazing"). Ledo engano: devíamos ficar em pé numa mesa e cantar uma música. Com minha voz sibilante de soprano, cantei uma das músicas de meu pai:

Oh the sun was shining, shining brightly
Shining as it never shone before — shone before.
Oh the sun was shining so brightly,
When we left the baby on the shore.

Yes we left the baby on the shore.
It's a thing that we've never done before — done before.
When you see the mother, tell her gently
*That we left the baby on the shore.**

Foi uma provação, mas não tão ruim quanto eu temia.

Não vi muito bullying individualizado em Oundle, mas havia uma espécie de bullying oficial que afligia todo aluno recém-chegado na primeira semana do primeiro — e às vezes do segundo — trimestre, pelo menos na Casa Laundimer. Acho que acontecia o mesmo nas outras casas. Era a temida semana em que o garoto tinha de ser "sineiro". Na semana de sineiro, o novato era responsável por fazer tudo dar certo e culpado por tudo que desse errado — e alguma coisa sempre dava. Era ele quem tinha de

* Em tradução livre: "Oh, o sol brilhava, brilhava forte./ Brilhava como nunca antes — nunca antes./ Oh, o sol brilhava tão forte,/ Quando deixamos o bebê na praia.// Sim, deixamos o bebê na praia./ Algo que nunca tínhamos feito — nunca tínhamos feito./ Quando você vir a mãe, avise-a com delicadeza/ Que deixamos o bebê na praia". (N. T.)

acender a lareira e garantir que ela não se apagasse. No sábado da sua semana de padecimento como bode expiatório geral, ele devia fazer a ronda por todos os quartos para pegar os pedidos de jornal de domingo e juntar dinheiro para comprar todos. Então, na manhã de domingo, precisava acordar cedinho e ir até a outra ponta da cidade comprar os jornais, trazê-los e entregá-los de quarto em quarto. Sua função mais notável ao público era tocar o sino à hora exata de cada um dos momentos cruciais do dia: hora de acordar, hora de refeição, hora de dormir etc. Ou seja, era fundamental ter um relógio muito preciso. Ao fim da minha semana de sineiro eu já tinha pegado o jeito da coisa, mas o primeiro dia foi um desastre. Por algum motivo, eu não havia entendido que o sinal de aviso de cinco minutos prévios tinha de tocar *exatamente* cinco minutos antes do gongo para o café da manhã. Muitos dos veteranos tinham o hábito de se levantar cinco minutos antes das badaladas, e cinco minutos não bastam para lavar-se e vestir-se, daí a sincronia ser crucial. No meu primeiro dia de sineiro, toquei o sino de cinco minutos prévios e daí já fui logo bater o gongo, aproximadamente meio minuto depois. A estupefação foi geral, seguida de chacotas esbravejadas.

Tantas eram as obrigações do sineiro e do *fag* que é incrível como os recém-chegados davam conta dos deveres escolares, quanto mais de "fazer o grosso do trimestre". O *fagging* foi abolido, creio que de todas as escolas inglesas, mas ainda não consigo entender como é que ele chegou a ser alguma vez permitido, e por que durou tanto tempo. No século XIX havia uma crença bizarra de que ele tinha algum valor pedagógico. Talvez a longa persistência da prática tivesse a ver com a mentalidade "eu passei por isso na minha época, por que você não passaria?" — mentalidade que, diga-se de passagem, ainda é a perdição de muitos jovens doutores no Reino Unido.

Não surpreende que meu gaguejar tenha ressurgido nos primeiros trimestres de Oundle. Eu tinha problemas com consoantes duras como "d" e "t" e, uma vez que meu sobrenome por azar começa com uma delas, precisava pronunciá-la com frequência. Quando tínhamos exercícios, devíamos marcar as respostas corretas, depois contar as marcações e gritar o somatório para o professor registrar em seu livro. Quando eu fazia dez de dez, preferia gritar "nove" porque era tão mais fácil do que falar "d-d-d-dez". No Corpo de Cadetes do Exército, éramos inspecionados por um general visitante. Um a um, tínhamos de marchar para a frente da fileira, fazer posição de sentido à frente dele, gritar nosso nome, bater continência, dar meia-volta, volver e marchar de volta. "Cadete Dawkins, senhor!" Eu me amedrontava com a ideia. Tinha noites de insônia por causa disso. Ensaiar sozinho era moleza, mas e quando tinha de gritar diante de todo o desfile? "Cadete D-d-d-d-d..." Na hora tudo correu bem, apenas com uma pausa longa e hesitante antes do "d".

O Corpo de Cadetes não era bem obrigatório. Dava para se livrar dele caso se conseguisse entrar para os Escoteiros. A outra possibilidade era passar o tempo arando as terras com Boggy Cartwright. Em outro livro, descrevi o sr. Cartwright como "homem notável, de sobrancelhas cerradas [...], que não tinha papas na língua e vivia sempre em guarda". Embora fosse contratado para nos dar aulas de alemão, o que ele realmente nos ensinava, no seu vagaroso sotaque rural, era uma espécie de ecossabedoria telúrica e agronômica. Seu quadro-negro exibia, em caráter permanente, a palavra "Ecologia"; e, caso ele se distraísse e alguém a apagasse, ele ia lá e a reescrevia, sem dar um pio. Quando escrevia em alemão no quadro, se uma frase ameaçasse invadir o território da "Ecologia", ele fazia a frase dar a volta na palavra. Uma vez pegou um garoto lendo P. G. Wodehouse e, furioso, rasgou o livro ao meio. Era evidente que havia se deixado levar pela calúnia —

fomentada assiduamente por Cassandra, do *Daily Mirror* —* de que Wodehouse fora colaborador alemão durante a guerra, na linha de Lord Haw-Haw ou — a equivalente norte-americana — Tokyo Rose.** O sr. Cartwright tinha uma história ainda mais absurda do que a difamação propalada por Cassandra. "Uma vez Wodehouse teve a oportunidade de derrubar um coronel alemão escada abaixo e não aproveitou." Por esse quadro que estou pintando, parece até que ele era raivoso. Não era mesmo, a não ser quando provocado, o que, estranhamente, P. G. Wodehouse (ele pronunciava "uó-de-rauze" em vez do correto "uu-de-rauze") parecia ter conseguido. Era uma figura maravilhosamente original, à frente de seu tempo na sua excentricidade ecológica, de fala mansa e totalmente pé no chão.

Eu não tinha a impetuosidade necessária para escapar do Corpo de Cadetes por uma das duas rotas de fuga mencionadas. Provavelmente era influenciado demais por meus colegas — o que, na verdade, resume meu histórico em Oundle. Acabei livrando-me do pior do treinamento militar ao entrar na banda — tocando clarinete e depois saxofone —, regida por um suboficial músico: "Muito bem, partamos do *princípio mesmo* da marchinha". Claro que fazer parte de uma banda não nos livrava do dever semanal de polir as botas, lustrar os cintos e os botões. E tínhamos de ir ao acampamento militar uma vez por ano, morando nas barracas de um ou outro regimento, saindo em longas marchas e travando batalhas de mentirinha com munição de festim

* Cassandra era pseudônimo de Sir William Neil Connor (1909-67), famoso colunista do tabloide inglês entre 1935 e 1967. (N. T.)

** Durante a Segunda Guerra Mundial, "Lord Haw-Haw" era o apelido dado no Reino Unido aos locutores radiofônicos que faziam propaganda alemã, sobretudo William Joyce, e "Tokyo Rose" o dado nos Estados Unidos a certas locutoras de ascendência nipônica que faziam propaganda japonesa, em especial Iva Toguri d'Aquino. (N. E.)

nos nossos antiquados rifles Lee-Enfield. Mas também atirávamos de verdade contra alvos, e um garoto do meu pelotão por acidente acertou um auxiliar bem na perna. O sujeito caiu no chão e, no mesmo instante, puxou e acendeu um cigarrinho, enquanto nós, testemunhas, ainda no chão com nossas metralhadoras Bren, ficamos de estômago embrulhado.

Numa excursão ao quartel de Leicester, fomos apresentados a um major-sargento de verdade, o artigo genuíno e completo, com um bigodão ruivo e encerado. Ele berrava "Ombroooooo ARMA", ou "Descansaaaaaar ARMA", a primeira palavra sempre um mugido grave e prolongado, e a segunda um guincho de soprano absurdamente agudo, em staccato. Reprimíamos o riso em bufadelas apavoradas, como os soldados de Pôncio Pilatos na cena do "Pintus Imensus" do Monty Python.

Passávamos por uma avaliação chamada Certificate A, que envolvia o aprendizado maquinal de conhecimentos relacionados ao Exército: uma prova claramente concebida para sufocar qualquer coisa remotamente similar a inteligência ou iniciativa — mercadorias sem valor nas fileiras da infantaria. "Quantas variedades de árvores temos no Exército?" A resposta correta era três: o abeto, o álamo e aquela de copa bem cheinha (o poeta Henry Reed implicou com essa questão, mas nossos sargentos não teriam apreciado a sátira).

A pressão dos pares entre escolares é notoriamente forte. Eu e muitos de meus colegas fomos vítimas desse mal. Nossa motivação predominante para fazer qualquer coisa era a pressão dos pares. Queríamos ser aceitos por nossos camaradas, sobretudo pelos líderes naturais e influentes que ascendiam entre nós. E o éthos de meus colegas era — até meu último ano em Oundle — anti-intelectual. Você tinha de fingir estar se esforçando menos do que de fato estava. Talento era respeitado; esforço, não. A mesma coisa na quadra de esportes. Os atletas eram sempre mais admirados do que os estudiosos. Agora, se você conseguisse atingir o esplendor esportivo sem treinar, melhor ainda. Por que o talento é mais admirado que o esforço? Não deveria ser o inverso? Os psicólogos evolucionistas talvez tenham algo de interessante a dizer a respeito.

Mas quantas oportunidades desperdiçadas! Havia toda sorte de clubes e sociedades interessantíssimos, e eu poderia ter entrado em todos eles com enorme proveito próprio. Havia um observatório com telescópio — talvez doação de algum ex-aluno —, e nunca nem cheguei perto dali. Por que não? Hoje eu ficaria embevecido em estar ali, em contar com a orientação de um astrônomo bem instruído e disposto a configurar o telescópio para mim. Às vezes penso que o colégio é bom demais para ser desperdiçado com adolescentes. Talvez os professores dedicados, em vez de lançar suas pérolas aos porquinhos, devessem ter a oportunidade de ensinar a pupilos com idade suficiente para apreciar a beleza delas.

A maior oportunidade que desperdicei em Oundle, acredito, foi nas oficinas, que eram aliás o motivo principal por que meu pai havia me matriculado naquele colégio. A culpa não foi só minha. Ainda estava em voga a pioneira semana obrigatória nas oficinas, lançada por Sanders, e as oficinas eram magnificamente bem equipadas. Aprendíamos a usar tornos, fresadoras e outras ferramentas mecânicas avançadas que provavelmente jamais encontraríamos no mundo lá fora. O que não aprendíamos era justo aquilo no que meu pai era tão bom: improvisar, projetar, se virar, bolar soluções a partir do que se tem à mão — no caso dele, sobretudo barbante de sisal vermelho e pecinhas de ferro velhas e sujas.

A primeira coisa que fizemos nas oficinas de Oundle foi uma "régua de marcação". Não se deram ao trabalho de nos dizer o que seria uma régua de marcação. Seguimos à risca o que o oficineiro nos dizia. Criamos um modelo, feito de madeira, do objeto de metal em vista. Levamos o modelo à fundição e, macerando-o com areia úmida, criamos um molde. Pusemos óculos de proteção e ajudamos a derramar alumínio derretido de um cadinho incandescente sobre o molde. Tiramos o metal resfriado da areia e levamos à oficina metalúrgica para filar, perfurar e finalizar. Então levamos para casa nossa régua de marcação prontinha, sem fazer ideia do que era uma régua de marcação e sem ter feito uso de iniciativa ou criatividade nenhuma. Éramos como operários na produção em série.

Parte do problema podia ser atribuída ao fato de que os oficineiros não eram professores, mas sujeitos recrutados — suspeito eu — entre capatazes do chão de fábrica. Eles nos ensinavam não a desenvolver habilidades gerais, mas a fazer coisas específicas. Deparei-me com o mesmo problema quando fiz aulas de direção na cidade de Banbury. O instrutor me ensinou a estacionar numa determinada esquina da cidade, que por acaso era a esquina predileta dele para testar essa prática específica: "Espera o poste ficar nivelado com a janela traseira, daí gira com tudo para o outro lado".

A única exceção nas oficinas de Oundle, e a meu ver o único a guardar algum resquício da tradição Sanderson, era um velho ferreiro aposentado que manejava uma pequena forja num cantinho da metalúrgica. Abandonei o "chão de fábrica" e fui ser aprendiz daquele gentil senhorzinho de óculos. Ele me ensinou a arte tradicional de ferreiro, e também como soldar com acetileno. Minha mãe ainda tem o atiçador que forjei para ela, pendurado em seu suporte com volutas. Mesmo com os ensinamentos do velho ferreiro, porém, voltei a fazer exatamente o que me mandavam fazer, em vez de exercitar minha desenvoltura criativa.

Um mau operário culpa suas ferramentas — e seus instrutores. A parcela de culpa que definitivamente me cabe é nunca ter passado perto das oficinas fora daquela semana predeterminada. Não aproveitei a oportunidade de frequentá-las à noite e fazer as coisas conforme a minha própria vontade. Assim como não fui ao observatório para ver as estrelas. Geralmente eu matava meu tempo livre como os colegas: cochilando, fazendo torrada num fogareiro de querosene e ouvindo Elvis Presley. No meu caso, também arranhava uns instrumentos musicais em vez de tocar música de verdade. Jogar fora oportunidades como essas, de primeira categoria e de alto custo, é mesmo uma tragédia. Torno a perguntar: será que as escolas não são boas demais para os adolescentes?

Ingressei, pelo menos, no clube de apicultura, dirigido por Ioan Thomas, o jovem e inspirado professor de zoologia de Oundle. O cheiro da cera de abelha misturado ao de fumaça ainda me suscita memórias felizes. Felizes, ainda que eu tenha sido picado uma centena de vezes. Numa dessas ocasiões (não me orgulho de revelar), não enxotei a abelha: observei-a bailar sobre minha mão, rodopiando, "desaparafusando" o ferrão. O ferrão da abelha, ao contrário do da vespa, é farpado. Quando ela aferroa um mamífero, as farpas fazem o ferrão se cravar na pele. Quando se espanta a abelha, o ferrão fica para trás e arranca órgãos vitais dela. Do ponto de vista evolucionário, o indivíduo abelha operária tem aí um comportamento altruístico, pois sacrifica a vida como uma guerreira kamikaze em prol da colmeia (para ser mais preciso, em prol dos genes que a programaram para sacrificar-se, na forma das cópias em rainhas e zangões). Quando ela parte para a morte, seu ferrão permanece na vítima, com a glândula venenosa ainda secretando peçonha e, assim, agindo na defesa contra a putativa ameaça à colmeia. Isso faz todo sentido em termos de evolução, e voltarei ao tema no capítulo sobre *O gene egoísta*. Como é estéril, a abelha operária não tem chance de passar adiante cópias de seus genes via prole; assim, seu empenho reside em transmiti-los via rainha e outros membros não estéreis da colmeia. Ao deixar aquela operária desaparafusar-se da minha mão, tive um comportamento altruístico para com ela — mas minha motivação era, acima de qualquer outra, a curiosidade: queria assistir em primeira mão ao procedimento que ouvira da boca do sr. Thomas.

Já mencionei Ioan Thomas em outros livros. Minha primeiríssima aula com ele, aos catorze anos, foi inspiradora. Não lembro dos detalhes, mas a aula transmitia o tipo de atmosfera que mais adiante eu viria a buscar em *Desvendando o arco-íris:* o que hoje eu chamaria de "ciência como poesia da realidade". Ainda jovem professor, viera a Oundle movido por sua admiração por Sanderson, embora fosse novo demais para ter conhecido o falecido diretor. Conheceu, sim, o sucessor de Sanderson, Kenneth Fisher, e lhe contou uma história para mostrar que algo do espírito de Sanderson ainda perdurava. Recontei-a numa palestra que dei em Oundle no ano de 2002:

> Kenneth Fisher estava coordenando uma reunião de professores, quando se ouviu uma batidinha tímida na porta e entrou um garotinho: "Senhor, por favor, tem umas gaivinas-pretas perto do rio". "Isto aqui pode esperar", disse Fisher ao comitê com tom resoluto. Ergueu-se da cadeira, pegou os binóculos pendurados na porta e saiu pedalando na companhia do ornitólogo mirim, e — não se pode deixar de imaginar — com o fantasma benévolo, corado e sorridente de Sanderson no encalço deles. Isso sim que é educação — e que vão pro inferno suas estatísticas futebolísticas, suas ementas empanturradas de dados e seu rol infinito de provas [...].

Uns 35 anos após a morte de Sanderson, lembro-me de uma aula sobre a hidra, uma pequenina habitante de água doce parada. O sr. Thomas perguntou a um dos alunos: "Qual é o animal que come a hidra?". O menino chutou alguma resposta. O sr. Thomas fez ouvidos moucos, voltou-se para outro garoto e fez a mesma pergunta. Foi passando por toda a turma, com entusiasmo cada vez maior ao perguntar-nos um a um: "Qual é o animal que come a hidra? Qual é o animal que come a hidra?". Íamos chutando, um depois do outro. Quando enfim ele chegou ao último, já estávamos doidos para saber a resposta. "Senhor, senhor, qual é o animal que come a hidra?". O sr. Thomas aguardou até que se instaurasse um silêncio de ouvir alfinete cair no chão. Então falou, devagar e claro, fazendo uma pausa entre cada palavra.

"Eu não sei..." (*Crescendo*) "Eu não sei..." (*Molto crescendo*) "E aposto que o sr. Coulson também não sabe." (*Fortissimo*) "Sr. Coulson! Sr. Coulson!"

Escancarou a porta da sala ao lado, com dramaticidade interrompeu a aula do colega mais velho e trouxe-o até nossa sala. "Sr. Coulson, você sabe qual é o animal que come a hidra?" Se alguma piscadela foi trocada entre eles eu não sei dizer, mas o sr. Coulson assumiu seu papel: ele não sabia. Mais uma vez, a silhueta paternal de Sanderson ria-se num canto, e nenhum de nós teria como esquecer aquela aula. O que importa não são os fatos, mas como descobrimos e pensamos sobre eles: educação no verdadeiro sentido da palavra, muito diferente dessa cultura atual, louca por provas e avaliações.

Essas duas ocasiões em que eu invoquei, por capricho, o fantasma de um diretor havia muito falecido já foram usadas como evidência de que em algum sentido eu seria sobrenaturalista. É claro que elas não demonstram nada disso. Essa imagística deveria talvez ser chamada de poética. É legítima desde que claramente não literal. Espero que o contexto dessas duas citações esteja claro o bastante para afastar mal-entendidos. Os problemas surgem quando (principalmente) teólogos usam linguagem metafórica sem perceber que usam, e sem nem perceber que há distinção entre metáfora e realidade. Dizem coisas do tipo: "Não interessa se Jesus realmente alimentou cinco mil homens. O que importa é o que a *ideia* da história *significa* para nós". Na verdade interessa sim, pois milhões de devotos de fato creem que a Bíblia descreve a verdade literal. Eu espero e confio que nenhum leitor me julgue acreditar que Sanderson estivesse mesmo ali no cantinho, rindo com a aula do sr. Thomas.

Nossa aula sobre as hidras foi ainda o cenário de uma história que é um tanto embaraçosa, mas que tenho de contar por ser talvez reveladora. O sr. Thomas perguntou se algum de nós já havia visto uma hidra. Acho que fui o único a levantar a mão. Meu pai tinha um microscópio velho de bronze e, alguns anos antes, havíamos passado um dia encantador observando a vida lacustre imensamente ampliada — sobretudo crustáceos como ciclopes, dáfnias e ostracodes, mas também a hidra. Eu tinha achado a hidra tão lerda que mais parecia uma planta, muito tediosa se comparada aos crustáceos, cheios de perninhas que se debatiam com vigor. A hidra era a lembrança menos empolgante daquele dia memorável, e acho que, bem esnobe, menosprezei aquela atenção toda que o sr. Thomas estava dando a ela. Assim, quando ele me pediu mais detalhes do meu encontro com a hidra, eu disse: "Ah, eu já vi todos esses bichos aí". Para o sr. Thomas, claro, ciclopes, dáfnias e ostracodes não eram animais iguais às hidras, mas para mim eram: eu tinha visto todos no mesmo dia com meu pai e, por isso, botava tudo no mesmo saco. O sr. Thomas provavelmente suspeitou que eu nunca tinha visto hidra nenhuma e começou um interrogatório minucioso. Sinto dizer que o interrogatório surtiu em mim justamente o efeito contrário. Talvez eu tenha tomado aquilo como uma espécie de ofensa ao meu pai, que me apresentara "todos esses bichos aí" e identificara cada um pelo nome científico. Fiz pé firme e, em vez de dizer com clareza e convicção (e sinceridade) que já tinha mesmo visto uma hidra, persisti na recusa de separá-la dentre "todos aqueles bichos". Essa lembrança é vergonhosa. Reveladora? É possível, mas não sei bem do quê. Talvez houvesse ligação com a lealdade que eu tinha a tudo que guardasse alguma relação com meus pais, fossem tratores Ferguson ("Porcaria de Fordson!"), fossem vacas Jersey ("As vacas Holstein não dão leite, dão água!").

Tendo o sr. Thomas me apresentado a apicultura, pude cultivar o passatempo nas férias, quando ganhei uma colmeia de um ex-colega do meu pai dos tempos de escola, o excêntrico Hugh Corley. Eram abelhas de uma cepa incrivelmente dócil, que nunca ferroavam, e eu trabalhava com elas sem véu nem luvas. Por infortúnio, elas foram envenenadas pelo inseticida que o vento trouxe dos campos de um vizinho. O sr. Corley, agricultor orgânico apaixonado e um dos primeiros ecoguerrilheiros, ficou revoltado e me deu outra colmeia. As habitantes desta, infelizmente, eram o extremo oposto: ferroavam tudo que se mexesse — uma diferença genética, sem dúvida. Eu não tinha reação tão forte a ferroadas nessa época. Agora me pergunto se tantos ferrões na meninice não me deixaram mais sensível a eles na maturidade. Fui ferroado só duas vezes na idade adulta, uma vez na casa dos quarenta e outra na dos cinquenta, e em ambas as ocasiões reagi de um jeito estranho, bem diferente dos meus tempos de apicultor ativo. A região em volta do olho ficou muito inchada, a ponto de quase me cegar. Por que no olho, se os ferrões haviam sido respectivamente na mão e no pé? E, acima de tudo, por que num olho só?

Além da apicultura com o sr. Thomas, suponho que a outra ocupação construtiva a que me dediquei no meu tempo livre em Oundle tenha sido a música. Passei muitas horas na escola de música local, mas mesmo ali eu tenho de confessar imenso desperdício de oportunidade. Desde a primeira infância, instrumentos musicais de qualquer espécie me atraíam como ímãs; eu precisava ser arrastado para longe de lojas com violinos, trompetes ou oboés expostos na vitrine. Mesmo hoje, se um quarteto de cordas ou uma banda de jazz está tocando numa festa ao ar livre ou num casamento, renego minhas funções de socialização e fico a pairar ali em volta dos músicos, observando seus dedos e, durante os intervalos, conversando com eles sobre os instrumentos. Não tenho a mesma afinação da minha primeira esposa, Marian, e meu senso de harmonia é fraco, ao contrário do da minha esposa atual, Lalla, que improvisa contrapontos harmoniosos a qualquer melodia sem o menor esforço. Mas tenho, sim, uma capacidade melódica natural, o que significa que consigo tocar uma música com mais ou menos a mesma facilidade que tenho para cantá-la ou assoviá-la. Sinto dizer que um dos meus passatempos na escola de música era pegar ilicitamente instrumentos que não me pertenciam e aprender sozinho a tirar deles algumas melodias. Numa ocasião, fui flagrado tocando "When the Saints Go Marching In" no caríssimo trombone de um veterano. Isso me deixou em maus lençóis, pois mais tarde se constatou que o trombone estava danificado. Realmente creio que não fui eu, mas acabei levando a culpa (não por acusação do próprio dono, que foi muito delicado diante do imbróglio todo).

Meu dom para a melodia se revelou uma maldição mais do que uma benção, pelo menos para um moleque preguiçoso como eu era. Tocar de ouvido me era tão fácil que eu negligenciava outras competências importantes, como leitura de partitura e improviso criativo. Durante certo período, cheguei a esnobar músicos que "precisavam" ler partitura. Improvisação eu já achava uma aptidão superior. Mas eis que me revelei fraco também de improviso. Convidado a entrar na banda de jazz do colégio, logo descobri que, embora conseguisse executar qualquer música irrepreensivelmente, eu mostrava absoluta incapacidade de improvisar a partir dela. Era muito relapso em treinar escalas. Tenho uma justificativa, um tanto frágil e parcial, mas vá lá: ninguém jamais me explicou para que servem as escalas. Em retrospecto, como cientista e adulto, percebo o motivo. Tocamos escalas para nos familiarizar com cada tom, de modo que, assim que lemos a tonalidade indicada no início de cada linha, nossos dedos automaticamente passem a trabalhar sem esforço nesse tom.

O que eu fazia na escola de música era mais brincar do que tocar. Até aprendi a ler partituras para clarinete e saxofone. Agora, no piano — em que se espera que você toque mais de uma nota por vez — eu era insuportável de tão lento, como uma criança aprendendo a ler, soletrando letra por letra a duras penas em vez de fluir ao correr da frase. Meu benevolente professor de piano, o sr. Davison, reconheceu meu pendor inato para a melodia e me ensinou regras rudimentares para acompanhar a melodia da mão direita com acordes da mão esquerda. Embora tenha aprendido os acordes rápido, só conseguia executá-los nos tons de dó maior e de lá menor (negligenciando as teclas pretas), e meu estilo de tocar acordes era bem monótono — embora ouvintes não peritos ficassem impressionados com minha capacidade de atender prontamente ao pedido da vez.

Quanto ao canto, minha voz de soprano era genuína e pura, mesmo que não muito potente, e fui recrutado ainda cedo para o minúsculo e seleto Coro do Presbitério na capela de Oundle. Eu adorava. Os ensaios regulares, sob a regência do diretor de música, o sr. Miller, eram o ponto alto da semana. Acho que aquele era até um ótimo coral, em comparação com a média dos corais catedrais ingleses. E não posso deixar de dizer: cantávamos sem aquela afetação do "r" alveolar, que ao meu ouvido parece mais um "d" e para mim estraga muitos corais: "Mady was that mother mild/ Jesus Cdist, her little child" [Madia, doce mãe/ Jesus Cdisto, sua cdiança], "The dising of the sun/ And the dunning of the deer/ The playing of the meddy organ…" [O denascer do sol/ E a codida dos cedvos/ O tocar do alegde ógdão...]. A propósito, já que estou fazendo o papel de ranzinza, o falso "r" italiano de tenores da estirpe de John McCormack é ainda pior: "Seated one day at the Oregon...".*

Executávamos um hino todo domingo: Stanford ou Brahms ou Mozart ou Parry ou John Ireland, ou compositores mais antigos como Tallis ou Byrd ou Boyce. Não tínhamos regente, mas dois dos baixos, um de frente para o outro nas fileiras traseiras dos dois lados do presbitério, cumpriam esse papel imitando os movimentos de cabeça. Um desses contrabaixos, C. E. S. Patrick, tinha uma voz tão bela que era um encanto — provavelmente melhor por não ser treinada. Nunca conversei com ele (não se falava com veteranos de outras casas), mas eu o venerava como estrela do Coral Masculino, que se apresentava sob a direção de outro talentoso professor de música, Donald Payne. Infelizmente nunca fui convidado a entrar para o Coral Masculino. Quando minha voz engrossou, caiu tanto em qualidade quanto em timbre.

Oundle tinha uma tradição — mais uma vez fundada por Sanderson — de envolver toda a escola num oratório anual. A distribuição das músicas era balanceada de modo que todo garoto, em seus cinco anos de colégio, passasse pela *Messiah* de Handel e pela *Missa em si menor* de Bach. No intervalo entre elas havia grande variedade de obras. No meu primeiro trimestre, fizemos a cantata *Despertai* de Bach e a *Missa imperial* de Haydn, e eu *adorei* as duas, principalmente a de Bach, com seu lento coral para as vozes astuciosamente articuladas em contraponto à melodia saltitante da orquestra. Era uma experiência mágica, de um tipo que eu não conhecia. Toda manhã após a oração, a figura alta e esguia do sr. Miller dava passos largos e vivazes até ficar diante do colégio inteiro, e então se punha a conduzir o ensaio de cinco minutos, só algumas páginas por vez. Até que chegou o grande dia da

* Em tradução livre: "Sentado um dia no Oregon". O autor faz referência à composição "The Lost Chord", de Arthur Sullivan, cuja primeira frase é "Seated one day at the organ" [Sentado um dia ao órgão]. (N. T.)

apresentação. Vieram solistas profissionais de Londres: soprano e contralto, glamorosas, ambas de vestido longo, e tenor e baixo, ambos em fraques imaculados. O sr. Miller tratava-os com imensa deferência. Sabe-se lá o que acharam dos rugidos guturais do "não coral". Na minha opinião juvenil e amadora, nenhuma das solistas chegava aos pés de C. E. S. Patrick, do Coral Masculino.

É difícil transmitir a atmosfera da escola pública inglesa durante esse meu período. Lindsay Anderson capturou-a muito bem no filme *Se...* Não me refiro ao massacre do final, é claro, e ele exagerou nos espancamentos. Talvez os decuriões, empunhando bastões de comando e trajando coletes bordados, até gozassem desse direito em eras mais antigas e mais cruéis, mas já não era assim na minha época. Nunca soube de ninguém que houvesse levado bastonadas enquanto estive em Oundle, e só recentemente é que ouvi (de uma vítima) que isso acontecia mesmo.

Se... também capturava maravilhosamente a sexualidade germinante que cerca garotos bonitinhos num colégio sem meninas. A inspeção das virilhas realizada pela supervisora, com uma lanterninha na mão e aquela touca engomada gigante na cabeça, não foi tão exagerada assim no filme. Nossa inspeção era feita pelo médico do colégio, que não espiava com a lascívia da supervisora de *Se...* Nosso pacato médico tampouco espreitava o campo de rúgbi como fazia ela, gritando: "Porrada! Porrada! Porrada!". Mas o que Lindsay Anderson retratou à perfeição foi a convivialidade sórdida dos quartos onde passávamos a maior parte do tempo — onde estudávamos, fazíamos torradas, ouvíamos jazz e Elvis, matávamos tempo. Retratou a risada histérica que unia amigos adolescentes como cachorrinhos brigões — não de briga física, mas de briga verbal em línguas estranhas, particulares, e apelidos bizarros que cresciam e evoluíam palavra por palavra.

Só para ilustrar a bizarrice da evolução dos apelidos (talvez da mutação memética em geral), um dos meus amigos era chamado de "Coronel", embora sua personalidade não tivesse absolutamente nada de militar. "Viu o Coronel por aí?" A história evolucionária é a seguinte. Anos antes, um antigo aluno, que já havia deixado o colégio, tivera uma queda pelo meu amigo, segundo diziam. O apelido do ex-aluno era Shkin (corruptela de Skin, e sabe-se lá de onde saiu esse apelido — talvez tenha sido por ligação com *foreskin* [prepúcio], mas seria um nome que havia evoluído antes de eu chegar). Assim, meu amigo herdou do antigo admirador o nome Shkin. Shkin rima com Thynne, e aí entrou na jogada algo parecido com as gírias rimadas do *cockney*. Havia no *Goon Show*, um programa de rádio da BBC, um personagem chamado Coronel Grytte Pyppe Thynne. E foi assim que meu amigo virou o Coronel Grytte Pyppe Shkin, mais tarde reduzido a "Coronel". Nós amávamos o *Goon Show*; competíamos para ver quem imitava melhor a voz dos personagens: Bluebottle, Eccles, Major Denis Bloodnok, Henry Crun, Conde Jim Moriarty. E distribuíamos entre nós apelidos tirados do programa, como "Coronel" e "Conde".

Hoje em dia parte daquela nossa esqualidez não seria permitida por um inspetor sanitário. Depois de jogar rúgbi, íamos para o "chuveiro". Minha hipótese é que em algum remoto passado aquilo já fora um chuveiro, e outras casas do colégio talvez ainda tivessem chuveiros propriamente ditos. Na Casa Laundimer, porém, tudo que restava dele era a base retangular de porcelana, que enchíamos de água quente. O tamanho era suficiente para comportar dois meninos sentados cara a cara, com os joelhos colados no queixo. Fazíamos fila para entrar no "chuveiro", e, depois que os quinze jogadores de rúgbi tivessem passado por lá, a "água" já não era bem água, estava mais para lama diluída. O mais estranho é que não nos importávamos em ser a última dupla. Havia uma vantagem: podia-se ficar mais tempo no quentinho em vez de se apressar para a fila andar. Não me lembro de me importar de tomar banho na banheira barrenta usada por outras catorze pessoas, não mais do que me importava de entrar numa banheira minúscula junto com alguém nu do mesmo sexo — duas coisas que hoje me desagradariam profundamente. Outro indício, creio eu, de que não somos quem já fomos.

Oundle não correspondeu às expectativas dos meus pais. As tão alardeadas oficinas foram um fracasso, pelo menos até onde me cabia. Havia muita bajulação à equipe de rúgbi e pouco prestígio à inteligência ou à erudição, ou, enfim, a qualquer das qualidades cultivadas por Sanderson. Porém, pelo menos no meu último ano, meu grupo de colegas começou enfim a valorizar o intelecto. Um jovem e inteligente professor de história criou um clube chamado Colloquium, para discussão intelectual entre secundaristas. Não lembro o que acontecia nos encontros; talvez até lêssemos dissertações, à maneira de formandos sérios. Com a mesma seriedade, fora das reuniões avaliávamos a inteligência uns dos outros, numa atmosfera de esnobismo sisudo não muito diferente daquela evocada pela parelha de John Betjeman:

> *Objectively our common room is like a small Athenian state...*
> *Except for Lewis: he's all right, but do you think he's quite first rate?**

Aos dezessete, no nosso último ano de colégio, eu e dois amigos da minha casa viramos militantes antirreligiosos. Nós nos recusávamos a ajoelhar na capela e ficávamos sentados de braços cruzados e boca fechada, aprumadinhos e desafiadores como altivas ilhas vulcânicas no meio de um mar de cabeças abaixadas e murmurantes. Como seria de esperar dos anglicanos, as autoridades escolares foram muito respeitosas e não reclamaram nem

* Em tradução livre: "Objetivamente falando, nossa sala de encontros é um pequeno estado ateniense.../ Com exceção de Lewis: ele é até legalzinho, mas será que é de primeira linha?". (N. T.)

quando abandonei a capela de vez. Mas aqui preciso voltar atrás e rastrear o momento em que perdi minha fé religiosa.

Eu ingressara em Oundle como anglicano crismado, e cheguei a participar da comunhão sagrada algumas vezes no primeiro ano. Gostava de acordar cedo e caminhar pelo pátio ensolarado, ouvindo melros e tordos, e me refestelava ao sol, já sentindo a fome dos justos e pensando no café da manhã que vinha a seguir. O poeta Alfred Noyes (1880-1958) escreveu: "Se já tive quaisquer dúvidas sobre as realidades fundamentais da religião, elas sempre podiam ser dissipadas por uma recordação — a luz no rosto de meu pai ao voltar da comunhão". É um raciocínio gritantemente tolo para um adulto, mas me resume aos catorze anos.

Fico contente em dizer que não demorei muito para voltar às dúvidas pregressas, plantadas por volta dos nove anos, quando aprendi com minha mãe que o cristianismo era só uma entre várias religiões e que elas se contradiziam. Não havia como todas estarem certas, então por que acreditar naquela em que, por mero acidente de nascença, eu havia nascido? Em Oundle, após minha breve fase de ir à comunhão, deixei de acreditar em tudo que fosse específico ao cristianismo, e cheguei até a desdenhar de todas as religiões. Indignava-me sobretudo com a hipocrisia da "confissão geral", ocasião em que murmurávamos em coro que éramos "pecadores". O simples fato de que as mesmas palavras estavam escritas para se repetirem na outra semana, e na outra, e pelo resto da vida (e assim vinham sendo repetidas desde 1662), já era um sinal claro de que não tínhamos outra intenção que não a de ser pecadores infelizes pelo resto da vida. Com efeito, é um dos aspectos mais vis do cristianismo essa obsessão pelo "pecado" e a crença paulina de que todos nascem com o pecado herdado de Adão (cuja embaraçosa inexistência era desconhecida de são Paulo).

Mesmo assim retive a crença ferrenha em uma espécie de criador inespecífico, basicamente porque ficava impressionado com a beleza e o aparente desígnio ou projeto do mundo vivo, e me iludi — assim como tantos outros — a crer que a aparência de um projeto exigia um projetista. Enrubesço ao admitir que naquele estágio eu ainda não havia entendido a falácia elementar desse argumento: a de que qualquer deus capaz de projetar o universo precisaria ter uma base de projeto em si mesmo. Se nos permitimos imaginar um projetista assim do nada, por que não aplicar a mesma condescendência àquilo que ele supostamente projetou e cortar o intermediário? De todo modo, é claro que Darwin nos deu a magnífica e potente alternativa ao projeto biológico que hoje sabemos ser verdadeira. A explicação de Darwin tinha a imensa vantagem de começar pela simplicidade primordial e ir subindo, em lenta gradação, até a complexidade assombrosa de que se imbui todo corpo vivo.

Na época, porém, o argumento do "é tudo tão lindo que tem de haver um projetista" ainda me contagiava. Minha fé era reforçada, veja só, por Elvis Presley, de quem eu era ardoroso fã, como quase todos os meus amigos. Comprava seus singles assim que eram lançados: "Heartbreak Hotel", "Hound Dog", "Blue Moon", "All Shook Up", "Don't Be Cruel", "Baby I Don't Care" e tantos outros. Na minha cabeça, aquele som está irrevogavelmente — e agora isso me soa tão apropriado — associado ao odor levemente sulfuroso da pomada que usávamos para combater a acne juvenil. Uma vez passei vergonha por cantar "Blue Suede Shoes" a plenos pulmões em casa, achando que estava sozinho, sem saber que meu pai ouvia tudinho. "You can knock me down/ Step on my face/ Slander my name/ All over the place" [Pode me derrubar/ Pisar na minha cara/ Difamar meu nome/ Por tudo que é canto]. Para imitar Elvis nessa música você precisa enrouquecer as palavras com certa malícia, como os cantores atuais de rap. Levou algum tempo para que eu, com o ego ferido, convencesse meu pai de que não estava tendo uma convulsão, ou sofrendo da síndrome de Tourette.

Pois bem, eu venerava Elvis e tinha forte crença num deus criador não relacionado a nenhuma crença religiosa. E tudo se conectou quando, na minha cidadezinha natal de Chipping Norton, passei por uma vitrine e vi um álbum chamado *Peace in the Valley*, com uma música chamada "I Believe". Fiquei atônito. Elvis era religioso! Num frenesi de entusiasmo, adentrei a loja e comprei o disco. Corri para casa, tirei o disco da capa e soltei-o no prato. Escutei em êxtase — pois meu herói cantava que, toda vez que via as maravilhas do mundo natural a seu redor, sentia sua fé religiosa revigorar-se. Exatamente o que eu sentia! Aquilo sem dúvida era um sinal dos céus. Não entendo por que me surpreendi com a religiosidade de Elvis. Ele vinha de uma família de classe operária sem instrução do Sul dos Estados Unidos. Como ele *não* seria religioso? Mesmo assim, na época fiquei surpreso, e nutri alguma espécie de crença de que nesse disco inesperado Elvis falava diretamente comigo, convocava-me a dedicar minha vida a contar às pessoas sobre o deus criador — e que eu obteria a devida qualificação para essa tarefa se me tornasse biólogo como meu pai. Aquela parecia ser minha vocação, e o chamado veio de ninguém menos que o quase divino Elvis.

Não me orgulho desse período de frenesi religioso, e folgo em dizer que não durou muito. Fui compreendendo cada vez mais que a evolução darwiniana era uma alternativa potente ao meu deus criador como explicação da beleza e do aparente projeto da vida. Meu pai foi o primeiro a me explicar tudo isso; mas, de início, embora eu entendesse o princípio, não considerava essa uma teoria abrangente o bastante para dar conta do serviço. Adquiri forte preconceito contra ela depois de ler o prefácio de Bernard Shaw a *Volta a Matusalém*, na biblioteca escolar. Shaw, naquele seu estilo eloquentemente confuso, prestigiava a evolução lamarckiana (mais voltada aos propósitos) e odiava a darwiniana (de cunho mais mecanicista), e fui conduzido pela eloquência a cair na confusão. Passei por um período em que duvidei do poder da seleção natural de dar conta do serviço. Por fim um amigo — um dos dois que eu tinha, nenhum deles biólogo, aquele ao lado de quem eu me recusaria a ajoelhar na capela — convenceu-me de toda a força da brilhante ideia darwiniana. Foi quando larguei meu último vestígio de credulidade teística, acho que por volta dos dezesseis anos. Não tardou para eu me tornar ateu convicto e militante.

Mencionei que as autoridades do colégio eram anglicanos que respeitavam minha recusa a me ajoelhar e faziam vista grossa. Mas talvez não seja bem verdade, pelo menos no caso de dois deles. O primeiro era meu professor de inglês na época, Flossie Payne, conhecido pela figura ereta em sua bicicleta com a sombrinha à mão. Flossie me desafiou em público, no meio de uma aula, a explicar por que eu andava liderando uma rebelião contra o costume de ajoelhar-se na capela. Receio que não me saí bem em minha defesa. Em vez de aproveitar a oportunidade para conduzir meus colegas ao mesmo caminho, deploravelmente gaguejei que a aula de inglês não era apropriada para aquela discussão, e me fechei em minha concha.

O segundo era Peter Ling, diretor da Casa Laundimer — um homem agradável, ainda que um tanto conformista e convencional demais. Só recentemente vim a saber que ele telefonou a Ioan Thomas, meu professor de zoologia, para transmitir sua preocupação comigo. Conforme me relatou em carta recente, o sr. Thomas avisou o sr. Ling de que exigir de alguém como eu ir à capela duas vezes no domingo estava causando imenso dano. O telefone foi desligado sem nenhum comentário.

O sr. Ling também convocou meus pais para ter uma conversa franca, na hora do chá, sobre meu comportamento rebelde na capela. Eu nada soube disso na época; minha mãe acaba de me contar o incidente. O sr. Ling pediu que meus pais tentassem me convencer a mudar de atitude. Meu pai disse (segundo a memória de minha mãe): "Não é do nosso feitio controlá-lo assim desse jeito, esse tipo de coisa é seu problema, e infelizmente devo declinar de sua solicitação". A reação dos meus pais ao episódio todo foi considerá-lo irrelevante.

O sr. Ling, como eu disse, era um homem decente a seu modo. Há pouco tempo, um contemporâneo e amigo meu da mesma casa me contou uma boa história. Ele estava ilicitamente num dormitório durante o dia, beijando uma das arrumadeiras. Os dois entraram em pânico ao ouvir passos pesados na escada, e meu amigo empurrou a jovem às pressas contra o peitoril da janela e fechou as cortinas para ocultar a presença dela. O sr. Ling entrou no quarto e deve ter notado que só uma das três janelas estava com as cortinas fechadas. Para piorar, meu amigo viu, horrorizado, que os pés da moça estavam à vista sob a cortina. Ele tem a plena convicção de que o sr. Ling percebeu o que se passava mas fingiu que não, talvez pensando algo como "meninos serão sempre meninos": "O que está fazendo no dormitório a esta hora?". "Subi para trocar as meias, senhor." "Ora, pois então se apresse." Sábia decisão, a do sr. Ling! O rapaz acabou tornando-se um dos ex-alunos de Oundle mais bem-sucedidos da sua geração, presidente de uma das maiores multinacionais do mundo, cavaleiro nomeado pela rainha e grande benfeitor da escola, financiando, entre outras coisas, a Bolsa Peter Ling.

O diretor de um colégio grande é uma figura ao mesmo tempo remota e formidável. O encurvado Gus Stainforth foi meu professor apenas em um trimestre — teologia —, e tínhamos pavor dele. Lemos *O peregrino* e depois tivemos de produzir nossa representação artística daquele livro desagradável. No meio do seu mandato em Oundle, Gus saiu para dirigir sua própria escola, a Wellington, e foi sucedido por Dick Knight, homem de porte atlético que ganhou nosso respeito pela capacidade de isolar a bola do campo (ele jogara críquete em Wiltshire) e pela maneira como cantava com o "não coral" no oratório anual. Dirigia um grande Rolls-Royce, eu diria que dos anos 1920, a julgar por seu estilo imponente e suas linhas retas — muito diferente dos modernosos roncantes e reluzentes de décadas seguintes. Aconteceu de ele ir visitar Oxford a negócios na mesma época em que eu e outro garoto estávamos por lá para fazer os exames de admissão nas respectivas faculdades por que havíamos optado. Ao saberem disso, o sr. e a sra. Knight gentilmente nos ofereceram carona de volta a Oundle no velho Rolls deles, e no meio da viagem o sr. Knight, com toda discrição, trouxe à baila minha rebeldia contra o cristianismo. Foi uma revelação conversar com um cristão respeitoso, humanista e inteligente, que encarnava o que de melhor há no anglicanismo tolerante. Ele parecia genuinamente interessado em minha motivação e nem um pouco inclinado a me condenar. Anos depois, ao ler seu obituário, não me surpreendi de saber que na juventude ele fora um proeminente helenista, bem como atleta digno de nota, e que na aposentadoria obteve licenciatura em matemática na Open University. Sanderson teria adorado conhecê-lo.

Meu pai e meu avô nunca haviam imaginado para mim outro destino pós-Oundle que não o Balliol College, de Oxford. Na época, Balliol ainda retinha a reputação de faculdade à frente de toda a Oxford, o topo das avaliações nacionais e *alma mater* de uma lista resplandecente de egressos: escritores, acadêmicos, estadistas, primeiros-ministros e presidentes ao redor do mundo todo. Meus pais foram consultar Ioan Thomas a respeito de minhas perspectivas. O sr. Thomas foi franco e realista: "Olha, ele pode até passar raspando em Oxford, mas Balliol provavelmente é sonhar alto demais".

O sr. Thomas podia até duvidar que eu fosse bom o bastante para Balliol, mas — grande professor que era — estava convicto de que eu deveria tentar me superar. Convidava-me com regularidade à sua casa para noites de reforço (não remunerado, no caso; esse é o tipo de professor que ele era), e eis que, por algum milagre, ele me botou em Balliol. Mais importante que isso, eu havia entrado em Oxford. E, se há algo que me fez ser quem sou, esse algo foi Oxford.

Campanários sonhadores

"Sr. Dawkins? Assine aqui, por favor, sir. Lembro-me de seus três irmãos, excepcional ala um deles. Suponho que o senhor não jogue rúgbi, joga?"

"Não, receio que não e, hã, na verdade não tenho irmãos. Você deve estar falando do meu pai e dos meus dois tios."

"Sim, jovens cavalheiros excepcionais, assine aqui, por favor, sir. O senhor ficará na Escadaria 11, Quarto 3, a dividir com o sr. Jones. Próximo?"

Bom, a conversa foi mais ou menos assim. Não anotei na época. O porteiro do Balliol College havia incorporado a visão atemporal característica de sua profissão, com o chapéu-coco e tudo mais. Os jovens cavalheiros vêm e vão, mas a faculdade dura para sempre. Aliás, ela viria a comemorar setecentos anos durante minha estada. Por falar nessa antiga e leal profissão associada ao chapéu-coco, não vou resistir a contar uma anedota mais recente relatada pelo porteiro-chefe da minha faculdade atual, o New College (bom, era *new* em 1379). Um porteiro novo e inexperiente não tinha pegado o jeito com o registro de ocorrências mantido pelos porteiros, nem entendido bem para o que é que servia. As entradas que ele acrescentou durante sua primeira noite, de hora em hora, consistiam em (aproximadamente, sem precisão de detalhes):

20h. Chuva.
21h. Continua chuva.
22h. Chuva mais forte.
23h. Continua chuva forte. Deu pra ouvir batendo no chapéu quando fiz a ronda.

Oxford, devo explicar, é uma universidade federativa: uma federação de trinta e poucas faculdades, das quais Balliol é uma das três que se declaram a mais antiga. Com exceção das faculdades mais novas, cada uma é construída em torno de uma série de pátios. São prédios belíssimos, antigos, na sua maioria sem os típicos corredores de hotéis ou dormitórios de estudantes, com seus quartos enfileirados; o que há são várias escadarias levando a portas dos pátios, e cada escadaria dá acesso a um certo número de quartos em três ou quatro andares. De forma que cada quarto é conhecido pelos números da escadaria e do quarto dentro da escadaria. Para visitar um vizinho, você provavelmente terá de descer ao pátio e entrar por outra escadaria. No meu tempo havia um banheiro para cada escadaria, de maneira que não tínhamos de sair no frio de roupão. Hoje é mais fácil encontrar quartos com banheiro, o que meu pai chamaria de "terribly molly" (afrescalhado, afetado). Suspeito que o principal motivo de instalá-los seja suprir o lucrativo mercado de palestras, que todas as faculdades de Oxford e de Cambridge exploram fora do período letivo.

As faculdades tanto de Oxford como de Cambridge são instituições autogeridas e com autonomia financeira — algumas delas muito abastadas, como St. John's, de Oxford, e Trinity, de

Cambridge. Trinity, a propósito, é excepcionalmente rica tanto em realizações quanto em dinheiro. É a faculdade de Cambridge que ostenta, sozinha, mais prêmios Nobel do que qualquer *país* do mundo, exceto Estados Unidos, Reino Unido (óbvio), Alemanha e França. A Universidade de Oxford pode afirmar o mesmo, mas não há uma só faculdade de Oxford que chegue perto de Trinity, nem mesmo Balliol, a líder em prêmios Nobel entre as faculdades de Oxford. Meu pai, acabo de perceber, é um dos poucos que já estudaram tanto em Balliol como em Trinity.

Em Oxford e em Cambridge, a relação entre as faculdades e a universidade carrega a mesma tensão inquietante que existe entre os governos federal e estadual dos Estados Unidos. A ascensão da ciência aumentou o poder e a importância do "governo federal" (universidade), pois a ciência é um empreendimento grande demais para ser administrado pelas faculdades separadamente (embora no século XIX uma ou outra tenha tentado a via autônoma). Os departamentos científicos pertencem à universidade, e foi o departamento de zoologia, não a faculdade, que viria a dominar minha vida em Oxford.

Aquele porteiro deve ter sido uma das primeiras pessoas a me chamar de "sr. Dawkins" (de "sir", então, nem se fala) — um dos primeiros a me tratar como adulto —, ao que eu não estava acostumado. Acho que era característico da minha geração de graduandos fazer de tudo para parecer ser mais velho do que se era. Gerações posteriores de graduandos tenderam ao oposto, apostando numa vestimenta desleixada: capuz, boné de beisebol, mochila caída no ombro e, às vezes, calça jeans mais caída ainda. Mas minha geração dava preferência ao blazer de tweed com cotovelo de couro, aos coletes elegantes, aos bigodes, às gravatas, até mesmo à gravata-borboleta. Alguns (não eu, apesar do exemplo de meu pai) davam o toque final à imagem fumando um cachimbo. Essas afetações talvez tenham sido incitadas pela circunstância de muitos dos meus colegas também calouros serem dois anos mais velhos; minha turma foi quase a primeira das gerações pós-guerra a não ser convocada para o serviço militar. Nós que viemos direto do colégio em 1959 éramos meninos, a dividir aulas, pátios e refeitório com *homens* de treinamento militar, e talvez tenha sido isso que estimulou nossa aspiração a crescermos e sermos levados a sério como adultos. Deixamos Elvis para trás e passamos a ouvir Bach ou o Modern Jazz Quartet. Em tom solene recitávamos entre nós Keats, Auden e Marvell. O pintor Chiang Yee capturou essa atmosfera em seu fascinante livro *The Silent Traveller in Oxford* [O viajante calado em Oxford],* de uma era logo anterior, quando desenhou, em seu elegante estilo chinês, uma dupla de calouros subindo de dois em dois degraus a escada da faculdade. A legenda, deliciosamente perspicaz, dizia: "Percebi que eram calouros porque um dizia ao outro: 'Você lê bastante Shelley?'".

O argumento de que o Exército transforma meninos em homens é a base de uma história sobre Maurice Bowra, lendário administrador do Wadham College (são tantas as anedotas com Bowra que seria mais prudente evitá-las, mas esta é deliciosa). Logo após a guerra, ele estava entrevistando um rapaz para uma vaga na faculdade.

"Senhor, eu andei afastado, na guerra, e preciso confessar que esqueci tudo que aprendi de latim. Não vou conseguir passar no exame de latim que qualifica para a admissão."

"Ah, mas não se preocupe, meu garoto, guerra conta como latim, guerra conta como latim."

Em 1959, meus colegas mais velhos que haviam passado pelo serviço militar não eram literalmente "calejados de guerra" como o candidato de Bowra, mas tinham aquela inequívoca aura de homens maduros e vividos — aura que me faltava. Como disse,

* Chiang Yee, *The Silent Traveller in Oxford*. Londres: Methuen, 1944.

acredito que os da minha geração que se metiam a fumar cachimbo, usar gravata-borboleta e bigode aparadinho estavam se esforçando para se equiparar aos veteranos militares. Será que tenho razão em suspeitar que os graduandos de hoje aspiram ao oposto, a juvenilização? No primeiro dia do novo ano universitário, o quadro de avisos da faculdade contemporânea se enche de recados como: "Calouro! Se sente só? Perdido? Saudade da mamãe? Venha tomar um cafezinho e bater um papo. Nós te amamos". Esses convites mimosos seriam inconcebíveis no quadro do meu primeiro trimestre, onde era mais fácil ver avisos calculados para me fazer sentir que havia chegado ao mundo adulto: "Ao 'cavalheiro' que tomou minha sombrinha 'de empréstimo'...".

Eu havia me matriculado para estudar bioquímica. O tutor que me entrevistou, o gentil Sandy Ogston, que mais tarde se tornaria diretor de Trinity, recusou-se — ainda bem — a me deixar entrar como bioquímico (talvez porque, como fosse ele próprio bioquímico, teria de ser meu professor), mas me ofereceu uma vaga no curso de zoologia. Aceitei com gratidão, e esse acabou se revelando o curso perfeito para mim. A bioquímica não tinha como captar meu interesse e entusiasmo do mesmo jeito que a zoologia: o dr. Ogston era tão inteligente quanto sugeria sua venerável barba grisalha.

Balliol não dispunha de professores tutores em zoologia, então fui levado a deixar a faculdade para ir ter com o simpaticíssimo Peter Brunet, no departamento de zoologia. Ele seria o responsável por me tutorar ou por me conseguir tutoria com outros. Um incidente logo no início da tutoria com o dr. Brunet pode ter marcado o princípio do meu abandono de uma postura colegial em favor de uma postura universitária. Fiz alguma pergunta ao dr. Brunet sobre embriologia. "Não sei", matutou ele, enquanto sugava o cachimbo. "Pergunta muito interessante. Vou consultar o dr. Fischberg e torno a lhe falar." O dr. Fischberg era o embriologista sênior do departamento, de maneira que aquela era uma resposta perfeitamente razoável. Na época, contudo, fiquei tão impressionado com a atitude do dr. Brunet que escrevi uma carta aos meus pais a respeito. Meu tutor não sabia a resposta a uma pergunta e ia consultar um colega especialista antes de me dar uma resposta! Senti que havia entrado para a turma.

Michael Fischberg vinha da Suíça e tinha forte sotaque suíço-alemão. Em suas aulas, fazia referência frequente a coisas chamadas *tonk bars*, e acho que muitos de nós escrevíamos "tonk bars" nas anotações até finalmente vermos o termo por escrito: "tongue bars" [brotos linguais], uma parte dos embriões em certo estágio de desenvolvimento. Foi cativante que, durante seu período em Oxford, o dr. Fischberg tenha adquirido grande entusiasmo pelo esporte nacional inglês, o críquete, vindo a fundar e capitanear a equipe do departamento. Tinha um movimento de lançamento muitíssimo peculiar. À diferença do arremessador do beisebol, o lançador do críquete tem de manter o braço esticado. Arremessar é estritamente proibido: não se pode dobrar o braço. Dada essa restrição, o único modo de propulsionar a bola com alguma velocidade é correr e então soltá-la durante a corrida. Os lançadores mais velozes do mundo, como o temível Jeff Thomson ("Tommo"), da Austrália, já conseguiram velocidades de até 160 quilômetros por hora (comparável a um arremessador de beisebol com o braço dobrado), correndo em disparada antes de lançar a bola com o braço estendido para o alto em graciosa coordenação rítmica com a corrida. O dr. Fischberg não. Ele ficava rígido em posição de sentido diante do batedor, erguia o braço de lançar para a frente, deixava-o retinho na horizontal a fim de mirar a meta com toda a concentração, então guinava-o num movimento arqueado e, lá em cima, soltava a bola.

Eu era um desastre no críquete, mas às vezes me persuadiam a jogar pela equipe da zoologia, caso não achassem ninguém melhorzinho e entrassem em desespero. Meu negócio é assistir; fico fascinado pela estratégia de um capitão posicionando seus interceptadores em volta do batedor — como um mestre do xadrez despachando suas peças para circundar o rei. O melhor jogador de críquete que já vi nos parques da Universidade de Oxford foi Nawab of Pataudi ("Tiger"), capitão de Oxford e contemporâneo meu em Balliol. Como rebatedor, a serenidade com que direcionava a bola para ludibriar os interceptadores era sublime. Mas foi justamente como interceptador que ele mais me impressionou. Numa ocasião, um rebatedor acertou a bola e partiu no que lhe pareceu uma corrida fácil. Mas então notou que o interceptador que corria para a bola era Tiger Pataudi, e aí começou a gritar freneticamente ao parceiro para voltar para sua área. Infelizmente, Tiger viria a perder um olho num acidente de carro e precisou mudar sua postura para rebater monocularmente, mas ainda assim se manteve em nível alto o suficiente para seguir como capitão da seleção indiana.

Eu disse que foi Oxford que me fez, mas na verdade foi o sistema tutorial, que por acaso é característico de Oxford e de Cambridge. É claro que o curso de zoologia de Oxford também tinha aulas em sala e em laboratório, mas não eram nada tão mais especial que as de outras universidades. Algumas aulas eram boas, outras ruins, mas quase nunca fazia alguma diferença para mim, pois eu ainda não havia descoberto o valor de assistir a uma aula. O propósito não é se embeber em dados, e portanto não há sentido em fazer o que eu fazia (e que praticamente todos os graduandos fazem): tomar notas de modo tão servil e azafamado que não sobra espaço para a reflexão. A única vez que deixei de lado esse hábito foi quando esqueci de levar uma caneta. Era tímido demais para pedir uma emprestada à menina sentada ao meu lado (tendo passado por um colégio masculino, e ainda tímido por natureza, tinha na época um temor pueril de meninas, e, se eu já era medroso demais para pedir uma caneta, você pode imaginar com que frequência eu ousava me enveredar para algo um pouco mais interessante que isso). De maneira que naquela aula não fiz anotações, só ouvi — e refleti sobre o que ouvi. Não foi das melhores aulas, mas aproveitei mais do que outras — algumas bem melhores — porque a falta de uma caneta me autorizou a ouvir e refletir. Mas não tive a sensatez de aprender a lição e suspender as anotações em aulas subsequentes.

Em teoria, a ideia era que as anotações fossem usadas para revisão, mas eu nunca mais olhei as minhas e suspeito que a maioria dos meus colegas também não. O propósito da aula não deveria ser transmitir dados. Para isso existem os livros, as bibliotecas, atualmente a internet. A aula deveria inspirar e provocar reflexão. Você está lá para assistir a um bom professor pensando em voz alta, tentando alcançar um pensamento, às vezes agarrando-o ao vento, como fazia o célebre historiador A. J. P. Taylor. O bom professor — aquele que pensa em voz alta, reflete, matuta, reelabora com mais clareza, hesita e então capta, varia o ritmo, para e pensa — pode ser um modelo de como refletir sobre o assunto e transmitir sua paixão por ele. Se é para o professor zumbir informações em tom monocórdico de leitura, que mande o público ir ler de uma vez — quem sabe o livro do próprio professor.

Exagero um pouco quando aconselho a jamais tomar notas. Se o professor chega a um pensamento original, a algo revelador que nos faz pensar, aí é certo que devemos deixar um lembrete para refletir mais depois, ou para pesquisar algo a respeito. Mas esforçar-se para registrar cada palavra de cada frase proferida pelo professor — que era o que eu tentava fazer — é inútil para o aluno e desmoralizante para o docente. Hoje em dia, quando palestro diante de uma plateia de alunos, tudo que eu noto é um mar de cabeças atrás de notebooks. Prefiro públicos leigos, festivais literários, palestras em homenagem a figuras de destaque, aulas como

Minha avó Enid com sua cachorrinha Susan (*à esquerda*) no jardim da casa The Hoppet, onde meus pais se conheceram. Às vésperas da guerra eles se casaram (*acima*) na Water Hall, vista abaixo com a irmã mais nova de minha mãe, Diana, no jardim.

Após descobrir, ao chegar, que meu pai (*acima, à esquerda*) fora convocado para a guerra, minha mãe acompanhou-o (ilegalmente) ao Quênia no calhambeque Lucy Lockett, visto aqui (*acima*) sobre uma ponte improvisada, com minha mãe lavando o rosto no rio, e durante o café da manhã em um dos vários acampamentos deles (*abaixo*).

A passagem de meu pai por um de seus locais de treinamento coincidiu com o funeral de Baden-Powell. Por ser ex-escoteiro, ele foi convidado a acompanhar o caixão. Acho que ele está muito arrojado na farda da KAR, marchando junto de Lord Erroll (fora do passo), que foi assassinado pouco depois. Para minha mãe, a vida doméstica no Quênia, durante os tempos da guerra, teve lá suas surpresas: aqui (*abaixo*) está a pintura que ela fez retratando o episódio da leoa, descrito na p. 44.

Para sinalizar marcos na vida familiar, minha mãe tinha o costume de pintar quadros grandes representando cenas e acontecimentos. Esta é uma pequena parte de um quadro chamado *Por onde fomos*, que ela fez para suas bodas de ouro em 1989. Além de cenas genéricas da África, vê-se o carro blindado de meu pai na Somalilândia; eu em meus primeiros passos largos com minha mãe; uma praia arenosa do lago Niassa; meu camaleão de estimação, Hookariah; nosso gálago de estimação, Percy; e nossa casa em Makwapala, onde apareço empurrando Sarah no carrinho em direção ao Tui, o dachshund.

Mbagatki
INCHENA
CHENA
LILONGWE
CHITALA
TIWI
NCHISI
NCHEU

Parece que, ainda bebê, eu já via em meu pai não só um homem grande, mas também um grande homem (*acima, à esquerda*), e acompanhei-o na subida de encostas do Kilimanjaro (*acima, à direita*). Baraza, benevolente, tolerava minha teimosia em empurrar meu próprio carrinho (*abaixo*). Mais tarde, mudamos para Makwapala, na Niassalândia (*à direita, abaixo*), onde aparentemente eu me entediei com a aula de corte e costura ministrada por minha mãe no jardim. Em 1946, num breve recesso, ficamos com meus avós na Inglaterra. Nesse período, meu tio Bill e a tia Diana (o casal da esquerda na faixa do meio, ao lado de meus pais) casaram-se em Mullion, e a família toda fez um piquenique na enseada de Kynance.

Ao retornarmos à Niassalândia, moramos em Lilongwe, onde meus pais compraram a Creeping Jenny, nosso primeiro carro zero. Fui enviado para o internato Eagle School, na Rodésia do Sul. Na foto, Tank (o diretor) está ao centro com Coppers (supervisora) e Dick (outro professor) à sua direita. Eu sou o terceiro garotinho miúdo da esquerda para a direita na mesma fileira e David Glynn, também baixinho, é o terceiro da direita para a esquerda, ao lado de Wattie, que está ao lado de Paul. David e eu colecionávamos as belíssimas borboletas rabo-de-andorinha, que ele enigmaticamente chamava de “Papai Noel”.

convidado numa universidade, aonde os estudantes vão porque querem e não porque está na grade curricular. Nessas aulas públicas, o professor não vê cabeças abaixadas e mãos rabiscantes, mas rostos alertas, que sorriem, registram a compreensão — ou o inverso. Quando vou dar palestras nos Estados Unidos, fico uma fera se ouço que um professor *obrigou* os alunos a comparecer à minha palestra para ganhar "crédito". Não gosto da ideia de "crédito" nem quando estou de bom humor, e sinto intenso ódio quando penso que os alunos estão recebendo crédito por me ouvir.

Niko Tinbergen, meu mentor posterior, entrou na minha vida dando aulas sobre moluscos. Ele nunca havia declarado nenhuma afinidade especial com esse grupo, salvo certa afeição por ostras, mas conformava-se à tradição docente de distribuir os filos entre os professores de modo mais ou menos aleatório. Dessas aulas, recordo os desenhos ágeis de Niko no quadro-negro; sua voz grave (surpreendentemente grave para um baixinho), com sotaque holandês não tão óbvio; e seu sorriso carinhoso (avuncular, como eu achava na época, embora ele devesse ser mais novo do que eu sou hoje). No ano seguinte ele voltou a ser nosso professor, dessa vez de comportamento animal, e o sorriso avuncular se alargou com o entusiasmo por seu assunto de maior interesse. Nos tempos áureos de seu grupo de pesquisa com uma colônia de gaivotas em Ravenglass, na Cúmbria, fiquei encantado com seu filme sobre como o guincho-comum remove cascas de ovo. Apreciei sobretudo seu método de traçar gráficos — dispor pela areia estacas de tenda (os eixos), com cascas de ovo estrategicamente posicionadas (os pontos de dados). Muito Niko. Nada PowerPoint.

Depois de cada aula teórica na sala vinha uma aula prática no laboratório. Eu não tinha aptidão nenhuma para o trabalho prático e — jovem e imaturo que era — no laboratório me deixava distrair pelo sexo oposto ainda mais do que na sala. Foi de fato o sistema tutorial que me instruiu, e devo gratidão eterna a Oxford por essa dádiva singular — singular porque, pelo menos no que tocava a temas científicos, acho que Cambridge não se igualava. A primeira parte do curso de ciências naturais de Cambridge, que ocupa os dois primeiros anos dos graduandos, é de uma amplitude louvável, mas a consequência é que ela não consegue dar ao estudante, como faz Oxford, a emocionante experiência de se tornar uma autoridade mundial — e digo isso não literalmente, mas quase — num conjunto de matérias que é muito estreito porque se propõe estreito. Expliquei isso num ensaio que saiu em várias publicações e por fim num livro chamado *The Oxford Tutorial: "Thanks, You Taught Me How to Think"* [A tutoria oxfordiana: "Obrigado, vocês me ensinaram a pensar"].* Partes dos parágrafos a seguir provêm desse artigo.

Observei que nosso curso de Oxford não era "calcado em aulas" da forma que muitos graduandos gostam — aqueles que sentem só ter a obrigação de fazer provas sobre tópicos explicitamente tratados nas aulas. Pelo contrário, quando eu era graduando, o campo da zoologia inteirinho era de livre acesso para os examinadores. A única restrição era o acordo tácito de que a prova de tal ano não deveria se distanciar tanto do precedente geral de anos anteriores. E as tutorias também não eram "calcadas em aulas" (como temo que hoje sejam); eram calcadas em zoologia.

No meu penúltimo trimestre, Peter Brunet conseguiu-me o raro privilégio de ficar sob a tutoria de Niko Tinbergen em pessoa. Uma vez que era o único responsável por todas as aulas de

* Richard Dawkins, "Evolution in Biology Tutoring?". In: David Plafreyman (Org.). *The Oxford Tutorial: "Thanks, You Taught Me How to Think"*. Londres: Oxford Centre for Higher Education Policy Studie, 2001. (2. ed.: 2008.) Em sua publicação original (na *Oxford Magazine*, n. 112, oitava semana, primeiro trimestre letivo de 1994), o ensaio levava o título "propositalmente deselegante" de "Tutorial-Driven" [Calcado em tutorias], para refletir o ensino "lecture-driven" [calcado em aulas] que eu criticava.

comportamento animal, o dr. Tinbergen teria tido boas razões para dar tutorias "calcadas em aulas". Nem preciso dizer que não foi o caso. Minha tarefa semanal na tutoria era ler um DPhil (termo do oxfordês para tese de doutorado). Meu ensaio deveria ser uma mistura de comentário da banca sobre o DPhil, resenha do tema em pauta, proposta de pesquisa subsequente e discussão teórica e filosófica sobre as questões levantadas pela tese. Nem por um instante ocorreu ao tutor nem ao pupilo cogitar se essa tarefa seria útil para responder a alguma questão de prova.

Em outro trimestre, Peter Brunet, reconhecendo que meu viés na biologia era mais filosófico que o dele, mexeu os pauzinhos para que eu tivesse tutorias com Arthur Cain, cintilante estrela ascendente do departamento, de onde sairia para lecionar zoologia em Manchester e, depois, em Liverpool. Essas tutorias passavam longe de ser direcionadas a aulas do nosso curso; o dr. Cain não me mandava ler nada além de livros de história e de filosofia. Minha missão era formular as conexões entre a zoologia e os livros que lia. Cumpri, e amei. Não digo que meus ensaios juvenis sobre a filosofia da biologia prestassem — em retrospecto, eu sei que não —, mas posso dizer que nunca esqueci a empolgação de escrevê-los, ou a sensação de ser um verdadeiro pesquisador durante minhas leituras na biblioteca.

O mesmo se pode dizer dos meus ensaios mais genéricos sobre tópicos-padrão da zoologia. Não lembro se chegamos a ter nenhuma aula sobre o sistema vascular aquífero das estrelas-do-mar. É até provável que sim, mas essa questão em nada influenciava a decisão do meu tutor de pedir um ensaio sobre o assunto. O sistema vascular aquífero da estrela-do-mar é um dos muitos tópicos altamente especializados da zoologia que ainda guardo na memória pelo mesmo motivo: uma vez escrevi um ensaio a respeito dele. As estrelas-do-mar não têm sangue vermelho; seu intrincado sistema de canais, que forma um anel em torno do centro da estrela e sai em ramificações para cada uma das cinco extremidades, é preenchido por água marinha em constante circulação. Essa água marinha é empregada num singular sistema de pressão hidráulica, que opera as centenas de pezinhos tubulares, chamados pés ambulacrários, enfileirados ao longo dos cinco braços. Cada pé ambulacrário termina numa pequena ventosa, e essas ventosas vão e vêm em conjunto para puxar a estrela-do-mar numa dada direção. Os pezinhos não se mexem em uníssono, são semiautônomos. Se o anel nervoso circum-oral que lhes dá as ordens por algum acaso se partir, os pés ambulacrários de diferentes braços podem puxar a estrela-do-mar em direções opostas e rasgá-la ao meio.

Lembro de dados brutos sobre a vascularização das estrelas-do-mar, mas o que importa não são os dados. O que importa é o nosso incentivo para descobri-los. Não nos matávamos para decorar um compêndio: íamos à biblioteca para consultar livros recentes e antigos; seguíamos os rastros deixados por documentos de investigações para tentarmos, até onde era possível em uma semana, nos tornar autoridades mundiais no tópico (hoje em dia a maior parte desse trabalho seria feita na internet). O incentivo fornecido pela tutoria semanal significava não somente *ler* sobre o sistema hidráulico da estrela-do-mar, ou seja lá qual fosse o tópico: naquela semana, lembro-me de dormir, comer e sonhar com o sistema hidráulico da estrela-do-mar. Os pezinhos tubulares ficavam a marchar por trás das minhas pálpebras, os *pedicellariae* hidráulicos a perambular e a água do mar a pulsar através do meu cérebro cochilante. Escrever o ensaio era a catarse, e a tutoria era a justificativa para a semana inteira. E aí, na semana seguinte, haveria um novo tópico e um novo banquete de imagens a serem evocadas na biblioteca. Estávamos em pleno processo de educação... E acredito que minha capacidade de escrita se deve muito a esse treinamento semanal, seja como for que se queira julgá-la.

O tutor para quem escrevi o ensaio sobre estrelas-do-mar foi David Nichols, que depois partiria para ser professor de zoologia em Exeter. Outro notável tutor a moldar o jovem zoólogo que me tornei foi John Currey, mais tarde professor de zoologia na Universidade de York. Entre outras coisas, ele me apresentou seu — hoje meu — exemplo predileto para revelar o "projeto" malfeito dos bichos: o nervo laríngeo recorrente. Como já expliquei em *O maior espetáculo da Terra*, em vez de ir direto do cérebro para seu órgão-alvo, a laringe, esse nervo faz um desvio (no caso da girafa, um desvio inacreditavelmente longo) até o peito, onde dá a volta em torno de uma artéria grande antes de voltar até o pescoço e chegar à laringe. Isso já revela um projeto absurdamente malfeito, mas é perfeitamente explicável no momento em que se esquece o projeto e se começa a pensar em termos de história evolutiva. Entre nossos ancestrais písceos, o caminho mais curto para chegar ao nervo era por trás do então equivalente à artéria, que naqueles primeiros tempos fornecia uma das guelras. Os peixes não têm pescoço. Quando os pescoços começaram a se alongar, na terra, a artéria foi recuando aos poucos para trás da cabeça, cada vez mais, passinho a passinho através do tempo evolutivo até tomar uma boa distância do cérebro e da laringe. O nervo continuou seu movimento, fazendo um desvio a princípio pequeno mas, com o progresso evolutivo, cada vez mais longo até se estender, na girafa moderna, por vários metros. Há poucos anos, por ocasião de um documentário para TV, tive o privilégio de auxiliar a dissecação desse notável nervo numa girafa que havia infelizmente falecido poucos dias antes.

Meu tutor de genética foi Robert Creed, pupilo do excêntrico e misógino esteta E. B. Ford, que por sua vez recebera forte influência do grande R. A. Fisher, a quem Ford nos ensinou a reverenciar. Aprendi nessas tutorias, e nas aulas com o próprio Ford, que os genes não são separados atomisticamente uns dos outros, no que concerne a seus efeitos sobre o corpo. Antes, o efeito do gene é condicionado pelo "histórico" dos outros genes no genoma. Um gene modifica o efeito do outro. Tempos depois, quando eu mesmo me tornei tutor, bolei uma analogia para tentar explicar esse fato a meus pupilos. O corpo é representado pela figura de um lençol, pendurado em posição aproximadamente horizontal por milhares de fios amarrados a um conjunto de ganchos no teto. Cada fio representa um gene. Uma mutação no gene é representada por uma variação na tensão da ligação desse fio ao teto. Porém — e aqui vem a parte importante da analogia —, cada fio não fica isolado em sua ligação com o lençol abaixo dele. Na verdade, está emaranhado com vários outros fios, numa complexa cama de gato. Isso quer dizer que, no que ocorre uma mutação em dado "gene" (uma mudança de tensão em sua ligação com o gancho do teto), as tensões de todos os outros fios com que ele está enredado muda ao mesmo tempo, numa série de reações em cadeia ao longo da cama de gato. E o formato do lençol (o corpo) é, em consequência, influenciado pela interação de todos os genes, e não por genes agindo isoladamente em "sua" pequena parcela do lençol. Com efeito, nenhum gene tem uma parcela que seja "sua". O corpo não é como um diagrama com cortes de carne demarcados, em que as partes do corpo correspondem a determinados genes. Na verdade, o gene pode influenciar o corpo todo a interagir com outros genes. É possível complexificar a parábola introduzindo influências ambientais — não genéticas — que repuxam a cama de gato.

Com Arthur Cain, que mencionei, aprendi a contra-argumentar o rechaçamento, ainda em voga, dos sistemas numéricos aplicados para classificar animais segundo medidas matemáticas das semelhanças e diferenças entre eles. E, já em outra seara, ainda aprendi com o dr. Cain a me impressionar com o poder da seleção natural para produzir adaptações de perfeição extrema

— não obstante exceções importantes e interessantes como o nervo laríngeo recorrente, comentado há pouco. Essas duas lições me punham em conflito com certas ortodoxias que ainda dominam o mundo da zoologia. Arthur também me ensinou a ser econômico no uso da palavra "mero" — exercício de consciência que permaneceu comigo desde então. "Seres humanos não são *meros* depósitos de elementos químicos..." Bom, é óbvio que não são, mas você não disse nada de interessante, e a palavra "mero" fica supérflua. "Seres humanos não são *meros* animais..." Há algo que não seja banal no que você disse? Que peso tem a palavra "mero" nessa frase? O que há de "mero" em um animal? Você não disse nada de significativo. Se quer dizer alguma coisa, diga.

Arthur também me contou uma história sobre Galileu que resume a novidade da ciência renascentista — e que jamais esqueci. Galileu estava apresentando a um homem instruído algum fenômeno astronômico através do telescópio. O cavalheiro disse, mais ou menos: "Senhor, sua demonstração com o telescópio é tão convincente que, não afirmasse Aristóteles o contrário, eu acreditaria". Hoje, ficamos — ou deveríamos ficar — surpresos que alguém possa rejeitar evidências observáveis ou experimentais em favor do que asseverou uma suposta autoridade. Mas aí é que está. Foi isso que mudou.

Para nós, zoólogos, ao contrário dos graduandos de história, letras ou direito, as tutorias quase nunca aconteciam na nossa faculdade, ou em qualquer faculdade. Quase todas se davam no departamento de zoologia, um apêndice sinuoso que ocupava o segundo andar e dava a volta no museu universitário. Foi esse viveiro de salas e corredores que, como já mencionei, se tornou o centro do meu ser. Era muito diferente da experiência típica de um graduando de Oxford estudando um tema não científico, para quem a faculdade é que era o centro da existência. Os tutores da velha guarda ainda acham que fazer a tutoria fora da faculdade é uma espécie de opção secundária. Minha experiência indica o oposto. Foi revigorante ter um tutor diferente a cada trimestre, por motivos que me parecem óbvios demais para enumerar.

Claro que tive amigos em Balliol, muitos deles dedicados a temas não científicos. Nicholas Tyacke (com quem eu viria a dividir alojamento, e que depois se tornaria professor de história no University College, em Londres) e Alan Ryan (que se tornou filósofo político de renome e diretor do New College) ficavam na mesma escadaria que eu. Por acaso, vários de meus amigos estavam na fraternidade teatral da faculdade, o que me levou a assistir a algumas produções amadoras. Uma das experiências teatrais mais comoventes que já vivenciei foi a montagem feita pela Balliol College Dramatic Society de *Shadow of Heroes*, de Robert Ardrey, que trata da Revolução Húngara de 1956. Havia também os Balliol Players, companhia itinerante que tinha uma tendência mais acentuada para o cômico e que todo ano montava um pastiche de alguma peça de Aristófanes. Acho que, quando começaram, nos anos 1920, os Players interpretavam Aristófanes a sério, inclusive em grego. Mas a tradição havia mudado, e na minha época eles já adaptavam Aristófanes a sátiras da política moderna. Os líderes dos Players àquela altura eram Peter Snow, que acabou virando um rosto conhecido na televisão, e John Albery, talentoso e espirituoso integrante da famosa dinastia teatral, então futuro professor do University College, em Oxford. John Albery interpretava um general Montgomery exuberante ("Pois Deus disse — e eu *concoido* com ele…"), e Peter Snow fazia um general De Gaulle igualmente memorável: "La gloire… la victoire… l'histoire… et… la plume… de ma tante". Jeremy Gould mal precisava atuar para fazer Harold Macmillan cantando "É certo que a lista de honrarias do meu aniversário real… E muitos OBES…".*

* OBE: sigla de Order of the British Empire, honraria que o governo britânico outorga a cidadãos de destaque em diversas áreas. (N. T.)

Era já o crepúsculo do Império, e os Players fizeram uma bela canção de despedida, provavelmente composta por John Albery, da qual lembro apenas cinco versos:

Sunset and the evening star
From Aden to Zanzibar.
The bonds of the Empire sundering
And final salutes are thundering
*And man will not cease his wondering.**

O mesmo palco apresentou a mim a Victorian Society, em cuja companhia tive alguns de meus melhores momentos em Balliol. Nós nos encontrávamos uma ou duas vezes por trimestre para cantar canções de salão com acompanhamento de piano enquanto bebericávamos um vinho do Porto. Um mestre de cerimônia convocava os solistas um a um para cantar suas músicas especiais, e todos nós fazíamos coro no refrão. Em sua maioria eram canções alegres e atrevidas ("Where did you get that hat?", "Don't have any more, Mrs. Moore", "You can't do that there 'ere"; "I'm 'Enery the Eighth I am", "My old man said follow the van") intercaladas com pieguices sentimentaloides, ocasiões em que se distribuíam lenços ("She's only a bird in a gilded cage", "Silver threads among the gold"), e a noite se encerrava com patriotismo jingoísta ("Soldiers of the Queen"; "We don't want to fight, but by jingo if we do... The Russkies shall not have Constantinople").** Se há uma experiência de Balliol que eu adoraria reviver, seria uma noite com a Victorian Society.

* Em tradução livre: "O pôr do sol e a estrela vespertina/ De Aden a Zanzibar./ Os laços do Império se rompem/ E continências finais trovejam/ E o homem nunca deixará de questionar". (N. T.)

** Trechos de "War Song" (1878), de G. H. MacDermott e George William Hunt. Em tradução livre: "Não queremos lutar, mas, por jingo, se formos obrigados... Os russos não tomarão Constantinopla". (N. T.)

O que chegou mais perto dessa experiência veio só muitos anos depois, com as cantorias de sexta à noite no pub Killingworth Castle, em Wootton, vilarejo na saída de Oxford, que minha segunda esposa — Eve, mãe de minha amada filha, Juliet — me apresentou. A música era "folk" britânico, não música de salão, e a bebida era cerveja, não vinho do Porto. Ainda assim, revivi ali algo da atmosfera da Victorian Society: a calorosa camaradagem estimulada pela música e pela comunidade, mais do que pela bebida. Nessas noites de sexta, os solistas e instrumentistas (violão, sanfona, *penny whistle*)* se revezavam entre apresentações individuais e coletivas, todos eles bons à sua maneira, todos com repertórios particulares de canções conhecidas pelo coro habitual, que incluía a mim e Eve. Para algumas canções eram produzidos cânones e descantes muito estilosos, e — assim como na Victorian Society — cantava-se com disciplina e em andamento acelerado, sem nenhuma semelhança com a habitual nênia ébria de "só uma musiquinha ao pôr do sol". Conhecíamos os integrantes de maior proeminência pelos apelidos que Eve lhes dava: "Two Pints" (um jovem grandalhão e barbudo com voz grave tão forte quanto os braços que erguiam os canecos e recolhiam as doações para os músicos); "Big Daddy" (figura que parecia um vovô, tinha uma voz afável e às vezes apresentava-se num solo de "Cock Robin" depois que os solistas principais haviam encerrado); "Maynard Smith" (camarada animado, de óculos, assim apelidado pela semelhança com o grande cientista); "o Incrível Hulk" (um dos poucos desafinados) e outros.

De volta aos meus tempos de graduando, eu e meus amigos de Balliol íamos muito ao cinema, geralmente o Scala, na Walton Street: filmes intelectuais de Ingmar Bergman, Jean Cocteau,

* Típica flauta de origem celta, com seis furos e timbre mais claro e agudo. É recomendada para aprendizes. (N. T.)

Andrzej Wajda e outros diretores europeus. Marcaram-me em especial as imagens escuras e monocromáticas de Ingmar Bergman em *Morangos silvestres* e *O sétimo selo* e as líricas cenas de amor de *Juventude* antes de caírem na tragédia. Filmes dessa espécie e a poesia que meu pai me apresentou — Rupert Brooke, A. E. Housman e acima de tudo os primeiros poemas de W. B. Yeats — voltaram meu jovem eu para os descaminhos irrealistas e iludidos da fantasia romântica. Como tantos ingênuos de dezenove anos, eu me apaixonei — não por uma garota específica, mas pela ideia de estar apaixonado. Bom, até havia uma garota, e por acaso ela era sueca, o que se harmonizava com minhas fantasias bergmanianas; mas o que eu amava era a própria ideia de amor, comigo no papel de um trágico Romeu. Choraminguei por essa sueca durante um período ridiculamente longo depois de ela ter voltado a seu país e, sem dúvida, esquecido logo seu verão bergmaniano comigo.

Só fui perder a virgindade muito depois, na idade bem avançada de 22 anos, em Londres, com uma linda violoncelista. Ela tirou a saia a fim de tocar para mim em sua quitinete (não há como tocar violoncelo com saia apertada) — e então tirou o resto da roupa. Anda na moda menosprezar essas primeiras experiências, mas não é o que farei aqui. Foi maravilhoso, e lembro acima de tudo a sensação de realização atavística: "Sim, é claro, é *assim* que deveria ser. Era assim que deveria ser desde o princípio dos tempos". Não é complicado para um biólogo explicar por que os sistemas nervosos evoluíram de tal forma que a cópula sexual se tornasse uma das maiores experiências que a vida tem a oferecer. Mas explicá-la não a torna menos maravilhosa — assim como o desemaranhamento espectral de Newton jamais diminui a glória do arco-íris. E não interessa quantos arco-íris você veja na vida. A glória é reinventada, é renovada, e toda vez o coração dá saltos. Mas vou abandonar o assunto, e não vou trair confidências. Não é esse tipo de autobiografia.

Wordsworth, por acaso, nunca foi dos meus prediletos, mas gostaria de citar aqui fragmentos saídos da pena de outros poemas que me comoveram quando jovem. Estes versos cumpriram papel importante na construção do que sou, e ficavam todos (em alguns casos ainda permanecem) guardados palavra por palavra em minha memória.

Breathless, we flung us on the windy hill,
Laughed in the sun, and kissed the lovely grass.
You said, "Through glory and ecstasy we pass;
Wind, sun, and earth remain, the birds sing still,
When we are old, are old..." "And when we die
All's over that is ours; and life burns on
Through other lovers, other lips", said I,
"Heart of my heart, our haven is now, is won!"
"We are Earth's best, that learnt her lesson here.
Life is our cry. We have kept the faith!" we said;
"We shall go down with unreluctant tread
Rose-crowned into the darkness!"... Proud we were,
And laughed, that had such brave true things to say.
*And then you suddenly cried, and turned away.**

Rupert Brooke

* Em tradução livre: "Sem fôlegos, lançamo-nos no morro ventoso,/ Rimos ao sol, beijamos a bela grama./ Você disse: 'Glória e êxtase atravessamos;/ Vento, sol e terra permanecem, pássaros ainda cantam,/ Quando envelhecermos, envelhecidos estaremos...'. 'E quando morrermos/ E se acabar tudo que é nosso; e a vida ir queimando/ Entre outros amados, outros lábios', disse eu,/ 'Coração do meu coração, nosso paraíso é hoje, está ganho!'/ 'Somos os melhores da Terra, que aqui aprendeu sua lição./ A vida é nosso grito. Mantivemos a fé!', dissemos nós;/ 'Cairemos com passo resoluto/ Coroados de rosas escuridão adentro!'... Orgulhosos éramos,/ E rimos, de ter tanta coragem e verdade no dizer./ E de repente você chorou, e foi embora". (N. T.)

Tell me not here, it needs not saying,
What tune the enchantress plays
In aftermaths of soft September
Or under blanching mays,
For she and I were long acquainted
*And I knew all her ways.**

A. E. Housman

I dreamed that I stood in a valley, and amid sighs,
For happy lovers passed two by two where I stood;
And I dreamed my lost love came stealthily out of the wood
With her cloud-pale eyelids falling on dream-dimmed eyes:
I cried in my dream, O women, bid the young men lay
Their heads on your knees, and drown their eyes with your hair,
Or remembering hers they will find no other face fair
Till all the valleys of the world have been withered away.**

W. B. Yeats

Heart handfast in heart as they stood, "Look thither,"
Did he whisper? "look forth from the flowers to the sea;
For the foam-flowers endure when the rose-blossoms wither,
And men that love lightly may die—but we?"

* Em tradução livre: "Não me digas aqui, não é preciso dizer,/ Que canção toca a feiticeira/ Em fins de suave setembro/ Ou sob a flor esbranquiçada do espinheiro,/ Pois ela e eu muito bem nos conhecemos/ E eu sabia de suas artimanhas". (N. T.)

** Em tradução livre: "Sonhei que estava num vale, e entre suspiros,/ Pois, ali onde parei, amantes felizes passavam aos pares;/ E sonhei que meu amor perdido saía sorrateiramente da mata/ De pálpebras núbleas sobre olhos opacos de sonho:/ Em meu sonho gritei: *Ó mulheres, convidai os jovens a deitar/ Suas cabeças sobre vossos joelhos, e a afogar seus olhos sobre vossos cabelos,/ Ou a se lembrar dela não acharão belo mais rosto nenhum/ Até que todos os vales do mundo tenham definhado*". (N. T.)

And the same wind sang and the same waves whitened,
And or ever the garden's last petals were shed
In the lips that had whispered, the eyes that had lightened,
*Love was dead.**

A. C. Swinburne

Meu pai tinha um fichário em que reunia uma porção de poemas queridos, todos transcritos de próprio punho. Meu gosto pela poesia foi decisivamente influenciado por essa antologia particular, que minha mãe ainda guarda. Fiquei comovido de saber que a origem da pasta havia sido cartas que ele escrevera a ela aos vinte e poucos anos, enviadas de Cambridge, onde ele fazia pós-graduação, cada poema anexado a uma carta e todos até hoje preservados por ela.

Mas voltando a meus tempos de graduando e a minhas ideias do que estava por vir: não creio que cheguei por um instante sequer a considerar acompanhar meu pai nos trabalhos da fazenda. Cada vez mais minha intenção era ficar em Oxford e seguir a carreira de pesquisador. Não estava muito claro no que é que isso ia dar, nem que tipo de pesquisa eu queria fazer. Peter Brunet me ofereceu um projeto em bioquímica; com gratidão me inscrevi e estudei a literatura relacionada à pesquisa, ainda que sem grande entusiasmo. Mas então vieram as tutorias com Niko Tinbergen sobre comportamento animal — e minha vida mudou. Ali estava um assunto que me fazia pensar: um assunto com

* Em tradução livre: "Coração de mão dada a coração ao levantarem-se. 'Observe de lá.'/ Terá sussurrado? 'Observe desde as flores até o mar;/ Pois perduram as flores de espuma enquanto murcham os botões das rosas,/ E morrem os homens de pouco amor — mas e nós?'/ E o mesmo vento cantou e as mesmas ondas alvejaram,/ E ou as últimas pétalas do jardim foram cortadas,/ Nos lábios que haviam sussurrado, os olhos que haviam se acendido,/ O amor morrera". (N. T.)

implicações filosóficas. Niko, ao que parece, impressionou-se comigo: o relatório de fim de trimestre que ele apresentou à minha faculdade dizia que eu era o melhor graduando que já estivera sob sua tutoria — embora esse veredicto possa ser atenuado pela circunstância de que ele não tutorava tantos graduandos assim. Seja como for, isso elevou minha coragem a ponto de eu lhe perguntar se ele me aceitaria como estudante-pesquisador — e, para meu prolongado deleite, ele disse sim. Meu futuro estava traçado, ao menos pelos três anos seguintes. E pelo resto da minha vida, pensando agora.

Aprendendo o ofício

É possível que todos os cientistas recordem seus anos na pós-graduação como um idílio, mas alguns ambientes de pesquisa são particularmente idílicos, e acredito que havia algo de especial no grupo de Tinbergen em Oxford ali no início dos anos 1960. Hans Kruuk conseguiu captar essa atmosfera em sua biografia apaixonada mas não hagiográfica, *Niko's Nature* [A natureza de Niko].* Ele e eu chegamos tarde demais para o período do "auge" descrito por Desmond Morris, Aubrey Manning e outros, mas acho que o nosso período fez jus àquele — embora não víssemos tanto Niko em pessoa, pois sua sala ficava no prédio principal da zoologia enquanto nós estávamos alojados numa instalação anexa, no número 13 da Bevington Road — uma casa alta e estreita no norte de Oxford, a aproximadamente oitocentos metros do prédio principal da Zoologia, colado ao museu universitário, na Parks Road.

* Hans Kruuk, *Niko's Nature: The Life of Niko Tinbergen and his Science of Animal Behavior*. Oxford: Oxford University Press, 2003.

A figura sênior da Bevington Road número 13 era Mike Cullen, provavelmente o mentor mais importante de minha vida — e creio que diriam o mesmo quase todos os meus contemporâneos no Grupo de Pesquisa em Comportamento Animal (ABRG, na sigla em inglês). Para tentar explicar a dívida que todos nós temos com esse homem magnífico, cito o panegírico que proferi durante seu velório, no Wadham College, de Oxford, em 2001.

> Ele não publicou muitos artigos em seu nome, mas era prodigiosa sua dedicação tanto ao magistério quanto à pesquisa. Era provavelmente o tutor mais procurado de todo o departamento de zoologia. O resto de seu tempo — ele estava sempre com pressa e cumpria longuíssima jornada diária de trabalho — era dedicado à pesquisa. Mas quase nunca às suas pesquisas. Todos que o conheceram contam a mesma história. Todos os obituários já a contaram, sempre nos mesmos termos — o que por si diz muito.
>
> Você topava com um problema na sua pesquisa e sabia exatamente a quem recorrer. E lá estava ele. Vislumbro a cena como se fosse ontem. A conversa durante o almoço na apinhada cozinha da Bevington Road, a figura arrapazada, esguia, de suéter vermelho, com uma postura levemente curvada, como uma mola retesada por intensa energia intelectual, às vezes balançando para lá e para cá enquanto se concentrava. Olhos de profundidade sagaz, que captavam o que você queria dizer antes mesmo de suas palavras saírem. Cálculos aproximados para auxiliar na explicação, vez por outra o erguer cético e zombeteiro das sobrancelhas sob o cabelo desalinhado. E aí ele tinha de sair correndo — sempre saía correndo para qualquer canto —, talvez para uma tutoria, aí pegava sua latinha de biscoitos pela alça de arame e sumia. Mas na manhã seguinte chegava à solução do seu problema, na caligrafia minúscula inconfundível, em duas páginas, muitas vezes cheias de álgebra, diagramas, uma referência-chave à literatura pertinente, de

vez em quando um verso de sua própria autoria, ou um fragmento em latim ou em grego clássico. E sempre com um incentivo.

Éramos gratos, mas não gratos o bastante. Se lhe déssemos a devida consideração, teríamos percebido: ele deve ter passado a noite toda trabalhando num modelo matemático para a minha pesquisa. E não foi só para mim. Todos na Bevington Road recebiam o mesmo tratamento. Não só seus alunos. Oficialmente, eu era aluno de Niko, não de Mike. Mike me acolheu, sem remuneração e sem reconhecimento oficial, quando minha pesquisa se tornou mais matemática do que Niko conseguiria dar conta. Quando chegou a hora de escrever minha tese, foi Mike Cullen quem leu tudinho, criticou, me ajudou a refinar cada frase. Tudo isso enquanto fazia o mesmo para seus orientandos oficiais.

Quando (devíamos ter nos perguntado) é que ele tira um tempo para a vida normal em família? Quando é que ele tira um tempo para suas próprias pesquisas? Não é à toa que publicou tão pouco. Não é à toa que nunca chegou a escrever seu tão aguardado livro sobre a comunicação animal. Na verdade, ele deveria ter sido coautor de praticamente todas as centenas de artigos saídos da Bevington Road n. 13 durante aquele período áureo. O fato é que seu nome não aparece em quase nenhum — exceto na seção de agradecimentos...

O sucesso mundano de um cientista é julgado — para promoção ou honraria — de acordo com os artigos que publica. Mike não teve destaque nesse critério. Mas, se consentisse em acrescentar seu nome às publicações dos alunos tão prontamente quanto os orientadores atuais exigem colocar seus nomes em artigos para os quais contribuíram muito menos, Mike teria sido um cientista de renome, louvado pelas honrarias convencionais. No mundo real, ele foi um cientista brilhante e bem-sucedido em um sentido muito mais profundo e verdadeiro. E creio que sabemos qual o tipo de cientista que admiramos de fato.

Oxford infelizmente perdeu-o para a Austrália. Anos depois, em Melbourne, numa festa promovida em minha homenagem como palestrante visitante, eu estava lá de pé, provavelmente todo empertigado e formal, segurando meu copo, quando de repente se precipita salão adentro uma figura que me era familiar, na pressa de sempre. Todos estavam de terno, mas essa figura não. Os anos haviam sumido. Tudo era como sempre fora — embora devesse estar no alto dos sessenta, ele aparentava ainda trinta e poucos —, aquele fulgor de entusiasmo juvenil, até mesmo o suéter vermelho. No dia seguinte ele me levou até a costa para ver seus adorados pinguins, parando no caminho para conferir minhocas australianas gigantes com vários metros de comprimento. Cansamos o sol de tanto conversar — não sobre os velhos tempos e os velhos amigos, e certamente não sobre ambições, bolsas e artigos na *Nature*, mas sobre a nova ciência e as novas ideias. Foi um dia perfeito, o último em que o vi.

Talvez conheçamos outros cientistas tão inteligentes quanto Mike Cullen — ainda que não muitos. Talvez conheçamos outros cientistas tão dispostos a nos apoiar — ainda que cada vez mais raros. Afirmo: jamais conhecemos alguém que tenha tanto a oferecer e tanta generosidade em oferecê-lo.

Quase chorei ao proferir esse panegírico na capela de Wadham, e quase chorei agora mesmo, ao relê-lo, doze anos depois.

Não sei se o clima de camaradagem que pairava na Bevington Road era fora do comum ou se todos os grupos de pós-graduandos cultivam um *esprit de corps* similar. Suspeito que ficar alojado num anexo à parte em vez de num enorme prédio universitário melhore a dinâmica social. Quando o ABRG (e outros espaços de destaque, como o Edward Grey Institute of Field Ornithology, de David Lack, e o Bureau of Animal Populations, de Charles Elton) foi realocado para o atual monstro de concreto em South

Parks Road, algo, acredito, se perdeu. Mas pode ser só que eu estivesse mais velho e mais abatido pelas responsabilidades. Seja por que motivo for, ainda tenho grande afeição pelo número 13 da Bevington Road e por meus camaradas daqueles tempos — e pelas confraternizações nos seminários de sexta à noite, no refeitório ou à mesa de bilhar do bar Rose and Crown —: Robert Mash, cujo senso de humor epidêmico eu voltaria a recordar em meu prefácio a seu livro *How to Keep Dinosaurs* [Como cuidar de dinossauros];* Dick Brown, fumante inveterado, beberrão e, segundo os implausíveis boatos, religioso; Juan Delius, cujo brilhantismo excêntrico e delirante nunca deixava de nos divertir; Uta, esposa de Juan e nossa professora de alemão, incrivelmente simpática; o holandês loiro e alto Hans Kruuk, que viria a escrever a biografia de Niko; o escocês Ian Patterson; Bryan Nelson, o homem dos gansos-patola, sujeito que nos primeiros seis meses só conheci pelo aviso enigmático na sua porta, NELSON ESTÁ EM BASS ROCK;** o barbudo Cliff Henty; David McFarland, que viria a se tornar o sucessor de Niko e, embora baseado no departamento de psicologia, era uma espécie de membro honorário de nosso grupo porque sua animadíssima esposa Jill era assistente de pesquisa de Juan, e o casal almoçava na Bevington Road todos os dias; Vivienne Benzie, que me apresentou às ensolaradas neozelandesas Lyn McKechie e Ann Jamieson, outras integrantes honorárias do grupinho do almoço; Lou Gurr, mais um neozelandês sorridente; Robin Liley; o jovial naturalista Michael Robinson; Michael Hansell, que depois dividiu apartamento comigo; Monica Impekoven, com quem mais tarde escrevi um artigo; Marian Stamp, com quem eu viria a me casar; Heather McLannahan, Robert Martin e Ken Wilz; Michael Norton-Griffiths e Harvey Croze,

* Robert Mash, *How to Keep Dinosaurs*. Londres: Orion, 2005.

** Ilha na costa leste da Escócia. (N. T.)

que depois abririam juntos uma consultoria no Quênia; John Krebs, que colaboraria comigo em três artigos; o destemido Iain Douglas-Hamilton, a contragosto exilado da África pela obrigação de escrever sua tese sobre elefantes; Jamie Smith, com quem escrevi um artigo sobre o forrageamento ideal para os chapins; Tim Halliday, o homem das salamandras; Sean Neill, com seu belo Lagonda restaurado e seu dom para os cartuns; Larry Shaffer, mestre da fotografia; e outros amigos a quem peço desculpas por omitir.

Os seminários das noites de sexta-feira eram o ponto alto da semana para o grupo de Tinbergen. Duravam duas horas — período que muitas vezes excediam, tendo continuidade na sexta-feira seguinte. O tempo corria rápido porque, em vez da fórmula soporífica de passar uma hora ouvindo a voz de um falante seguida de perguntas no final, nossas duas horas eram avivadas por discussão irrefreada. Niko dava o tom ao interromper o orador antes que este terminasse a primeira frase: "*Ja*, *ja*, mas o que você quer dizer com...?". Não era tão irritante quanto parece, pois as intervenções de Niko sempre visavam ao esclarecimento e geralmente eram necessárias. Os questionamentos de Mike Cullen eram mais penetrantes, mais bem informados e mais temidos. Outros colaboradores dignos de nota — brilhantes cada um a seu idiossincrático modo — eram Juan Delius e David McFarland, mas nós outros também dávamos nossa contribuição sem cerimônia, praticamente desde o primeiro dia. Niko estimulava nossa participação. Ele exigia clareza absoluta nas perguntas relacionadas à nossa pesquisa. Lembro de como fiquei chocado quando, em visita ao nosso grupo de pesquisa irmão na aldeia de Madingley, em Cambridge, ouvi um dos pós-graduandos começar a descrever sua pesquisa com as palavras: "O que eu faço é...". Tive de me conter para não imitar a voz de Niko: "*Ja*, *ja*, mas qual é a sua *pergunta*?". Anos depois, contei esse episódio em um seminário de pesquisa que dei em Madingley. E quando Robert Hinde, o carismático e sagaz líder do grupo de Madingley, então futuro professor do St. John's College, Cambridge, se fez de escandalizado e me pediu que identificasse o réu, recorri ao direito de permanecer calado, e continuo de lábios fechados até hoje.

A questão que Niko escolheu para mim era uma versão da questão geralmente rotulada, na língua inglesa, com o clichê "*nature or nurture?*" [inato ou adquirido?], jogo de palavras que vem de *A tempestade*:

> *A devil, a born devil, on whose nature*
> *Nurture can never stick* [...].*

Os filósofos vêm pelos séculos afora refletindo sobre essa questão. Quanto do que sabemos é embutido de forma inata, e até que ponto a mente é uma tábula rasa, à espera de que algo seja escrito nela, como acreditava John Locke?

O próprio Niko, assim como Konrad Lorenz (a quem, ao lado de Niko, se credita a fundação da ciência da etologia), foi logo associado à escola do "inato". Seu livro mais famoso, *The Study of Instinct* [O estudo do instinto],** que mais tarde ele renegou quase por completo, usava "instinto" como sinônimo de "comportamento inato", definido como "comportamento não alterado por processos de aprendizagem". A etologia é o estudo biológico do comportamento animal. Várias escolas da psicologia também estudam o comportamento animal, mas com ênfases diferentes. A tendência histórica dos psicólogos é estudar os animais — por exemplo, ratos, pombas e macacos — como substitutos dos seres humanos. Já a dos etólogos é olhar os animais pelo que são, não como substitutos; em consequência, sempre estuda-

* "É um demônio, um demônio de nascença,/ em cuja natureza jamais pôde/ atuar a educação."

** Nikolaas Tinbergen, *The Study of Instinct*. Oxford: Clarendon, 1951.

ram uma gama maior de espécies, e costumam enfatizar o papel do comportamento no ambiente natural da espécie. Como mencionei, historicamente os etólogos também enfatizavam o comportamento "inato", ao passo que os psicólogos se interessavam mais pelo aprendizado adquirido.

Nos anos 1950, um grupo de psicólogos norte-americanos começou a demonstrar interesse pelo trabalho dos etólogos. Entre eles, destacava-se Daniel S. Lehrman, um homem grandalhão com profundo conhecimento de história natural, assim como de psicologia. Também falava um alemão passável, o que fazia dele uma ponte eficaz entre as duas abordagens do comportamento animal.

Em 1953, Lehrman escreveu uma influente crítica da abordagem etológica tradicional. Criticou com veemência a ideia toda do comportamento inato, não por acreditar que tudo fosse adquirido (embora alguns dos psicólogos citados por ele acreditassem), mas por achar que em princípio era impossível definir comportamento inato: era impossível projetar um experimento que demonstrasse ser inato qualquer aspecto específico do comportamento. Em teoria, o método óbvio era o "experimento de privação". Imagine que os seres humanos não recebessem nenhuma instrução verbal sobre como copular e nenhuma oportunidade de observar outras espécies — nem a mais mínima pista. Saberiam eles como se faz, quando surgisse a oportunidade? É uma questão intrigante, e talvez corram por aí anedotas reveladoras, quem sabe a respeito de casais superprotegidos e ingênuos da era vitoriana. Mas em animais não humanos podemos fazer experimentos. Experimentos de privação.

Se você criar um animal jovem em condições de privação, sem a oportunidade da experiência, e ele ainda assim souber como se comportar, isso só pode significar que o comportamento é inato, congênito, instintivo. Não é? A objeção de Lehrman era que não se pode privar um animal de tudo — luz, comida, ar etc. — e que nunca é óbvio quanto de privação é necessário para satisfazer o critério de inato.

A desavença entre Lehrman e Lorenz virou pessoal. Lehrman, cuja ascendência era em parte judia, flagrou alguns escritos de Lorenz com suspeita inflexão nazista, datados dos anos da guerra, e não deixou de mencioná-los na sua famosa crítica. Lorenz, ao conhecer Lehrman pessoalmente, isso já após a publicação da crítica, disse mais ou menos assim: "Pelos seus escritos, eu suspeitava que você fosse um homem pequeno, mesquinho, encarquilhado. Mas, agora que vejo que você é GRANDE [e Lehrman de fato era grande], podemos ser amigos". Essa declaração de amizade — Desmond Morris conta a história como testemunha ocular de dentro do carro — não impediu Lorenz de tentar intimidar Lehrman quase atropelando-o com um carro norte-americano enorme que dirigia em Paris.

Mas voltemos à controvérsia sobre o inato e o adquirido. O macho da felosa-dos-juncos (para ficar só em um exemplo) gorjeia uma melodia complexa e sofisticada, e pode executá-la mesmo quando criado em isolamento, sem jamais ter ouvido outra felosa-dos-juncos. A escola Lorenz-Tinbergen teria dito, portanto, que isso é algo "inato". Mas Lehrman ressaltou a complexidade dos processos de desenvolvimento comportamental e sempre cogitou se o aprendizado não estaria aí implicado de algum modo menos óbvio. Para Lehrman, não era suficiente dizer que o animal jovem fora criado em condições de privação. Para ele, a pergunta era: "Privação de quê?".

Depois que foi publicada a crítica de Lehrman, etólogos descobriram que diversas aves canoras, inclusive felosas-dos-juncos, mesmo se criadas em isolamento, *aprendem* o canto correto de sua espécie escutando suas próprias tentativas balbuciantes, repetindo os melhores balbucios e descartando os piores. Quer dizer que, no fim das contas, essa parece ser uma capacidade adquirida.

Mas nesse caso, responderiam Lorenz e Tinbergen, como é que os pássaros jovens sabem quais balbucios são bons e quais são ruins? Decerto o "conhecimento" — um molde de como deve soar o canto da espécie — tem de ser inato, não? O aprendizado consiste tão somente em transferir o molde do canto desde a parte sensória do cérebro (o molde embutido) até o lado motor (a técnica propriamente dita para cantar o canto).

Outras espécies, a propósito, tais como o pardal de coroa branca americano, também se ensinam a cantar por esse método "balbuciante", mas precisam ter ouvido a música da espécie logo no início da vida. É como se o pássaro jovem "gravasse uma fita" antes de aprender a cantar e a usasse como molde para ensinar a si próprio. Há também intermediários entre a "gravação adquirida" e a "gravação inata" como moldes para o aprendizado posterior.

Foi esse o campo minado filosófico ao qual Niko Tinbergen me lançou em 1962. Acho que ele queria se afastar da sua comentada associação com Lorenz e viu-me como ponte para o lado Lehrman. Meus objetos de estudo seriam não aves canoras, mas pintinhos e suas bicadas. Fiz uma série de experimentos, dos quais mencionarei aqui apenas um.

Pintinhos bebês acabados de sair do ovo começam a bicar objetos pequenos, deduz-se que atrás de comida. Mas como sabem o que bicar? Como sabem o que é bom para eles? Uma posição extrema seria a de que a natureza dota o cérebro deles, antes de qualquer experiência, com uma imagem-molde do grão de trigo. Isso não condiz com a realidade, principalmente em um onívoro. Será que grãos de trigo, bichos-da-farinha, grãos de cevada, sementes de painço e larvas de besouro têm algo em comum que os distinga de marcas e manchas incomestíveis? Sim, têm. Pelo menos uma coisa: são sólidos.

Como você percebe que algo é sólido? Uma das maneiras é pelo sombreamento da superfície. Observe as fotografias de crateras lunares apresentadas abaixo. São a mesma foto, mas uma está rotacionada 180° em relação à outra. Eu diria que na da esquerda você verá crateras cavas e na da direita colinas sólidas de topo plano — e o inverso se virar o livro de ponta-cabeça. Já faz muito tempo que se conhece essa ilusão. Ela depende de uma pré-concepção sobre a direção de onde vem a luz: na verdade, de uma pré-concepção sobre a localização do sol. Os objetos sólidos costumam ser mais claros no lado mais próximo do sol, normalmente em cima. Assim, a fotografia de um objeto sólido pode fazê-lo parecer cavo se a virarmos de ponta-cabeça, e vice-versa.

O sol quase nunca estará *exatamente* a pino, mas o provável é que a direção geral de sua luz seja para baixo e não para cima. De modo que qualquer predador em busca de presas potenciais pode, com base nesse pressuposto, usar pistas fornecidas pelo sombreamento da superfície. E, do outro lado da corrida armamentista disputada entre predador e presa, a seleção natural pode favorecer presas que consigam disfarçar sua solidez por meio do "contrassombreamento". Muitas espécies de peixes são mais escuras em cima e mais claras embaixo, o que neutraliza a tendência natural da luz do sol para vir de cima e, assim, faz o peixe parecer

achatado. Um peixe, o "bagre de cabeça para baixo", é a verdadeira "exceção que confirma a regra". Ele costuma nadar de cabeça para baixo, e de fato tem *contrassombreamento invertido*: é mais escuro na barriga do que nas costas.

Um estudante holandês de Tinbergen chamado Leen De Ruiter fez belos experimentos com lagartas que têm contrassombreamento invertido e o hábito de descansar de cabeça para baixo. Das duas fotos apresentadas a seguir, a primeira mostra a mariposa *Cerura vinula* na sua posição habitual. Ela parece achatada e inconspícua. A segunda mostra como ela ficou quando De Ruiter virou o galho de ponta-cabeça: bem mais chamativa aos meus olhos e — o mais importante — aos olhos dos gaios, os pássaros que De Ruiter usou como predadores no experimento.

Mas nada disso explica se o conhecimento de que o sol costuma ficar acima é inato ou adquirido — seja nos gaios, seja nos seres humanos. A ilusão do sombreamento dos sólidos me parecia propiciar uma boa oportunidade de testar a questão usando pintinhos em experimentos de privação.

Antes de mais nada, os pintinhos perceberam a ilusão? Ao que tudo indica, sim. Fotografei meia bola de pingue-pongue iluminada assimetricamente e revelei a imagem no tamanho de uma semente ou grão tentador. Quando vi a fotografia com o lado iluminado para cima, a mancha hemisférica parecia sólida; quando inverti a fotografia, aí já não. Quando os pintinhos tinham de optar por uma das duas orientações, sem hesitar escolhiam bicar a figura aparentemente sólida, a iluminada de cima. Isso indicava que os pintinhos possuem a mesma "pré-concepção" que nós, a de que o sol costuma ficar acima.

Até aí, tudo bem; acontece que esses pintinhos, embora novinhos, não eram tão ingênuos assim. Tinham três dias de idade e, nesse período, vinham sendo alimentados à luz normal, vinda de cima. Podiam já ter tido tempo de aprender a aparência de objetos sólidos iluminados do alto.

Para testar essa hipótese, realizei um experimento crucial. Criei pintinhos com luz vinda *de baixo* e testei-os sob as mesmas condições. Na hora do teste, eles nunca haviam tido nenhuma experiência de luz superior; até onde entendiam, o mundo no qual haviam eclodido era um mundo de sol inferior. Todo objeto sólido que já haviam visto, fosse um pedaço de comida ou uma parte de outro pintinho, era mais iluminado embaixo do que em cima. Eu esperava que, quando testados com duas fotografias de bola de pingue-pongue, eles preferissem bicar a que estava iluminada de baixo.

Tive a alegria de me provar enganado. Os pintinhos bicaram com sofreguidão a fotografia iluminada de cima. Caso se aceite minha interpretação, isso quer dizer que os pintinhos são geneticamente preparados pela seleção natural ancestral com algo equivalente a uma "informação prévia": no mundo em que vão viver, o sol normalmente brilhará de cima para baixo. Meu experimento apontou um exemplo de informação inata que não pode ser invertida pela tentativa de ensinar o contrário.

Não consigo imaginar um grupo de humanos que costume viver com luz vinda de baixo. Se existe, seria interessante aplicar a eles o mesmo teste que fiz com os pintinhos. Pensei em dar um palpite intuitivo quanto ao resultado, mas sinceramente prefiro não fazer apostas. Não seria fascinante se nós também víssemos a ilusão de forma inata? Tendo me surpreendido com os pintinhos, eu ficaria só um pouco mais surpreso se os seres humanos fizessem o mesmo. Talvez jamais saibamos, mas pode haver maneiras de experimentar com bebês bem novinhos. Eles não bicam, mas fixam os olhos em objetos que lhes chamam a atenção, e isso pode ser medido. Será que um psicólogo do desenvolvimento poderia oferecer a bebês uma versão do meu experimento da bola de pingue-pongue e medir o tempo que eles passam olhando para cada uma das duas fotografias? Seria antiético usar iluminação vinda de baixo no quarto de um bebê durante seus primeiros dias de vida? Não vejo por quê, mas sabe-se lá qual seria o veredicto dos "comitês de ética" atuais.

No fim, meu trabalho na questão do "inato ou adquirido" representou somente uma pequena parte da minha pesquisa de doutorado,* e ficou relegado a apêndice da minha tese. O cerne dela tinha pouco a ver com o experimento, exceto que também envolvia bicadas de pintinhos. Também foi uma tentativa de ilustrar uma questão de interesse filosófico — embora advinda de outra parte da filosofia. Ela só se tornou possível por meio de uma técnica aperfeiçoada para registrar bicadas.

A Bevington Road, e principalmente suas estações de pesquisa via satélite dedicadas às grandes colônias de gaivotas ao norte, funcionava por um sistema de "escravos" — voluntários jovens e não remunerados que queriam ter um gostinho da experiência Tinbergen antes de entrar na universidade. Entre eles estavam Fritz Vollrath (que depois voltaria a Oxford para comandar um próspero grupo de pesquisas sobre comportamento de aranhas; ainda somos muito próximos) e Jan Adam (também da Alemanha). Jan e eu encontramos uma afinidade imediata e começamos a trabalhar juntos. Com notável habilidade para os trabalhos de oficina, ele combinava as tão diferentes virtudes de meu pai e do major Campbell — felizmente, ainda não havíamos chegado à época em que os regulamentos de segurança e de saúde vinham interferir conosco para nos proteger de nós mesmos e esmorecer nossa iniciativa. Jan e eu tínhamos toda liberdade para usar os instrumentos disponíveis nas oficinas do departamento: tornos, fresadoras, serras e tudo mais. Nós (isto é, Jan ao lado deste prestativo aprendiz — de novo a síndrome do irmão mais novo, suponho) construímos um aparelho para automatizar a contagem das bicadas dos pintinhos, usando teclinhas de bicada providas de uma delicada articulação e microinterruptores sensíveis, tudo criado por Jan com absoluta elegância a partir do zero. Antes, no meu estudo sobre a ilusão do sombreamento da super-

* Richard Dawkins, "The Ontogeny of a Pecking Preference in Domestic Chicks". *Zeitschrift für Tierpsychologie*, Berlim: Paul Paery, n. 25, pp. 170-86, 1968.

fície, eu contava as bicadas à mão. De repente estava em condições de reunir enormes quantidades de dados automaticamente. E isso me abriu as portas para uma espécie de pesquisa totalmente diferente, motivada por uma filosofia diferente: a epistemologia de Karl Popper, que aprendi com Peter Medawar.

Como já contei, conheci Medawar ainda menino por intermédio de meu pai, então seu colega de colégio. Estrela intelectual da biologia britânica, Medawar veio dar uma palestra em seu antigo departamento de Oxford quando eu era graduando, e me lembro do burburinho em meio à plateia apinhada aguardando a chegada da figura alta, bem-apessoada e donairosa ("Em toda a vida desse professor, ninguém jamais lhe julgou faltar cortesia", disse um crítico, mais tarde). A palestra me impeliu a ler os ensaios de Medawar, depois reunidos em *The Art of the Soluble* [A arte do solúvel] e *Pluto's Republic* [A República de Plutão],* e foi por meio deles que fiquei sabendo de Karl Popper.

Fiquei intrigado com a visão popperiana da ciência como processo de duplo estágio: primeiro o criativo — quase artístico —, de imaginar uma hipótese ou "modelo", seguido por tentativas de *contrariar* previsões que daí se deduziriam. Eu queria fazer um típico estudo popperiano: imaginar uma hipótese — verdadeira ou não —, deduzir previsões matemáticas precisas a partir dela e então tentar contrariá-las no laboratório. Era importante para mim que as previsões tivessem precisão matemática. Não era suficiente prever que uma medida X seria maior que Y. Eu queria um modelo que previsse o valor exato de X. E essa espécie de

* Peter Medawar, *The Art of the Soluble: Creativity and Originality in Science*. Londres: Methuen, 1967; id., *Pluto's Republic: Incorporating the Art of the Soluble and Induction and Intuition in Scientific Thought*. Oxford: Oxford University Press, 1982.

previsão exata demandava grandes quantidades de dados. Tive a oportunidade com o aparelho de Jan que contava imensas quantidades de bicadas. Em vez de bicar fotografias de bolas de pingue-pongue, meus passarinhos bicavam pequeninos hemisférios coloridos armados sobre as molduras articuladas de Jan, que acionavam microinterruptores. Eles preferiam o azul ao vermelho, e o vermelho ao verde, mas o que me interessava não era isso. Eu queria saber o que determinava cada decisão individual de bicar, fosse qual fosse a cor escolhida. E isso, claro, era só uma amostra de uma questão mais geral sobre como as decisões são tomadas por um animal.

Medawar já observou que a pesquisa científica não se desenvolve da mesma maneira ordenada como a "história" que se publica no fim. A vida real é mais conturbada. No meu caso, foi tão conturbada que nem lembro de onde foi que me veio a ideia dos experimentos "popperianos". Recordo apenas a história acabada, que, como teria esperado Medawar, dá uma impressão de implausível asseio.

A história acabada é que imaginei um "modelo" do que poderia se passar na cabeça de um pintinho ao tomar uma decisão entre alvos distintos, fiz alguns cálculos para deduzir previsões quantitativas e precisas do modelo e passei aos testes em laboratório. O modelo em si era um modelo "ímpeto/limiar". Postulei que havia uma variável (o "ímpeto" de bicar) na mente da ave, cujo gráfico continuamente ondulava com a intensificação ou o arrefecimento do ímpeto (podia ser a esmo; não tinha importância). Toda vez que o ímpeto por acaso excedesse o limiar de uma cor, a ave era capaz de bicar aquela cor (comentarei mais adiante o modelo que desenvolvi e testei para determinar o *ritmo* das bicadas). O azul, por ser a cor preferida, tinha um limiar mais baixo que o verde. Agora, se o ímpeto excedesse o limiar do verde, auto-

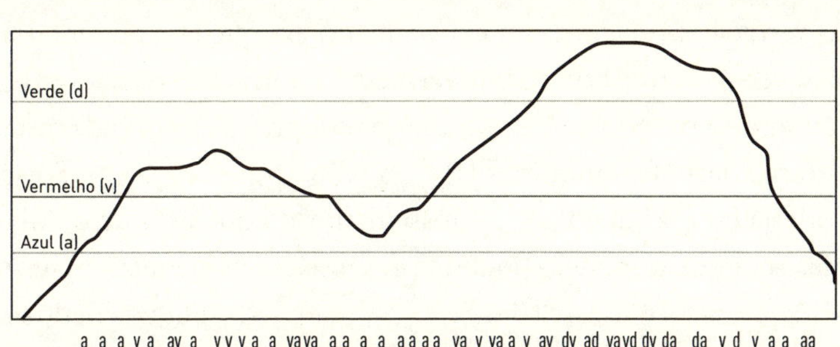

A linha ondulada corresponde ao ímpeto. Quando ultrapassa apenas o limiar do azul, todas as bicadas ficam no azul. Quando ultrapassa o limiar do vermelho, necessariamente ultrapassou também o do azul, e as duas cores são escolhidas a esmo. Quando ultrapassa o limiar do verde, todas as cores são escolhidas a esmo porque se excedeu todos os limiares.

maticamente teria de estar também acima do azul. E aí o que a ave faria? Postulei que ela ficaria indiferente entre as duas cores, já que ambos os limiares foram excedidos: decidir entre eles seria como tirar cara ou coroa. Assim, o modelo previa que por um longo período as opções da ave consistiriam em períodos de bicadas somente na cor preferida, intercaladas por períodos de escolhas aleatórias entre as duas. Não haveria nenhum período de escolha positiva invariável da cor menos preferida.

De início não considerei diretamente sequências de bicadas. Isso só viria depois da minha mudança para a Califórnia. Acho que o motivo por que não testei sequências logo de início foi o simples fato de o aparelho de Jan contar bicadas mas não registrar a ordem exata em que ocorriam; e, como Jan já havia voltado para a Alemanha, ele não estava lá para modificar o aparelho. Acho também que fui seduzido pela elegância popperiana de deduzir uma fórmula matemática que preveria uma quantidade mensurável a partir de outras quantidades mensuráveis.

Os pintinhos por acaso voltaram a preferir o azul ao verde e ao vermelho. Imaginei um experimento em que eu apresentaria azul versus verde, azul versus vermelho e vermelho versus verde, contando a proporção P de bicadas na cor preferida em cada caso. Isso me daria três números ($P_{MelhorPior}$, $P_{MelhorMédio}$, $P_{MédioPior}$). Só se poderia esperar que $P_{MelhorPior}$ fosse maior do que os outros dois. Mas será que o modelo poderia prever exatamente quão maior? Será que, se eu entrasse com $P_{MelhorMédio}$ e $P_{MédioPior}$, poderia deduzir do modelo uma fórmula para prever exatamente o que era $P_{MelhorPior}$? Sim, foi justamente o que consegui fazer. Defini símbolos algébricos para representar o tempo gasto pelo ímpeto entre vários limiares, fiz algumas continhas de nível escolar (equações simultâneas, que aprendi com Ernie Dow) para eliminar as variáveis desconhecidas e fiquei muito satisfeito quando, ao fim de páginas e páginas de álgebra, surgiu uma previsão simples, quantitativa e precisa. O Modelo Ímpeto/Limiar prevê que

$$P_{MelhorPior} = 2\,(P_{MelhorMédio} + P_{MédioPior} - P_{MelhorMédio} \times P_{MédioPior}) - 1.$$

Denominei essa fórmula Previsão 1. O que me interessava na Previsão 1 era que ela tinha precisão quantitativa.

Portanto, ao teste. Seguiriam os pintinhos a previsão? Sim: para meu deleite e surpresa, em sete das oito repetições do experimento eles seguiram a previsão quase à risca. O oitavo experimento saiu da curva — saiu tanto que, para meu constrangimento, quando um de meus artigos foi publicado na revista *Animal Behaviour*,* a gráfica removeu o ponto importante do gráfico, achando que fosse uma mancha na chapa! Felizmente, os dados estavam presentes de forma clara na tabela anexa; caso contrário,

* Richard Dawkins, "A Threshold Model of Choice Behaviour", *Animal Behaviour*, Londres: Academic Press, n. 17, pp. 120-33, 1969.

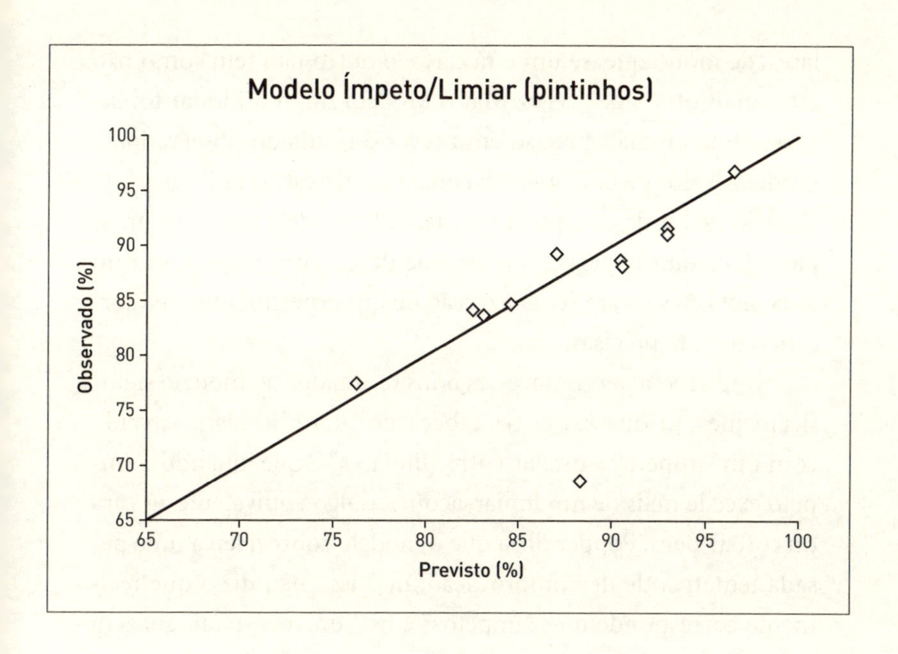

eu poderia ter sido acusado de desonestidade. Fiz mais experimentos com pintinhos; agora eles não só bicavam, mas ainda entravam em câmaras iluminadas por luzes de cores diversas. O gráfico acima combina os dois conjuntos de experimentos e confronta as porcentagens observadas com as previstas para todos os onze experimentos com pintinhos.

Se as previsões do modelo fossem perfeitas, os pontos ficariam todos sobre a linha diagonal. Com exceção do Experimento 8, como já mencionei, o Modelo Ímpeto/Limiar se deu muito melhor do que se poderia esperar em experimentos de comportamento animal (os físicos já esperam maior precisão porque geralmente há menos falhas estatísticas nas suas medições).

Também usei os mesmos dados para testar as previsões de um modelo alternativo, que partia do princípio de que cada cor tem um "valor" para o animal e que ele distribui suas escolhas em proporção ao valor da cor. Os dois modelos fazem previsões similares, de modo que, se um está certo, o outro não tem como não estar mais ou menos certo. Mas o Modelo Ímpeto/Limiar foi invariavelmente mais preciso em prever o resultado observado. O modelo "valor da cor" invariavelmente superestimou $P_{MelhorPior}$. O modelo "valor da cor" provou-se falso. O Modelo Ímpeto/Limiar passou incólume pelas tentativas de descomprovação, e de fato suas previsões foram (com exceção de um experimento) extraordinariamente precisas.

Impõe-se a pergunta: esses bons resultados do modelo significam mesmo que existe na cabeça do pintinho algo parecido com um "ímpeto" a oscilar entre "limiares" e que, quando o ímpeto excede mais de um limiar, acontece algo equivalente ao cara ou coroa? Bem, Popper diria que o modelo sobreviveu a uma pesada tentativa de descomprovação; mas isso não diz a que realmente correspondem os "ímpetos" e os "limiares" na linguagem dos nervos e sinapses. É no mínimo interessante pensar que é possível fazer inferências sobre o que se passa dentro da cabeça sem ter de abri-la.

O mesmo método de imaginar um modelo e testar suas previsões provou-se muitíssimo producente em vários ramos da ciência. Na genética, por exemplo, pode-se inferir a existência de cromossomos como sequências lineares unidimensionais do código genético sem nem sequer olhar no microscópio, somente usando os dados obtidos em experimentos de melhoramento. Pode-se até desvendar a ordem em que os genes ficam dispostos ao longo dos cromossomos, bem como a distância entre dois genes, apenas imaginando qual seria o caso e testando previsões em experimentos de melhoramento genético. Penso no meu Modelo Ímpeto/Limiar e nos meus experimentos sobre solidez e sombreamento como exemplos ilustrativos do *tipo* de coisa que se pode fazer com um modelo, e não como descobertas conclusivas do que realmente se passava na cabeça do pintinho.

Desenvolvi o Modelo Ímpeto/Limiar em várias direções (de novo, algo recomendado pela filosofia popperiana) e testei nove previsões no total, com êxito. Um dos desenvolvimentos desse modelo, como mencionei, foi a tentativa de explicar o *ritmo* exato das bicadas ("amostragens" da posição do "ímpeto" em relação aos "limiares"). As previsões do modelo se sustentaram bem em confronto com dados obtidos em experimentos com pintinhos de guincho-comum oferecidos por minha colega e amiga suíça dra. Monica Impekoven, visitante da Bevington Road. Publicamos um artigo conjunto sobre esse trabalho.*

Outro desenvolvimento do modelo, que publiquei como "Modelo Atenção/Limiar",** foi uma tentativa de sondar mais a fundo o "cara ou coroa" do modelo original, o Ímpeto/Limiar: a escolha indiscriminada do alvo quando se excedia mais de um limiar. Em resumo, apresentei a ideia de que os pintinhos se ocupam de uma dimensão por vez — cor, formato, tamanho, textura etc. — e em ordem definida. Cada um desses sistemas de atenção tem sua própria versão do Modelo Ímpeto/Limiar. O pintinho presta atenção à primeira dimensão — cor, digamos. Se o ímpeto/limiar do sistema cromático fornece uma escolha definida, o pintinho escolhe a cor preferida — azul, digamos. Agora, se o veredito do sistema cromático é um "cara ou coroa", o pintinho transfere sua atenção para outra coisa, por exemplo o formato, e passa a ignorar a cor. Do ponto de vista do sistema cromático, escolher por formato equivale a escolher a esmo. Mas claro que não é a esmo do ponto de vista do sistema de formato. Esse processo segue a conta-gotas até passar por todos os sistemas de atenção. Se

* Richard Dawkins e Monica Impekoven, "The Peck/No-Peck Decision-Maker in the Black-Headed Gull Chick", *Animal Behaviour*, Londres: Academic Press, n. 17, pp. 243-51, 1969.

** Richard Dawkins, "The Attention Threshold Model", *Animal Behaviour*, Londres: Academic Press, n. 17, pp. 134-41, 1969.

nada mais dá certo, o equivalente ao "cara ou coroa" segue mais ou menos a lógica do "escolher o mais próximo". O Modelo Atenção/Limiar gerou uma série de outras previsões (no total, nove), que testei com êxito.

Então, mais uma vez, assim como no experimento com sombreamento de sólidos: será que se pode aplicar nos seres humanos uma versão do Modelo Ímpeto/Limiar? Vasculhei a literatura científica e descobri que vários psicólogos já haviam realizado em seres humanos testes pareados de preferência. A motivação deles era diferente da minha, mas eu podia usar os resultados publicados por eles. Por vários motivos um psicólogo poderia apresentar uma gama de opções em todas as combinações possíveis de pares: testar uma ideia da Teoria da Votação, por exemplo. Em vez de possibilitar uma escolha de três vias entre as opções Conservador, Progressista e Socialista, seja em sistema de votação plural ou ordenada, o pesquisador eleitoral pode investigar qual o benefício dos testes pareados: "Em quem você votaria entre conservador e progressista (se não houvesse outra opção), entre progressista e socialista e, por fim, entre conservador e socialista?". Enfim, seja por que motivo for, os psicólogos apresentam às pessoas opções em todas as combinações pareadas possíveis. Pude, assim, encaixar as medições que eles fizeram do melhor versus médio e do médio versus pior na minha fórmula e testar a previsão do meu modelo em relação ao melhor versus pior. Os dados vieram de estudos diversos: estudantes norte-americanos escolhendo entre amostras de caligrafia, estudantes norte-americanos escolhendo legumes, estudantes norte-americanos escolhendo gostos amargos/doces e estudantes chineses escolhendo cores. Além disso, fiquei entusiasmadíssimo por poder usar um grande estudo feito em cima das preferências por compositores declaradas por integrantes da Orquestra Sinfônica de Boston, da Orquestra da Filadélfia, da Orquestra Sinfônica de Minneapolis e da Filarmônica de

Nova York. Na próxima página há um gráfico que reúne todos os resultados com humanos. Aqui também, se as previsões do Modelo Ímpeto/Limiar fossem perfeitas, os pontos cairiam justinho sobre a linha diagonal. Devo dizer que entrei em êxtase ao ver que a previsão havia se cumprido quase a rigor. Na biologia comportamental, é raríssimo as previsões se cumprirem com tanta precisão.

O estudo das orquestras foi amplo, e o processamento dos dados foi exaustivo. Discuti o problema com meu tio Colyear, que a essa altura estava no departamento de silvicultura de Oxford, dando aulas e orientações sobre métodos estatísticos. Ele aconselhou que eu aprendesse a programar no computador da universidade. Ele e a esposa, Barbara, me ensinaram os primeiros passos e me ajudaram a escrever um programa para as preferências por compositores. E assim começou meu caso de amor com a programação, que após consumir meu tempo e minha alma por quarenta anos felizmente chegou ao fim: ainda sou um usuário infatigável do computador, mas hoje deixo a programação para os profissionais.

Lá atrás, nos anos 1960, havia um único computador na Universidade de Oxford: um novíssimo Electric KDF9, inglês, com potência menor que a de um iPad atual, mas de última geração na época. Ocupava uma sala grande. A linguagem de programação preferida do meu tio e da minha tia era o K-Autocode, alternativa britânica ao Fortran, com estrutura e gramática parecidas, e com semelhante propensão a promover práticas programacionais muito feias (saltos absolutos, por exemplo). Na época, os computadores norte-americanos usavam enormes pilhas de cartões perfurados (passíveis de cair no chão e se embaralhar para sempre), e os britânicos usavam uma fita de papel perfurada (cuspida ao chão em montículos de espaguete, que tinham então de ser enrolados e nisso se rasgavam com facilidade). Ainda bem que esses tempos acabaram. Ainda bem também que os computadores de hoje se comunicam conosco através de uma tela ou

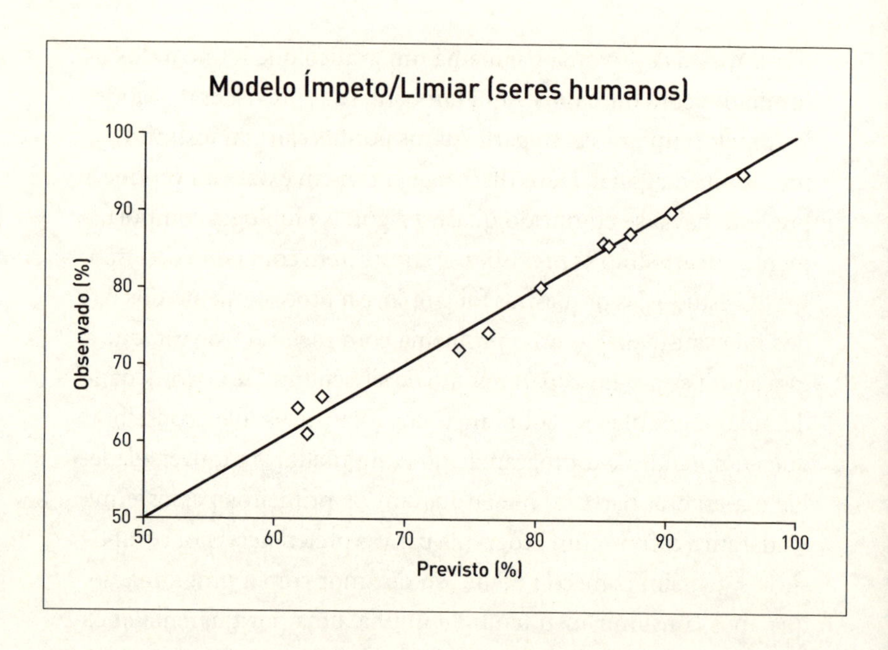

caixas de som, não com pilhas e pilhas de papel — e no mesmo instante, não 24 horas depois.

Mas naqueles tempos não havia coisa melhor, e eu fiquei fascinado. Enfeiticei-me pela ideia de pré-programar uma sequência de operações, conferi-las passo a passo com um lápis e depois soltá-las no computador para serem reproduzidas em alta velocidade e milhares e milhares de vezes. Tive uma noite horrível uma vez quando sonhei que eu era um computador rodando meu programa e passei — pelo menos foi essa minha sensação — a noite inteira em loops incessantes dentro do meu cérebro febril. Para ser sincero, as condições daquela noite não eram as ideais para o sono. Ao lado de vários membros da equipe da Bevington Road, eu fora convencido por meu amigo Robert Mash a passar o fim de semana caçando o puma de Surrey.

Desde 1959 vinha se multiplicando o número de pessoas que relatavam ter avistado um misterioso e avultante animal carnívoro nas florestas de Surrey, no sul da Inglaterra. Batizado de puma de Surrey, chegou a ter quase o status mítico de um Homem das Neves, e um grupo dos nossos pesquisadores uniu-se para passar um fim de semana de maio de 1966 dedicado a encontrá-lo. Os jornais ficaram sabendo do plano e, como a pauta começava a minguar com a chegada do verão sem assunto, o *Observer* publicou uma fotografia minha de capacete colonial do Império britânico, daquele tipo safári que eu usara na infância. Esqueci onde meus acompanhantes armaram as barracas, mas minha função era passar a noite no saco de dormir, ao relento, sob as estrelas, cercado por nacos enormes de carne crua. Muniram-me de uma câmera com flash e ordenaram que eu fotografasse o puma caso ele viesse pegar a carne — ou a mim, suponho. Não dormi em paz, para dizer o mínimo, e assim não surpreende que meu pesadelo computacional tenha sido bem nessa noite. A alvorada chegou com imenso alívio para mim e para meus companheiros — uma alvorada de uma nebulosidade onírica (como se pode ver pela fotografia reproduzida no terceiro caderno de imagens). Afinal, não encontramos o puma de Surrey. Os relatos de suas aparições continuaram até 2006, o que parece indicar que o puma de Surrey viveu o dobro da idade máxima já registrada da espécie, mesmo em cativeiro.

Meu vício em informática passou do KDF9 a um computador menor mas mais acessível. Para suceder o ex-diretor do departamento de zoologia de Oxford — Sir Alister Hardy, sujeito de modos cordiais com certa cara de doido —, chegou de Cambridge o dinâmico John Pringle, o "Laughing John" (ou "João Sorridente" — um desses apelidos irônicos, como chamar um baixinho de "Gigante"), e chegou chegando: o departamento logo entrou num turbilhão de modernização. De uma forma ou de outra, o bom e velho departamento do bom e velho Alister Hardy passou por um processo de "pringlerização", sem dúvida para melhor. Entre os exemplos mais empolgantes da pringlerização estava a chegada, direto de Londres, de um grupo igualmente dinâmico de cristalógrafos de raios X (tipo Watson/Crick, mas com moléculas de proteína em vez de DNA). Mas o mais empolgante para mim é que eles trouxeram consigo um computador próprio, cujo simpático responsável, o dr. Tony North, me autorizava a usá-lo à noite, depois de a máquina passar o dia processando os números dos padrões de raios X a se dispersar por cristais. O Elliott 803 era ainda mais primitivo que o KDF9 pelos padrões modernos, mas apresentava a grande vantagem de que eu tinha permissão para pôr as mãos nele.

Foi nessa época que tive plena consciência da atração viciante exercida pelos computadores. Eu passava literalmente — e frequentemente — noites inteiras na quente e iluminada sala do computador, enredado no espaguete de fita perfurada, que devia parecer meu cabelo desgrenhado de insônia. O Elliott tinha o hábito encantador de bipar uma versão acústica de seu processamento interno. Ouvia-se o progresso das operações computacionais por uma caixinha de som a zumbir e piar uma serenata rítmica, que certamente tinha significado para o ouvido experiente do dr. North, mas que fazia mera companhia à minha solidão noturna. Os namoricos noturnos com os computadores na juventude são característicos daqueles que hoje são chamados de geeks, cujo caso de amor com os computadores durou mais (e lucrou mais) que o meu — Bill Gates, para ficar só em um exemplo. Em retrospecto, não posso dizer que meu caso com o Elliott tenha sido produtivo. Não há dúvida de que obtive ali um pouco de prática valiosa na arte da programação; porém, o Elliott Autocode não era uma linguagem utilizável em outros computadores, e minha nerdice noturnal, por mais diligente e aplicada que fosse, estava para a programação séria assim como minhas incursões na música em Oundle estavam para a música de verdade.

Dei uma palestra sobre meu Modelo Ímpeto/Limiar no Congresso Internacional de Etologia de 1965, em Zurique. Para a palestra, construí um modelo físico da teoria, incorporando um tubo de borracha cheio de mercúrio, que eu agitava para representar o "ímpeto" oscilante. O tubo de borracha ficava preso ao fundo de um tubo de vidro vertical, pelo qual entravam três contatos elétricos, cada um a um nível diferente, representando os três "limiares". O mercúrio é condutor de eletricidade, de modo que, quando a coluna oscilante atingia qualquer desses contatos (quando o "ímpeto" excedia o "limiar"), um circuito se fechava. É óbvio que, se o mercúrio entrasse em contato com um eletrodo, automaticamente estaria em contato com todos os eletrodos inferiores, o que concretizava a concepção básica do modelo. Implementei as regras do modelo por meio de um sistema barulhento de estrepitosos relés eletromecânicos que acendiam luzes coloridas para representar bicadas em cores distintas. Todo esse esquema à la Heath Robinson* foi projetado para levar a plateia ao delírio, tal como fizera, num Congresso de Etologia anterior em Oxford, uma paródia de simulação hidráulica projetada por Desmond Morris, Aubrey Manning e amigos. Como consegui transportar aquilo de Oxford a Zurique, isso foge à minha memória, e inclusive à minha compreensão. Nem pensar que a segurança dos aeroportos atuais permitiria passar algo remotamente semelhante àquilo, abarrotado que era de fios amadoristicamente soldados, relés, pilhas e mercúrio.

Mas eis que, quando eu estava prestes a subir ao palco para minha primeiríssima apresentação num congresso, alguma coisa deu errado e minha engenhoca não queria funcionar. Eu estava transpirando de pânico, sem conseguir pensar direito, ajoelhado

* Cartunista inglês que, como Rube Goldberg nos Estados Unidos, desenhava máquinas de objetivos simples e mecanismos absurdamente mirabolantes. (N. E.)

no chão do lado de fora do salão, fuçando freneticamente a geringonça, quando de repente ouço atrás de mim uma voz entretida, com sotaque austríaco, a latir ordens peremptórias em alta velocidade. Aquela voz atropelada e gaguejada me disse exatamente o que fazer. Como se num sonho, obedeci — e funcionou. Virei-me para ver quem era meu salvador e me defrontei com Wolfgang Schleidt, a quem conhecia não em pessoa, mas de renome. Sem nenhum conhecimento prévio de para o que servia a minha máquina infernal, essa estrela da etologia europeia havia percebido meu pânico, captado na hora o problema e me ditado a solução. Sou desde então grato ao dr. Schleidt, que tinha, como depois vim a saber, sem surpresa, grande reputação de engenhosidade técnica. Carreguei meu estranho artefato até o palco e, ao fim da minha palestra, as luzes coloridas dele e todo o ar de amadorismo à la Heath Robinson foram recebidos com uma verdadeira ovação. Obrigado, Wolfgang Schleidt, e não só por me impedir de ficar com a cara no chão. Pois no meio da plateia estava a formosa figura de George Barlow, estrela ascendente da etologia norte-americana, que ficou impressionado o bastante com minha fala para conseguir que eu fosse convidado a ser professor adjunto na Universidade da Califórnia, em Berkeley, sem fazer entrevista nem apresentar currículo: meu primeiro emprego de verdade.

Mas isso ainda estava por acontecer. Voltando a Oxford, nesse ínterim Niko Tinbergen teve licença sabática em 1966 e me convidou a assumir as aulas de graduação sobre comportamento animal desse ano. Ele me ofereceu suas anotações, mas decidi que ia criar minhas próprias aulas do zero. Como era o primeiro curso que iria ministrar, redigi todas as aulas em minúcias. Achei que tinha perdido essa papelada havia muito tempo, mas para minha surpresa ela apareceu numa caixa de papelão no porão da minha casa, enquanto escrevia esta autobiografia, e me foi muito interessante reler tudo 46 anos depois — principamente a aula sobre comportamento social, por exibir com tanta clareza a mensagem central e o estilo de *O gene egoísta*, apesar de ter sido escrita uma década antes do livro.

Em 1964, o *Journal of Theoretical Biology* publicara dois artigos matemáticos longos e complicadíssimos de W. D. Hamilton, um jovem estudante de pós-graduação da Universidade de Londes a quem nenhum de nós conhecia, embora em breve viesse a ser um colega muito próximo. Mike Cullen, como era do seu feitio, reconheceu a importância dos artigos de Hamilton antes de todo mundo, com exceção de John Maynard Smith, e expôs esses trabalhos numa noite do grupo da Bevington Road. O entusiasmo de Mike era contagiante, e fiquei tão empolgado que saí dali já querendo explicar as ideias de Hamilton aos graduandos em minhas aulas como professor interino.

A teoria de Hamilton, hoje de modo geral rotulada como "seleção de parentesco" (nome cunhado por Maynard Smith, não por Hamilton), segue diretamente a "Síntese Moderna" neodarwiniana — diretamente no sentido de que a seleção de parentesco não é um apêndice, não é um adendo aparafusado à síntese neodarwiniana: é parte necessária da síntese. Não se pode separar do neodarwinismo a seleção de parentesco, tanto quanto não se pode separar da geometria euclidiana o teorema de Pitágoras. O biólogo de campo que quiser "testar" a seleção de parentesco estará na mesma posição em que estava Pitágoras ao sair por aí com uma régua em busca de triângulos para medir.

A síntese neodarwiniana, em oposição à versão proposta pelo próprio Darwin dessa teoria, centra-se no gene como unidade de seleção natural. Os genes são entidades discretas que podem ser *contadas* numa população, desconsiderando que na verdade eles ficam alojados nas células dos organismos. Cada gene tem uma *frequência* no "*pool* gênico", correspondente mais ou menos ao número de indivíduos reprodutores que o possuem. Genes bem-sucedidos são aqueles cuja frequência aumenta à custa de alternativas malsucedidas, cuja frequência cai. Genes que tornam um animal bom em cuidar da sua prole tendem a aumentar porque estão presentes nos corpos da prole cuidada. Hamilton percebeu (como Fisher e Haldane também já haviam meio que percebido, mas sem dar muita bola) que prole não é a única categoria de parentes que compartilham genes e que podem, portanto, ser beneficiários de cuidados evoluídos.

Hamilton derivou daí uma regra simples (hoje chamada de Regra de Hamilton): qualquer gene "a favor" do altruísmo para com parentes tenderá a se espalhar pela população, caso o custo *C* ao altruísta seja menor que o benefício *B* a quem o recebe, dividido pelo grau de parentesco *r* entre os dois. O grau de parentesco *r* é uma proporção (ou seja, um número entre zero e um) que Hamilton mostrou como calcular (seu significado exato é difícil mas não impossível de explicar intuitivamente).* Entre irmãos de sangue, *r* é 0,5; entre tios e sobrinhos, 0,25; entre primos em primeiro grau, 0,125. Hamilton tinha interesse especial pelos insetos sociais e fez brilhante uso da teoria da seleção de parentesco para explicar como formigas, abelhas, vespas e (de um jeito bem diferente) cupins evoluíram seus notáveis hábitos de altruísmo social.

Um formigueiro subterrâneo típico é uma fábrica implantada para propagar genes e disseminá-los pelos campos. Os genes saem da fábrica empacotados dentro dos corpos alados de rainhas e de machos jovens. Essas formigas voadoras (que talvez você nem perceba que são formigas por causa das asas) irrompem dos

* A explicação mais clara foi dada por meu colega de Oxford e antigo aluno de pós-graduação, o professor Alan Grafen, em "A Geometric View of Relatedness". In: Richard Dawkins e M. Ridley (Orgs.). *Oxford Surveys in Evolutionary Biology*. Oxford: Oxford University Press, 1985. v. 2, pp. 28-9.

buracos no chão e saem esvoaçando para acasalar no ar. Durante o voo de acasalamento, cada fêmea (rainha jovem) coleta um suprimento vitalício de esperma, que armazenará dentro de seu corpo e secretará no decorrer de uma longa vida. Carregada de esperma, a fêmea acasalada sai voando até achar um lugar para se assentar, fazer ali um buraco e fundar um novo formigueiro. Em algumas espécies, ela morde ou arranca as próprias asas, uma vez que já não precisará delas em seu papel de rainha subterrânea.

A maior parte da sua prole será de operárias estéreis, mas os filhos importantes para a propagação dos genes são as jovens rainhas (aladas) e os jovens machos. As operárias (todas fêmeas no caso das formigas, assim como no das abelhas e das vespas; machos e fêmeas no caso dos cupins) normalmente não têm expectativa de transmitir seus genes à prole e, por isso, dedicam-se a alimentar e cuidar de seus parentes colaterais férteis — por exemplo, rainhas e machos jovens, ou irmãs e sobrinhas. O gene que leva a operária estéril a cuidar de uma irmã destinada a se tornar rainha pode passar para *pools* gênicos futuros, transportados pelo corpo da jovem rainha. O comportamento de cuidado altruístico jamais pode ser expresso pela jovem rainha em si, mas o gene responsável por esse comportamento será transmitido a suas filhas operárias, que em consequência cuidarão de rainhas e machos jovens aptos a repassá-lo.

Os insetos sociais são só um caso específico. A Regra de Hamilton aplica-se a todos os animais e a todas as plantas, tenham ou não o costume de cuidar dos parentes. Se não cuidam, o motivo será que o custo/benefício econômico na Regra de Hamilton (os *B*s e *C*s) não compensa, mesmo que o coeficiente de parentesco *r* seja alto. Além disso — algo muitas vezes não compreendido até por biólogos profissionais —, os indivíduos cuidam de sua prole pelo mesmo motivo que irmãos mais velhos cuidam de irmãos mais novos (quando cuidam): nos dois casos, eles compartilham dos genes de altruísmo.

Como falei, eu fiquei tomado de entusiasmo quando Mike Cullen nos apresentou as ideias brilhantes de Hamilton, e queria muito tentar explicá-las a meu modo, nas aulas que daria como substituto de Niko Tinbergen. Estava acanhado em me distanciar tanto da mensagem de Niko e substituí-la pela minha própria retórica — que trataria de "genes egoístas" habitando uma sucessão de corpos mortais e sendo então descartados na marcha implacável dos genes rumo ao futuro. Em busca de apoio, apresentei minha aula datilografada a Mike Cullen, e rever agora as marginálias dele me lembra o imenso estímulo que elas me proporcionaram na época (ver o fac-símile na página seguinte). Foi o *lovely stuff* [que negócio encantador] de Mike que me incentivou a persistir nos meus planos de dar aulas sobre esse tópico e nesse estilo. E suponho que esse possa ser considerado o momento da concepção de *O gene egoísta*, nascido dez anos depois. Meus alfarrábios daquela aula tinham até a frase "os genes serão egoístas". Voltarei ao tema quando chegar ao livro em si.

No verão de 1967, na minúscula igreja protestante de Annestown, costa sul da Irlanda, onde os pais dela tinham uma cabana de férias, casei-me com Marian Stamp. Ela integrava o grupo de alunos de pós-graduação de Niko Tinbergen e viria a sucedê-lo como professora de comportamento animal em Oxford e autoridade mundial em ciência experimental do bem-estar animal. A essa altura eu estava apalavrado com a Universidade da Califórnia, de Berkeley, para assumir o cargo de professor adjunto. Niko tinha confiança na capacidade de Marian para dar prosseguimento à pesquisa de doutorado dela por lá, com um mínimo de orientação à distância, e a confiança que lhe depositou foi bem justificada. Tivemos uma breve lua de mel rodando a Irlanda num carro alugado. Marian precisou dirigir porque eu havia esquecido minha carteira de motorista, e tivemos um momento de embaraço quando o atendente da locadora de carros descobriu que ela era

Natural selection acts directly on phenotypes, but it will affect evolution only insofar as phenotypic ~~xxxxxxxxxxxx~~ differences are correlated with genetic differences. The important effect of natural selection is therefore on <u>genes</u>.

Genes are in a sense immortal. They pass through the generations, ~~xxxxxxxx~~ reshuffling themselves each time they pass from parent to offspring. The body of an animal is but a temporary resting place for the genes; the further survival of the genes depends on the survival of that body at least until it reproduces, and the genes pass into another body. The structure and behaviour of the body are to a large extent determined by the genes - the genes build themselves a temporary house, mortal, but efficient for as long as it needs to be. Natural selection will favour those genes which build themselves a body which is most likely to succeed in ~~passing~~

'lovely stuff'

handing ~~them~~down safely to the next generation, ~~xxx~~ a large number or replicas of those genes.

To use the terms "selfish" and "altruistic" then, our basic expectation on the basis of the orthodox neo-Darwinian theory of evolution, is that <u>Genes will be "selfish".</u>

~~Must this mean that individuals will be selfish? Not necessarily, though it does mean that we must be very suspicious of expressions like "the good of the species." There are two main ways in which individual altruism~~

(This gives us the most important difference between indiduals and social groups. If an individual body is a colony of cells, it is a very special kind of colony, because all those cells are genetically identical. Every ~~xxxxxxxxxxxxxxx~~ somatic cell, muscle, bone, skin, brain etc., contains the same complement of genes. Furthermore the reproduction of all the genes in these somatic cells is limited to the life-span of the body. Only the genes in the germ cells ~~will~~ may survive. The other cells are built by the genes simply to ensure the survival of the ~~xxxxxxxxx~~ identical genes in the germ cells.
In say a ~~flock~~ colony of gulls, the individual birds all contain different ~~xxxxx~~ sets of genes (except identical twins), and because of the arguments given above, we shall have to think very carefully about whether we should expect altruism between individuals. Only in the social insects where the workers are sterile and very closely related, do we have a social group that is really comparable with the many-celled body. We will return to this later.)

If genes are selfish then, how can individuals evolve altruism?

"pós-graduanda" (parece que pós-graduandos têm maus antecedentes com carros alugados). Logo após a lua de mel partimos para San Francisco, onde fomos recebidos no aeroporto pelo sempre gentil George Barlow. Começava uma nova vida no Novo Mundo.

Tempo de sonhos na costa oeste

A Berkeley do final dos anos 1960 era um caldeirão político, e o engajamento que fervilhava na Telegraph Avenue e, do outro lado da baía de San Francisco, na Haight-Ashbury viria a dominar nossos dois anos por lá. Lyndon Johnson, que tinha tudo para ser lembrado como um grande presidente reformista, atolou-se no desastre da Guerra do Vietnã, que herdara de Kennedy. Quase todo mundo em Berkeley era contra a guerra, e nós nos juntamos a eles — em passeatas por San Francisco, manifestações dispersadas por gás lacrimogêneo em Berkeley, protestos barulhentos, *sit-ins* e tumultos em salas de aula.

Tenho orgulho da minha participação nos protestos contra o envolvimento norte-americano no Vietnã, orgulho de ter trabalhado duro na campanha antiguerra liderada pelo senador Eugene McCarthy, nem tanto orgulho de alguns outros movimentos políticos em que me envolvi. Destes, o mais memorável foi o episódio surreal do Parque do Povo (ficcionalizado por David Lodge como o "Jardim do Povo" em seu romance universitário *Invertendo os papéis*). A campanha Parque do Povo foi uma tentativa de tomar para recreação um terreno baldio da universidade onde se planejava erguer construções — tentativa no fim das contas bem-sucedida, como descobri recentemente ao voltar a Berkeley para uma gravação. Em retrospecto, foi uma desculpa esfarrapada para fazer ativismo político radical por fazer, forjada por líderes estudantis anarquistas que manipulavam com cinismo a bem-intencionada "gente 'flower power' das ruas". Os líderes estudantis radicais e o infame governador Ronald Reagan ("Pato Ronald" no livro de David Lodge) de muito bom grado ficaram nas mãos uns dos outros, cada qual tirando proveito da situação para expandir seus respectivos currais eleitorais, e cada qual com plena consciência do que fazia, provavelmente. E eu, como a maioria dos docentes jovens da universidade, caí direitinho nas mãos deles. Realizávamos manifestações, *sit-ins*, corríamos do gás lacrimogêneo, escrevíamos cartas revoltadas aos jornais (minha primeira carta para o *Times* foi dessas) e exultávamos quando gente das ruas enfiava flores nos canos das espingardas empunhadas pelos aturdidos e assustadíssimos jovens da Guarda Nacional.

Tento vislumbrar meu estado de espírito aos vinte e poucos anos em Berkeley com a máxima sinceridade possível. Acho que o que vejo ali é uma espécie de empolgação juvenil com a simples ideia da rebeldia: "Bliss was it in that dawn to be alive/ But to be young was very heaven" [Bênção era naquela aurora estar vivo/ Mas ser jovem era o próprio paraíso], como diria Wordsworth. Um aluno chamado James Rector foi baleado e morto por um policial de Oakland. Marchar em protesto contra o episódio era muito justo, e agora me parece que foi aquela atrocidade que justificou, na nossa cabeça, a decisão de reivindicar o Parque do Povo. Mas é claro que não a justificava coisa nenhuma, não por si só. A decisão de reivindicar o Parque do Povo exigia um argumento totalmente separado.

Nós, os docentes jovens, convocávamos colegas para reuniões em que tentávamos coagi-los a cancelar suas aulas em solidariedade aos manifestantes. A mesma coisa vi acontecer há pouco tempo sob a forma do "cyber-bullying" praticado por ativistas radicais com poder suficiente para agir como uma espécie de polícia do pensamento, assim como vi acontecer no colégio, quando por vontade própria os comparsas se aglomeravam em torno do líder valentão. Lembro-me, com grande pesar, de uma reunião em Berkeley em que um professor idoso e honesto estava relutante em cancelar sua aula e nós tentamos abrir uma votação para forçá-lo a cancelar. É com remorso que saúdo a coragem dele, assim como a de um professor ainda mais idoso cuja mão foi a única a se erguer em apoio ao direito do colega de cumprir o que entendia ser o dever de dar uma aula agendada. Como com Aunty Peggy, e como com o equivalente da Chafyn Grove, eu devia ter me posicionado contra os brigões. Mas fiquei quieto. Ainda era jovem, mas nem tanto. Já devia saber assumir minha posição.

Falar em política radical e em gente das ruas me traz uma lembrança que é reveladora — reveladora da constante transformação dos costumes sociais. Eu ia caminhando pela Telegraph Avenue, eixo da cultura miçanga-incenso-maconha de Berkeley. Um jovem caminhava à minha frente, vestido como mandava o figurino da geração *flower power*. Toda vez que uma garota vindo na direção oposta passava pelo sujeito, ele esticava a mão e lhe beliscava o seio. Em vez de lhe dar um tapa ou gritar "Assédio!", ela simplesmente seguia em frente, como se nada houvesse acontecido. E assim ele passava à próxima. Hoje acho quase impossível acreditar nisso, mas é uma lembrança inequívoca. A conduta dele nem parecia tão lasciva, e seu ato evidentemente não era tomado pelas jovens como o gesto de um porco chauvinista. Parecia coadunar-se com o jeito hippie de ser, com a atmosfera relaxada de paz e amor da San Francisco dos anos 1960. Fico muito contente em dizer que as coisas mudaram. Os correspondentes atuais em idade e em classe social daquele rapaz e das garotas que ele molestava (o verbo que devemos usar hoje) estariam entre os mais ofendidos com o comportamento que naquela época era norma para essa idade, classe e convicção política.

À parte toda a política, fiz um trabalho decente como professor adjunto júnior (bem novinho mesmo). Eu e George Barlow dividíamos as aulas sobre comportamento animal, e incluí a aula sobre o "gene egoísta" que eu havia iniciado em Oxford. Agrada-me pensar que os estudantes de Oxford e de Berkeley no final dos anos 1960 foram os primeiros graduandos do mundo a ouvir as novas ideias que viriam a entrar na moda a partir dos anos 1970, como "sociobiologia" e "egoísmo genético".

Marian e eu fomos muito bem recebidos em Berkeley, e lá fizemos ótimos amigos. Além de George Barlow, estavam entre eles o neurofisiologista David Bentley, Michael Land, hoje autoridade mundial em olhos de todo o reino animal, e Michael e Barbara MacRoberts, que mais tarde vieram para Oxford como acréscimos enérgicos ao círculo da Bevington Road, assim como o sarcástico e ao mesmo tempo gentil David Noakes, que era o principal aluno pós-graduando de George Barlow durante meu período em Berkeley. George promovia um seminário semanal de etologia na sua casa em Berkeley Hills e, para mim e para Marian, esses encontros noturnos remontavam a algo da maravilhosa atmosfera das noites de sexta-feira com Niko em Oxford.

Eu nunca havia ido aos Estados Unidos, e fiquei aturdido com algumas coisas. No meu primeiro encontro do corpo docente da zoologia, todos falavam quase que exclusivamente em números. Quem fará a 314? Não, eu faço a 246. Hoje em dia o mundo anglófono já sabe que "X-ologia 101" quer dizer (ora em tom paternalista, ora em tom derrisório) "introdução de um calouro à X-ologia". De início, contudo, aquela numerologia toda me deixava perplexo. E qual falante da língua inglesa hoje em dia não entende o verbo "to major"? Mas lembro de ler um romance universitário norte-americano e ficar um pouco incomodado com os gorjeios de secundaristas, de juniores e de seniores quando, como um sopro de ar fresco, "um *English major* entrou no quarto". Arrá, pensei eu no mesmo instante, com a mente tomada por calças para cavalgar e bigodes, enfim um personagem de verdade.*

Marian e eu trabalhamos juntos na mesma pesquisa. E conversávamos sem parar sobre nossos interesses científicos em comum, durante caminhadas pelo parque Tilden, de Berkeley Hills, em passeios de carro pela belíssima zona rural californiana, durante as refeições, nas idas às compras para lá da Bay Bridge na cidade de San Francisco, o tempo todo. O clima de nossas discussões era o de uma tutoria mútua, um aprendendo com o outro, explorando argumentos passo a passo, dando um passo para trás e dois para a frente. Hoje, a tutoria mútua é algo que almejo atingir em discussões públicas com colegas, muitas vezes filmadas para meu website ou lançadas em DVD. Essas discussões com Marian seriam a base dos experimentos conjuntos que fizemos ao voltar para Oxford.

Minha pesquisa em Berkeley foi uma sequência do trabalho com bicadas de pintinhos. Minha pesquisa de doutorado havia sido bem popperiana. Fazia previsões precisas de quantidades totais de escolhas feitas num tempo estabelecido. Mas o modelo sempre pedira mais testes empíricos exatos, que usassem sequências precisas de bicadas no momento em que aconteciam, e não números totais de bicadas por minuto. Em Berkeley me voltei à sequência exata e construí um novo aparelho, que, à diferença do de Oxford, conseguia gravar o momento exato de cada bicada, não só contar o número delas por minuto. Também aumentei o

* Um *English major* seria tanto um major das Forças Armadas inglesas como, no linguajar universitário norte-americano, um estudante de letras. (N. T.)

Colunas sucessivas representam sequências de bicadas. Círculos vazados representam cor preferida. Perceba que sequências de bicadas na cor preferida (círculos vazados) se alternam com sequências de bicadas de um lado ou do outro — talvez o lado mais próximo —, configurando sequências de alternância entre cores.

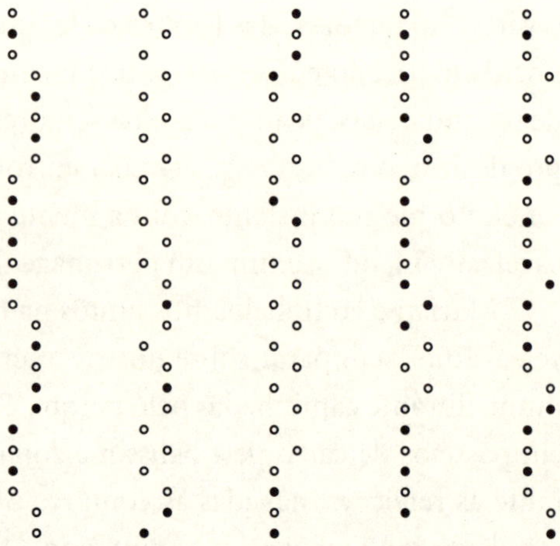

FONTE: Marian e Richard Dawkins, "Some Descriptive and Explanatory Stochastic Models of Decision-Making". In: D. J. McFarland (Org.), *Motivational Control Systems Analysis*. Londres: Academic Press, 1974. pp. 119-68.

ritmo das bicadas recompensando cada uma com uma lufada de calor infravermelho, que os pintinhos apreciavam. Todas as teclas davam recompensa igual, mas eles ainda demonstravam preferências de cor e ainda pareciam fazer escolhas segundo o Modelo Ímpeto/Limiar. As bicadas eram gravadas em fita magnética por meio de um equipamento sofisticado e caro que fora construído para George Barlow, conhecido como Sistema de Aquisão de Dados — assim chamado por conta de um erro tipográfico na palavra "Aquisição", bem no rótulo.

Uma das expectativas com o Modelo Ímpeto/Limiar era que houvesse longas sequências de bicadas na cor preferida (quando o ímpeto ultrapassava o limiar apenas daquela cor), intercaladas com sequências de indiferença (quando o ímpeto ultrapassava dois limiares). Não deveria haver sequências significativas de bicadas na cor menos preferida. Pautando-me pelo Modelo Atenção/Limiar, eu esperava que a indiferença à *cor* significasse na verdade preferência por um *lado*. Como o aparelho estava programado para apresentar cada cor para lados alternados, mudando depois de cada bicada (com ocasionais variações aleatórias), previ sequências como as que podem ser vistas na figura a seguir, que representa dados reais de um experimento específico e parece confirmar bem a previsão.

É claro que essa figura não passa de uma anedota, de um entre tantos experimentos. Fiz análise estatística para fundamentar essa previsão e várias outras, com base em dados de um grande número de experimentos. As previsões do Modelo Atenção/Limiar se confirmaram.

Em algum momento do nosso segundo ano em Berkeley, Marian e eu recebemos a visita de Niko e Lies Tinbergen. Niko queria convencer-nos a voltar a Oxford, onde obtivera uma atraente bolsa de pesquisa para me oferecer, e onde Marian poderia escrever sua pesquisa de doutorado — que, como Niko percebeu, estava indo de vento em popa em Berkeley. Os Tinbergen nos deixaram para refletir sobre a proposta e voltaram para Oxford. Decidimos aceitar; mas, nesse meio-tempo, Niko nos enviou uma carta para falar de outra oportunidade. Oxford decidira nomear um novo professor assistente de comportamento animal vinculado a uma *fellowship* no New College, e Niko queria que eu me inscrevesse. Esse emprego de docente não excluía a bolsa de pesquisa que ele me prometera antes. Concordei em me inscrever para o cargo, e lá fui eu para a entrevista em Oxford.

Foi uma viagem mágica. O mundo parecia se abrir diante de mim. A música marca a lembrança: o *Concerto para violino* de Mendelssohn, que ouvi no avião, deslumbrado com as Montanhas Rochosas lá embaixo e com as perspectivas que se abriam pela frente. Oxford fez sua apresentação de gala, que é o florescer primaveril das cerejeiras e laburnos ao longo da Banbury Road e da Woodstock Road, e o New College deu seu suntuoso espetáculo trecentista. Eu estava feliz, e meu júbilo não esmoreceu mesmo quando cheguei e fui logo recebido com notícia de que Colin Beer, ex-integrante do Oxford ABRG e hoje professor da Rutgers University, de New Jersey, havia de última hora se candidatado à vaga. Nem mesmo o fato de Niko ter transferido sua fidelidade de mim para Colin perturbou meu otimismo. Se Niko decidira que Colin era a melhor aposta, já me bastava. Eu ainda teria a bolsa de pesquisa e, como falei à banca entrevistadora, se Colin também estivesse lá em Oxford, tanto melhor. De fato, Colin ficou com o emprego, e eu com a bolsa.

Consertos de computador

Eu e Marian deixamos Berkeley em 1969 com sentimentos conflitantes. Para mim, aquele continua sendo um tempo e lugar de magia, peregrinação e sonhos: sonhos de uma juventude já perdida, de colegas inteligentes e simpáticos, do sol límpido e forte a se alternar com a névoa gelada sobre a Golden Gate, do cheiro de orvalho exalado pelos pinheiros e eucaliptos, das *flower children* com valores liberais, honestos e sinceros, por mais que ingênuos.

Encaixotamos e despachamos nossos poucos pertences do apartamento de Berkeley e atravessamos o continente na nossa velha perua Ford Falcon cor creme, encrostada de slogans antiguerra e adesivos pró-Eugene McCarthy. Em Nova York, como já estava acertado antes da viagem, vendemos o Ford no cais (para nossa surpresa o comprador, que havia ele próprio feito sua jornada sossegada de bicho-grilo estilo Berkeley rumo a Nova York, apareceu na hora combinada), embarcamos no cruzeiro *France* com destino a Southampton e nos preparamos para retomar nossa vida em Oxford. Vários dos antigos amigos ainda estavam lá, e Colin Beer havia acabado de chegar. Como em breve ficaria claro,

Colin preferia passar o tempo no New College e raramente era visto no departamento, para o desapontamento de todos. Ficou só um ano. Danny Lehrman — o mesmo Daniel S. Lehrman cuja crítica teórica tanto influenciara minha tese de doutorado — tivera a astúcia de manter a vaga de Colin em Rutgers aberta para o eventual retorno dele; e, quando ficou claro para Colin que Oxford não conseguiria arranjar à sua esposa um cargo em francês medieval que se equiparasse ao que ela ocupava nos Estados Unidos, ele decidiu voltar. Mais uma vez o cargo de professor assistente de comportamento animal foi anunciado, mais uma vez o paciente New College aceitou vinculá-lo a uma *fellowship*, e mais uma vez Niko me estimulou a fazer minha inscrição. Assim como os outros candidatos, mais uma vez fui entrevistado por dois comitês: um da universidade, sob o comando de John Pringle (o João Sorridente), e um da faculdade, sob o comando do administrador Sir William Hayter, ex-embaixador britânico em Moscou, este sim um ser sorridente, de uma amabilidade quase angelical.

Dessa vez eu queria mesmo o cargo, e dessa vez consegui. A notícia chegou enquanto eu e Marian estávamos com uns amigos na fila de espera de um restaurante indiano em Oxford. De repente ouvimos a lambreta de Mike Cullen estacionar lá fora. Ele irrompeu no restaurante, apontou-me os dois indicadores e, sem dizer palavra, sumiu tão rápido quanto surgiu. Eu havia conseguido o cargo. Em retrospecto, não acho que naquela época eu merecesse ter conseguido, visto que o principal concorrente era o brilhante e sensacional Juan Delius. Seja como for, prefiro pensar que a experiência do cargo me fez crescer e me tornar digno dele. Juan era um grande amigo e mentor, germano-argentino incrivelmente inteligente, esclarecido e engraçado. Uma vez ele me definiu o humor argentino: "Eles gostam de torta na cara; agora, se alguém escorregar numa casca de banana, só tem graça *mesmo* se quebrar a perna". O quadro de avisos da Bevington Road número 13 estava sempre adornado por bilhetes maravilhosos no inglês singular de Juan: "What bastard has absconded my oles?", isto é, "Quem pegou meu estêncil para desenhar círculos de vários tamanhos?".

A vida de um tutor *fellow* numa faculdade de Oxford é uma vida em muitos sentidos encantada. Fiquei com uma sala num reluzente prédio medieval de calcários oolíticos cercado por seus belíssimos e famosos jardins; tinha desconto para livros, desconto para alojamento, desconto para pesquisas, e refeições gratuitas (mas não vinho gratuito, como dizem os boatos invejosos) na companhia estimulante e divertida dos acadêmicos mais proeminentes de todas as áreas, menos da minha. Os acadêmicos estimulantes da minha área se encontravam no departamento de zoologia — onde eu passava a maior parte do tempo.

Fui apresentado ao estranho mundo dos diálogos travados à mesa dos *fellows*. O pós-jantar às vezes era ocasião de trazer o Livro de Apostas do Salão Acadêmico — fosse para registrar uma nova aposta, fosse para consultar as antigas, todas escritas no mesmo estilo afetado dos próprios diálogos da mesa. Aqui vai uma pequena amostra que remonta aos anos 1920, quando o apostador mais assíduo era o brilhante e excêntrico G. H. Hardy, cujo humor de matemático à Lewis Carroll parece ter contagiado os colegas:

> (7 de fev de 1923) O subadministrador aposta com o prof. Hardy toda a sua fortuna até a morte contra meio *penny* que o sol nascerá amanhã.

> (8.6.27) O prof. Hardy aposta com o sr. Woodward 10 000 para 1 em moedas de meio *penny* que ele (o prof. Hardy) não será o próximo presidente de Magdalen, e o sr. Woodward aposta com o

prof. Hardy 1 para 5000 que ele (o sr. Woodward) não será o próximo presidente de Magdalen.

(Fev 1927) O professor Hardy aposta com o sr. Creed 2/6 para 1/6 que o Novo Livro de Orações não vai dar em nada. Os srs. Smith, Casson e Woodward serão os árbitros, se necessário.

Acho engraçadíssimo que pudesse estar sujeito a aposta um julgamento de valor tão óbvio. Não é à toa que o número de árbitros precisasse ser ímpar.

Outra contenda chega a deixar o montante da aposta a juízo posterior:

(Dez 2 1923) O professor Turner aposta com o comissário da SCR uma grande quantia que seria de bom-tom ter na SCR um exemplar do Guia Ferroviário ABC (de Londres). (Vencida pelo prof. Turner.)

(15 fev 1927) O sr. Cox aposta com o professor Hardy 10/- para 1/- que o rev. Canon Cox ("Fred") não será o próximo bispo da Niassalândia.

Adoro esse "Fred" entre parênteses. Infelizmente o resultado dessa aposta nunca foi registrado. Gostaria de saber se o "bispo Fred" presidiu a diocese de meu antigo país. Sem ter tirado a dúvida, o Google pelo menos me informou que um bispo da Niassalândia no século XIX foi um certo Charles Alan Smythies — com alta probabilidade de parentesco com as sete gerações de Smythies vigários ancestrais meus.

(11 de março de 1927) O sr. Yorke aposta com o sr. Cox 2/6 *penny* que não se pode encontrar nenhum verso no Evangelho Segundo

Mateus cuja intepretação literal justifique ou defenda a autocastração. Vencida pelo sr. Cox.

(26 de outubro de 1970) O professor Sir A. Ayer aposta com o sr. Christiansen que, se desafiado sem aviso prévio, o capelão não será capaz de repetir doze dos trinta e nove artigos que constam no Livro de Oração Comum. Em aposta, uma garrafa de Bordeaux.

(24 de nov de 1985) O capelão aposta com o dr. Ridley uma garrafa de Bordeaux que o dr. Bennett estará de colarinho clerical no jantar por ocasião da visita do bispo a Londres. (O capelão venceu.)

(4 de agosto de 1993) O sr. Dawkins aposta com o sr. Raine £1 que Bertrand Russell se casou com Lady Ottoline Morrell. Árbitro: mlle. Bruneau. (Dawkins perdeu e pagou, com 20 anos de atraso.)

Apostas como esta última não acontecem mais, porque hoje a coisa mais fácil e trivial para qualquer um é conferir essas questões factuais nos smartphones sem se levantar da poltrona do Salão Acadêmico. Mesmo então, mal era necessário designar um árbitro para uma questão puramente factual.

Mas voltemos a 1970, quando eu tinha 29 anos e acabara de retornar para Oxford. O computador/cantor Elliott havia entrado em extinção, mas a Lei de Moore e aquela bolsa de pesquisa que no ano anterior me convencera a voltar para Oxford me possibilitaram ter meu "próprio" computador, um PDP-8, que superava o Elliott em todos os aspectos exceto tamanho físico e preço. Também ao encontro da Lei de Moore (que já naqueles tempos começava a se provar verdadeira), a funcionalidade do PDP-8 era muito menor e seu porte físico muito maior que o de um laptop atual, e ele vinha com um absurdo livro de registro em que você devia anotar toda vez que ligasse (é óbvio que eu não anotava).

Era meu maior orgulho e um recurso valioso — assim como eu próprio, sendo o único programador disponível para todos na Bevington Road número 13 (o que acabou com meu tempo). Agora sim meu vício em computador podia decolar, e eu já não precisava mais saciá-lo na calada da noite, como na época do meu vergonhoso caso com o Elliott 803.

Eu só havia usado antes linguagens compiladas de alto nível — linguagens para seres humanos, traduzidas pelo computador na sua própria linguagem binária de máquina. Mas agora, para poder usar o PDP-8 como ferramenta de pesquisa, eu tinha de dominar sua linguagem maquinal de 12-bits, tarefa à qual me atirei com ardor. Meu primeiro projeto com código de máquina foi o "Órgão Dawkins", um sistema para registrar comportamento animal — equivalente ao "Aquisão de Dados", de George Barlow, mas bem mais barato. A ideia era criar um teclado que o observador pudesse usar em campo, apertando botõezinhos para indicar as ações de um animal. Os comandos dados eram registrados num gravador de fita, que depois automaticamente informaria ao computador o momento exato em que ocorreu cada ação do animal.

Meu teclado era literalmente um órgão eletrônico improvisado, onde cada tecla tocava uma nota (audível somente ao gravador de fita). Essa parte seria fácil de fazer. A caixa conteria um oscilador simples de dois transistores, sendo o tom de cada nota afinado por uma resistência. Cada tecla do órgão faria conexão com um resistor diferente e assim tocaria uma nota diferente. O observador teria de levar o órgão a campo e observar o comportamento de um animal, pressionando uma determinada tecla para cada padrão de comportamento. A gravação da sequência de notas constituiria então um registro compassado do comportamento do animal. Em teoria, uma pessoa de bom ouvido que ouvisse a fita conseguiria detectar qual tecla fora pressionada, mas isso não ajudaria. Eu precisava que o computador assumisse o papel da pessoa-de-bom-ouvido. Isso até se poderia fazer por meio eletrônico, com uma série de detectores de frequência afinados, mas seria caro e desgastante. Será que a mesma proeza desse computador especial — o ouvido absoluto — poderia ser alcançada por um programa sozinho?

Eu discutia o problema com meu então guru de informática, Roger Abbott — um engenheiro sagaz (e, por coincidência, organista) que estava a serviço da grande bolsa de pesquisa do professor Pringle —, quando ele deu uma sugestão inspirada. Toda nota musical tem um comprimento de onda característico, correspondente à sua altura. Os computadores são — e eram, já naqueles tempos — tão rápidos que o intervalo entre picos de onda dentro de uma nota musical poderia ser medido em centenas de ciclos do programa. Roger me sugeriu escrever um programa para cronometrar os intervalos entre picos de onda: escrever, em outras palavras, uma rotina que funcionasse como cronômetro, contando quantos loops ele faria antes de ser interrompido pelo pico da onda seguinte (quando se tira a média entre vários picos de onda, tem-se a altura da nota). Quando uma nota se encerrava (quando mais do que um tempo crítico decorria desde o último auge da onda), o computador devia registrar o tempo e aí esperar pela próxima nota do órgão. O loop-cronômetro do computador, em outras palavras, seria usado não só para identificar a altura de uma nota musical, mas também para, numa escala temporal muitíssimo mais ampla, medir a passagem do tempo entre as notas.

Depois que consegui fazer essa rotina central funcionar, o resto foi só questão de suar a camisa na escrita e na depuração do programa até ficar fácil de usar. Levou um bom tempo, mas terminou em sucesso. O Órgão Dawkins tornara-se um produto viável. O usuário do órgão iniciava cada sessão tocando uma escala na fita — todas as notas do órgão em ordem ascendente de altura. Uma vez passada para a fita, a escala seria então usada para "calibrar" o software — "ensinar" ao computador o repertório de notas que lhe seria solicitado identificar. Encerrada a escala de calibragem (ao atingir a primeira nota pela segunda vez), todas as subsequentes notas na fita designariam notas de comportamento. O sistema de calibragem tinha a vantagem de que o órgão dispensava afinação precisa. Qualquer conjunto de notas que se distinguissem o bastante umas das outras daria conta, pois o computador aprendia rápido quais notas escutar.

Assim, quando a fita era trazida ao computador e tocada, ele sabia exatamente o que o animal havia feito, e quando. O núcleo do programa era o loop-cronômetro, mas ele estava integrado a uma quantidade substancial de códigos a fim de registrar, na fita de papel, os nomes de todos os padrões de comportamento e os momentos exatos em que ocorriam.

Publiquei um artigo sobre o Órgão Dawkins* e disponibilizei o software gratuitamente. Ao longo dos anos seguintes, Órgãos Dawkins foram usados por numerosos integrantes do ABRG e por alguns etólogos de outras partes do mundo, por exemplo, da University of British Columbia.

Meu vício em programar código de máquina me lançou numa espiral de decadência. Cheguei a inventar minha própria linguagem de programação, o Bevpal, que tinha até manual próprio; foi um exercício um tanto inútil, visto que a linguagem não foi usada por ninguém além de mim e, durante um curto período, por Mike Cullen. Douglas Adams fez uma deliciosa sátira do vício em computador bem do tipo que me infectou. O alvo da sátira era o programador que enfrentava um problema específico X, de solução urgente. Ele podia ter escrito um programa em cinco

* Richard Dawkins, "A Cheap Method of Recording Behavioural Events for Direct Computer Access", *Behaviour*, Leiden: Brill, n. 40, pp. 162-73, 1971.

minutos para resolver *X* e arranjado aí a solução. Mas não: ele passou semanas escrevendo um programa mais genérico que poderia ser usado por qualquer pessoa a qualquer momento para resolver qualquer problema da genérica *classe X*. O fascínio reside na generalidade — na busca por um produto esteticamente agradável e fácil de usar, para o benefício de um contingente de usuários que provavelmente nem existe —, e não na tentativa de achar uma resposta ao problema específico *X*. Outro sintoma dessa variedade de vício geek é que, toda vez que você resolve um problema local e consegue fazer malabarismos com o computador, tem vontade de sair correndo para a rua e arrastar alguém pelo cabelo a fim de mostrar a elegância daquilo.

A fértil camaradagem que se cultiva em uma casinha como a Bevington Road número 13 chegou ao fim por essa época, quando o grupo de comportamento animal se mudou para o novo prédio de zoologia/psicologia, na South Parks Road — um edifício imenso e pavoroso que mais parecia um encouraçado. Informalmente era conhecido como HMS Pringle, em homenagem ao ambicioso professor do Linacre College que convenceu os superiores da universidade a construí-lo — não tendo conseguido persuadi-los antes a construir um arranha-céu da espessura de um lápis e de uma altura que ultrapassaria os campanários sonhadores de Matthew Arnold. Tenho sentimentos contraditórios quanto à minha participação em transformar o HMS Pringle oficialmente em Tinbergen Building, pois ele é deplorado por muitos como o prédio mais feio de Oxford. E ganhou um prêmio de arquitetura da Concrete Society. Sem comentários.

Por volta dessa época publiquei um artigo curto na *Nature*.* A cada dia morrem centenas de milhares das nossas células cerebrais,

* Richard Dawkins, "Selective Neurone Death as a Possible Memory Mechanism", *Nature*, Londres: Nature Publishing, n. 229, pp. 118-9, 1971.

e isso me angustiava já aos 29 anos. Meu cérebro obcecado por Darwin buscou conforto na ideia de que, caso as mortes celulares não fossem aleatórias, esse massacre aparentemente indiscriminado podia ser mais construtivo do que destrutivo:

> O escultor transforma um bloco de rocha numa complexa estátua por meio da subtração, não do acréscimo. Uma máquina de processar dados eletrônicos tem maior probabilidade de ter sido elaborada primeiro com conexões de diversos componentes realizadas de maneiras complexíssimas e então com o aprimoramento dessas conexões para tornar a máquina ainda mais complexa. Por outro lado, ela também pode ter sido construída de início com interconexões extremamente ricas, até mesmo aleatórias, e depois com o entalhamento de uma organização mais significativa por meio de cortes seletivos dos fios. [...]
>
> A teoria proposta aqui pode a princípio soar extravagante. A reflexão mais aprofundada, porém, mostra que essa inverossimilhança vem sobretudo do postulado altamente improvável em que ela se apoia: o de que as células cerebrais decaem em taxa prodigiosa a cada dia. Dado que esse postulado é, por incrível que pareça, um fato comprovado, a teoria atual não apresenta nada de implausível — muito pelo contrário, aliás, pois ela faz o processo parecer menos dispendioso. O que está em questão é se os neurônios morrem ao acaso ou por uma seletividade que serve ao armazenamento de informações.

Um curioso aparte, esse artigo talvez tenha algum interesse como exemplo embrionário de uma espécie de teoria que seria cunhada um ano depois como "apoptose" e viria ainda a ficar muito em voga.

Marian logo concluiu seu doutorado, e nós dois começamos a colaborar em projetos de pesquisa surgidos das várias discussões — as tutorias mútuas — dos nossos tempos de Berkeley.

Planejamos um estudo que exemplificasse, e esclarecesse, um dos conceitos fundamentais para a escola etológica dos estudos sobre o comportamento animal, o Padrão Fixo de Ação.

Lorenz e Tinbergen e sua escola consideravam que boa parte do comportamento animal consistia em uma sequência de pequenas rotinas mecânicas — Padrões Fixos de Ação (PFA). Cada PFA seria como uma parte da anatomia, tão pertencente ao aparelho corporal do animal quanto, por exemplo, a clavícula ou o rim esquerdo. A diferença é que clavículas e rins são feitos de material sólido, ao passo que o PFA existe em uma dimensão temporal: não podemos pegá-lo e guardá-lo numa gaveta, temos de observá-lo se desenrolar no tempo. Um exemplo conhecido de PFA seria o movimento de empurrar que o cachorro faz com o focinho ao enterrar um osso. Esse movimento é reexecutado de forma idêntica mesmo quando o osso está sobre o carpete, sem terra para enterrá-lo. O cachorro parece mesmo um (adorável) brinquedo mecânico, embora a direção exata do movimento seja influenciada pela posição do osso.

Todo animal tem um repertório de PFAs, como aquelas bonecas em que se dá corda puxando um barbante e que então proferem algum dito tirado a esmo de um repertório finito. Uma vez iniciada, qualquer fala escolhida segue em frente até se completar. A boneca não troca de mensagens no meio do caminho. A decisão de qual dentre uma dúzia de falas produzir é imprevisível, mas, uma vez tomada, as consequências da decisão se desenrolam de modo previsível como os ponteiros de um relógio. Marian e eu havíamos sido, como qualquer etólogo tinbergeniano, criados na doutrina do PFA; mas será que ela era mesmo um reflexo fiel da realidade? Eis a questão a que queríamos responder — ou, para ser exato, a questão que buscávamos reexpressar em termos que pudessem torná-la respondível.

Em teoria, pode-se anotar o fluxo contínuo do comportamento de um animal como uma sequência de contrações musculares. Agora, se a teoria do PFA estivesse certa, a previsibilidade do comportamento tornaria desnecessário o laborioso esforço de anotar cada contração muscular, ainda que fosse possível fazê-lo. Em vez disso, precisaríamos apenas anotar os PFAS, e a sequência dos PFAS forneceria — numa interpretação extrema — a descrição completa do comportamento do animal específico sob observação.

No entanto, isso só funcionaria se os PFAS fossem de fato equivalentes a órgãos e ossos — se, em outras palavras, fosse verdade que cada padrão ocorre como um todo, que não se encerra a meio caminho nem se mistura com outro padrão. Marian e eu queríamos descobrir uma maneira de avaliar até que ponto essa afirmação era verdadeira. Nossas teses de doutorado tratavam — cada uma a seu modo — de tomada de decisão, e nos foi natural traduzir o problema do PFA em uma linguagem de decisões. Nessa linguagem, o animal toma uma *decisão* para iniciar um PFA; mas, assim que iniciado, o PFA prossegue rumo à sua conclusão, sem mais decisões até o fim. Nesse ponto, o fluxo do comportamento do animal entraria num período de incerteza, deixando pendente a decisão de iniciar (e completar) um PFA.

Escolhemos adotar o bebericar dos pintinhos como estudo de caso, e torcemos para que fosse representativo.* A bebericada dos pássaros (fora os pombos, que sugam) é um elegante movimento de *glissando*, e certamente nos dá uma impressão subjetiva de se iniciar por uma decisão discreta, à qual ela se segue até chegar a termo. Mas será que poderíamos apoiar nossa impressão subjetiva em dados concretos?

* Richard e Marian Dawkins, "Decisions and the Uncertainty of Behaviour", *Behaviour*, Leiden: Brill, n. 45, pp. 83-103, 1973.

Filmamos os nossos pintinhos bebendo de perfil, e então passamos a analisar o comportamento deles fotograma por fotograma para ver se conseguiríamos medir sua "estrutura de decisão". Medimos o posicionamento da cabeça do passarinho em fotogramas sucessivos e depois lançamos as coordenadas no computador. A ideia era medir a previsibilidade do fotograma seguinte por já conhecer a posição da cabeça nos fotogramas anteriores.

O diagrama abaixo é um gráfico que confronta a altura dos olhos com o tempo, para três bebericadas dadas pelo mesmo pintinho, cujos dados se alinham (o zero no eixo temporal) no momento em que o bico toca na água. A impressão que se tem é que, a partir desse momento, ou, na verdade, do momento imediatamente anterior, o comportamento é estereotipado e previsível, mas que a primeira parte da descida é mais variável e sujeita a decisões: decisões de se interromper e até (como mostramos em separado) de abortar a bebericada.

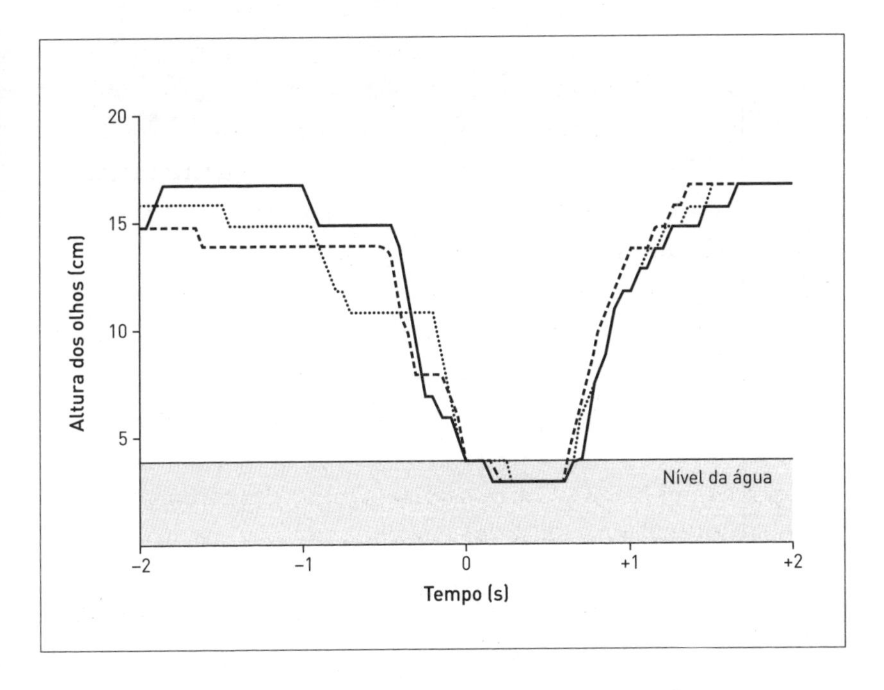

Mas como medir a previsibilidade? O gráfico a seguir mostra uma maneira. Ele representa uma única bebericada do mesmo jeito que o outro, mas agora cada ponto de posição dos olhos tem flechinhas acopladas. O comprimento da flecha significa, para cada fotograma, a probabilidade (somadas todas as bebericadas de todos os pintinhos) de a altura dos olhos no fotograma seguinte ser menor, maior ou igual.

Pode-se perceber que durante a subida, quando a ave está deixando a água escorrer pela garganta, há alta probabilidade de que a subida continue sua graciosa curva para cima. A decisão de executar um PFA está sendo levada a cabo, sem mais decisões ao longo do seu percurso. Na descida, porém, há maior imprevisibilidade. Para cada fotograma da descida, a altura dos olhos no fotograma seguinte fica indefinida entre menor e igual, e há até alguma chance de que seja maior — isto é, de que a bebericada seja abortada.

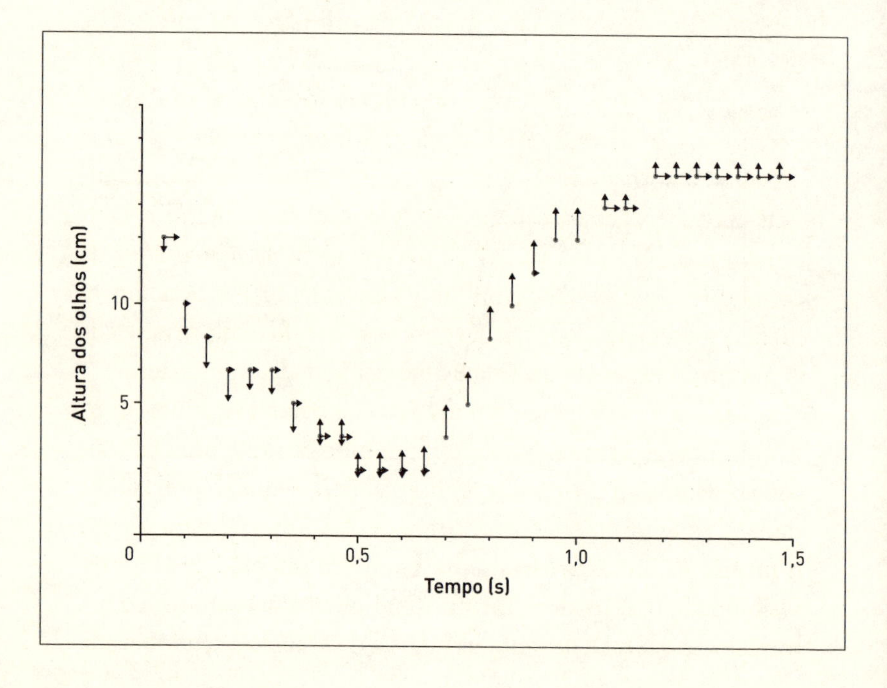

Será que poderíamos usar essas flechas para computar um índice de incerteza ou "decisividade"? O índice que escolhemos baseia-se na teoria da informação, concebida nos anos 1940 pelo inventivo engenheiro norte-americano Claude Shannon. O conteúdo informativo de uma mensagem pode ser informalmente definido como seu "valor de surpresa". O valor de surpresa é um conveniente oposto da previsibilidade. Exemplo clássico: "Está chovendo na Inglaterra" (baixo conteúdo informativo, pois não há surpresa) contra "Está chovendo no deserto do Saara" (alto conteúdo informativo, pois há surpresa). Por conveniência matemática, Shannon computou seu índice de conteúdo informativo em bits (abreviatura de "binary digits", dígitos binários) ao somar o logaritmo (de base dois) das probabilidades prévias que estavam abertas a dúvida antes de a mensagem ser recebida. O conteúdo informativo do ato de tirar a sorte na moeda é de um bit, pois a incerteza prévia é cara ou coroa — duas alternativas equiprováveis. O conteúdo informativo de um naipe de cartas é de dois bits — há quatro alternativas equiprováveis e o logaritmo de quatro na base dois é dois, correspondente ao número mínimo de perguntas sim/não que você precisaria fazer para determinar o naipe. A maioria dos exemplos reais não é tão simples, e os resultados possíveis geralmente não são equiprováveis, mas o princípio é o mesmo e uma versão da mesma fórmula matemática dá conta do recado de modo bastante conveniente. Foi essa conveniência matemática que nos levou a usar o Índice Informativo de Shannon como nossa medida de previsibilidade ou incerteza.

Mais uma vez temos um gráfico (na página seguinte) confrontando a altura dos olhos com o tempo durante uma bebericada. As linhas finas representam instantes de baixa previsibilidade, ou alta probabilidade de uma decisão intervir para mudar o futuro. As linhas grossas representam momentos de alta previsibilidade (conteúdo informacional menor que um limiar arbitrário de 0,4 bit), durante os quais a decisão está sendo levada

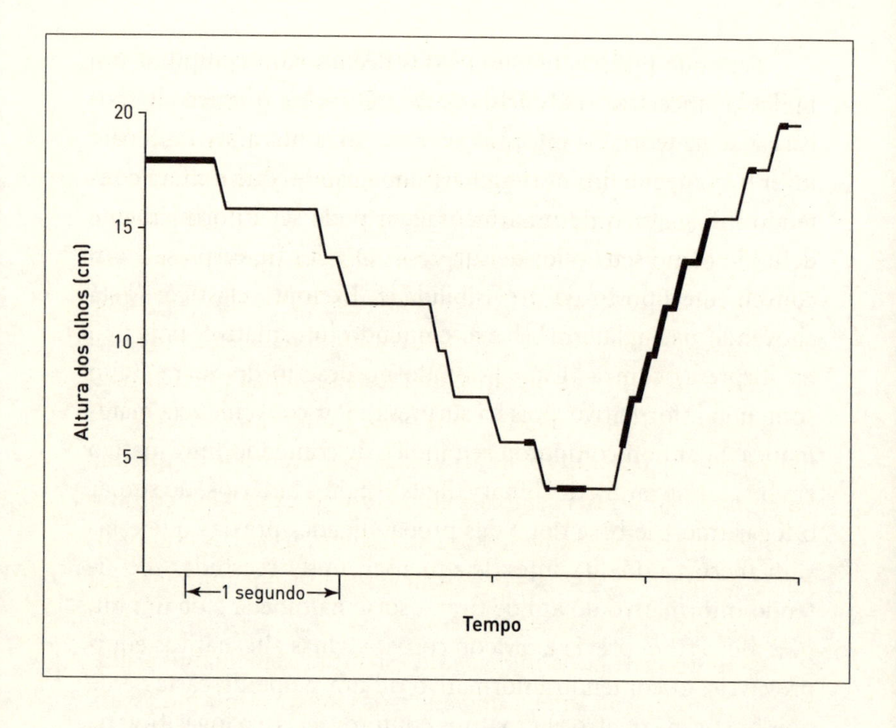

a cabo e não se espera nenhuma nova decisão. A subida é previsível, mas a descida não. A pausa entre bebericadas é previsível pelo motivo sem graça de que provavelmente só continuará no fotograma seguinte — é difícil prever quando começará a próxima bebericada.

Como sempre, tenha-se em mente que o comportamento específico, nesse caso o beberic ar, não tem interesse por si só. As bebericadas dos pintinhos estavam fazendo as vezes do comportamento em geral, assim como faziam as bicadas na minha pesquisa de doutorado. Nosso interesse era a própria ideia da decisão e — no caso das bebericadas — a possibilidade de identificar momentos de decisão. Estávamos tentando explorar um meio de demonstrar a existência mesma de um Padrão Fixo de Ação, em vez de simplesmente tomá-la por pressuposto, como costumavam fazer os etólogos.

Adotamos outro método para nosso projeto seguinte, ainda no âmbito temático da tomada de decisão, sobre a higiene individual das moscas. Os etólogos sempre perguntam se, caso você saiba o que um animal faz agora, pode prever o que ele fará a seguir. Marian e eu queríamos saber se, às vezes, você pode prever o que ele fará no futuro mais distante *melhor* do que antever o que fará no futuro mais imediato. Isso pode ser válido, por exemplo, caso o comportamento se organize como a linguagem humana. Há momentos em que o começo de uma sentença prevê o final dela melhor do que o meio — que pode conter uma série de adjetivos ou orações adverbiais acopladas, por exemplo. "A menina bateu na bola" é uma sentença cujo começo exige algo como o final, existam ou não adjetivos ou advérbios ou orações subordinadas no meio: "A MENINA de cabelo vermelho, que mora na casa ao lado, com ímpeto BATEU NA BOLA".

Não encontramos indícios de estrutura semelhante à gramatical no comportamento higiênico das moscas (mesmo assim, veja abaixo). O que encontramos foi um interessante padrão zigue-zague na forma como a previsibilidade decai com o tempo: em outras palavras, como o futuro imediato pode ser menos previsível que o futuro (um pouquinho) mais distante. Vou apresentar aqui nossa pesquisa em linhas gerais, sem entrar em muitos detalhes, porque é um tanto complicada.

Não se costuma ver beleza nas moscas, mas é encantadora a maneira como elas lavam o rosto e os pés. Observe da próxima vez que uma pousar por perto, você provavelmente vai notar esse comportamento. Talvez ela esfregue as patinhas dianteiras, ou use-as para limpar os olhões. Talvez esfregue a pata central de um lado na pata traseira do mesmo lado, ou limpe o abdômen ou as asas com as patas traseiras. Em algum lugar daquela cabecinha há decisões sendo geradas espontaneamente, e boa parte dessas decisões trata de qual parte do corpo limpar a seguir. O interessante no comportamento de higiene individual das moscas era que a escolha do comportamento tinha muito pouca probabilidade de ser estimulada por fatores externos. Partimos do princípio de que o estímulo externo representava uma necessidade permanente de se manter limpa — permanente no sentido de que, embora importante, tinha baixa probabilidade de determinar exatamente quando certa ação higiênica seria escolhida. Asas sujas podem atrapalhar o voo. A sujeira prejudicaria os sensibilíssimos órgãos gustativos situados nas patas e usados pelas moscas para decidir se vão ou não esticar a língua e comer. Por isso a limpeza é importante. Mas supõe-se que a decisão quanto a qual parte limpar não seja determinada pela chegada repentina de uma nova partícula de sujeira. Suspeitamos que, na verdade, essas decisões rápidas, de momento, fossem geradas internamente por flutuações imperceptíveis ocorridas nas profundezas do sistema nervoso.

Reconhecemos oito ações de higiene, que, deduzimos, apareceriam como PFAS se tivéssemos tempo de analisar fotograma por fotograma como havíamos feito com as bebericadas dos pintinhos: DIA (esfregar as patas dianteiras entre si), LIN (roçar a língua entre as patas dianteiras), CAB (limpar a cabeça com as patas dianteiras), CDI (esfregar qualquer das patas centrais entre as patas dianteiras), CTR (esfregar qualquer das patas centrais entre as patas traseiras), TRA (esfregar as patas traseiras entre si), ABD (limpar o abdômen com as patas traseiras), ASA (limpar as asas com as patas traseiras). Usando um Órgão Dawkins, registramos as sequências desses oito atos de higiene, mais MOV (sair do lugar) e NAD (ficar parada, sem fazer nada).

O gráfico a seguir mostra a probabilidade — dado que a mosca está executando CAB — de que a seguir ela execute uma ação de higiene DIA ("intervalo" = 1, altíssima probabilidade), a seguir mais uma (baixíssima probabilidade), a seguir mais duas (alta probabilidade), a seguir mais três (baixa probabilidade) etc.

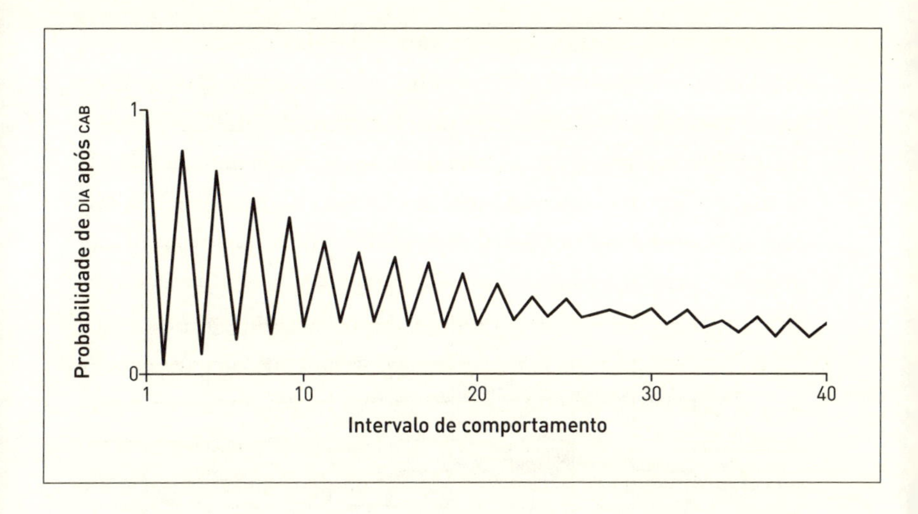

Percebe-se, assim, que há uma tendência pronunciada a alternar, e também que há (como seria de esperar) um enfraquecimento geral na previsibilidade quando observamos o futuro mais distante — "intervalos" cada vez maiores.

Essa imagem se referia ao caso específico de DIA após CAB. Traçamos o mesmo gráfico para todas as transições possíveis e reunimos os gráficos numa tabela (na página seguinte).

Nota-se aí que muitas das transições seguem o mesmo padrão zigue-zague, embora algumas fiquem exatamente fora de fase entre si. A fileira inferior (INC) mostra a incerteza combinada às previsões de futuro após cada comportamento, calculadas conforme o Índice de Informação de Shannon, da mesma forma que havíamos feito no estudo com as bebericadas dos pintinhos.

Também tentamos o experimento de usar o ouvido humano para identificar padrões de comportamento animal. Para isso, usamos uma versão do Órgão Dawkins programada para registrar o comportamento higiênico das moscas, mas eliminamos os intervalos verdadeiros entre notas musicais. Mandei o computador reduzir todos os intervalos a um único intervalo curto pa-

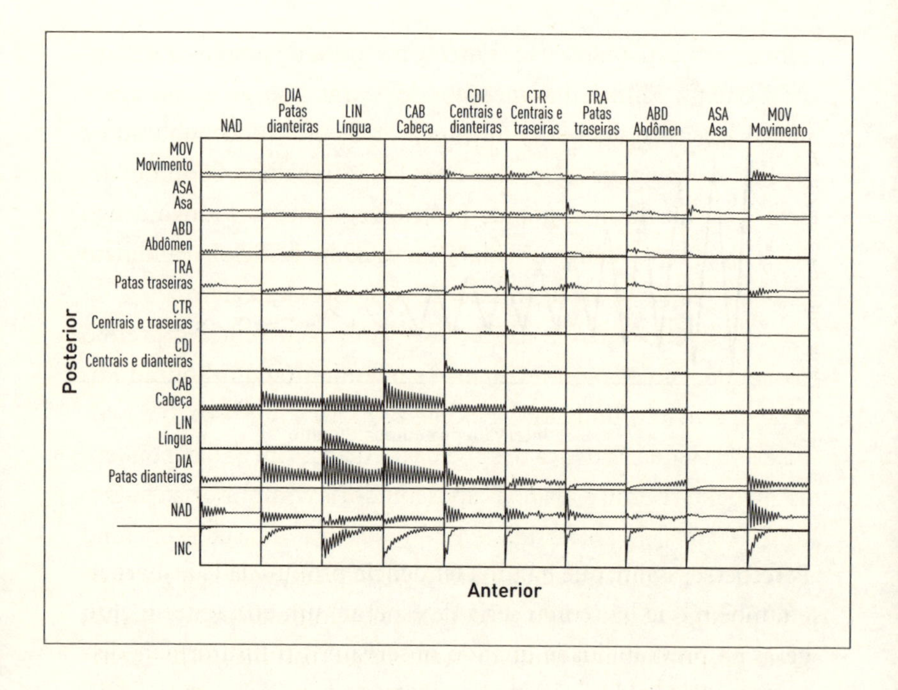

drão, e nos pusemos então a escutar a "música". Soava bastante como jazz "contemporâneo" (em oposição ao "tradicional"). E também soava muito como Elliott, o computador/cantor dos meus namoricos insones juvenis — suponho que a comparação possa ser relevante. Achei que o ouvido humano podia ser um dispositivo promissor para usar na detecção de padrões de comportamento animal, mas não dei continuidade ao método; comento-o aqui a título de mera curiosidade. Se a World Wide Web já existisse naqueles tempos, eu com certeza teria postado a música do banho da mosquinha e você ia dançar. A triste realidade, porém, é que as Melodias Diptéricas se perderam para sempre, tal como o Acorde Perdido de Sullivan.

Não posso afirmar que nossos estudos com moscas, ou outros estudos anteriores sobre tomada de decisão, nos digam muito sobre o funcionamento do cérebro animal. Vejo-os mais como explorações de métodos: não somente métodos de pesquisar o comportamento animal, mas métodos de *pensar*. Marian e eu fizemos vários outros trabalhos com moscas, mas está tudo publicado e não escreverei mais sobre eles aqui. Esses trabalhos, contudo, desembocaram no meu grande projeto seguinte: um longo artigo teórico sobre "Organização hierárquica como princípio candidato para a etologia", tema de um trecho posterior deste livro.

Enquanto isso, em 1973, Niko Tinbergen vencia o prêmio Nobel de fisiologia ou medicina (em conjunto com Konrad Lorenz, o outro cofundador da etologia, e Karl von Frisch, o descobridor da lendária dança das abelhas). Apenas um ano depois, em 1974, Niko chegou à idade de aposentadoria compulsória em Oxford, 67 anos, e a universidade aceitou nomear um sucessor como *reader* de comportamento animal. *Reader* era uma categoria de alto prestígio em Oxford — depois caiu em desuso na tentativa, creio eu, de alinhar o título de *professor* ao costume norte-americano de distribuí-lo com mais generosidade entre aqueles indelicadamente apelidados de *Mickey Mouse professors*. Eu estava muito contente com meu cargo de professor assistente, e não tinha a ambição de me candidatar à vaga.

Muitos pensavam em Mike Cullen como o sucessor natural de Niko. Talvez por isso mesmo, a fim de promover uma renovação no departamento, a maior parte do comitê de nomeação elegeu David McFarland. Como escreveu Hans Kruuk na sua biografia de Tinbergen, "não havia como encontrar alguém mais diferente de Niko". Embora tenha gerado controvérsia por muitos cantos, a nomeação de David foi em certo sentido inspirada, pelo menos se se entende uma nomeação como a oportunidade de romper com o passado. A ciência que ele defendia era altamente teórica, aliás matemática. Ele trazia ao estudo do comportamento animal as intuições do matemático, e cercava-se de matemáticos e engenheiros que sabiam fazer as contas direitinho. O falatório no café passou de gaivotas e esgana-gatos em campo para sistemas de controle de feedback e simulações computacionais.

Talvez aquilo fosse um microcosmo do modo como a biologia vinha mudando. Eu era jovem e ainda não havia traçado meus caminhos. Minha atitude era: "Se não pode vencê-los, junte-se a eles". Comecei então a aprender a teoria de controle com os engenheiros e os matemáticos que passaram a me rodear. E que jeito melhor de aprender que não com a mão na massa? Mais uma vez me entreguei à minha paixão — ou vício — pela programação e escrevi um programa para um computador digital (o "meu" PDP-8), permitindo que ele se comportasse como computador analógico. Para esse fim, inventei mais uma linguagem, que chamei de SysGen.

À diferença das proposições numa linguagem de computador convencional como o Fortran, executadas em sequência, as declarações no SysGen eram executadas "em simultaneidade" — não numa simultaneidade exata, claro, porque no fundo qualquer computador digital faz tudo em sequência, mas com a possibilidade de serem escritas em qualquer ordem. Minha missão ao escrever o SysGen Interpreter era persuadir o computador digital a comportar-se *como se* as operações fossem simultâneas: um computador analógico virtual. Como num computador analógico, os resultados eram exibidos sob a forma de um conjunto de gráficos numa tela de osciloscópio.

Não sei ao certo se o SysGen tinha utilidade prática, mas inventar a linguagem e escrever o programa de interpretação com certeza me ajudou a entender não só a teoria de controle, mas também o cálculo integral. Passei a ter uma noção muito mais clara do que significa integrar. Lembrei de meu avô materno recomendando *Calculus Made Easy*, de seu antigo mentor Silvanus Thompson (aquele que gostava de dizer: "Se um imbecil consegue, outro consegue também"). Thompson apresenta sua explicação da integração com outra frase que ficou grudada na minha cabeça: "Então é melhor nem perder tempo em aprender a integrar". Nas aulas de Ernie Dow eu havia entendido integração só pela metade, e o SysGen me deu a experiência prática que vem auxiliar a compreensão.

Semelhante em intenção mas muito mais fácil e menos demorada foi minha tentativa de entender a linguística chomskyana pelo método mão na massa. Escrevi um programa de computador para gerar sequências aleatórias, que podiam não ser lá muito significativas mas eram sempre escrupulosamente gramaticais. Isso é fácil — e o fato em si é instrutivo —, desde que a linguagem de programação permita que procedimentos (subrotinas) sejam ativados *recursivamente*. Isso valia também para o Algol-60, minha linguagem de programação favorita na época — por influência de Roger Abbott, que tivera brilhante êxito em escrever um compilador Algol para o PDP-8. As subrotinas do Algol podiam se autoativar, o que representava uma vantagem sobre a antiga versão do velho quebra-galho dos cientistas programadores, a linguagem Fortran, da IBM. Falar em Fortran me lembra de uma piada interna contada por Terry Winograd, pioneiro da inteligência artificial. Em algum momento nos anos 1970, participei de um congresso fascinante em Cambridge sobre os últimos avanços em programação de inteligência artificial, e Winograd era o palestrante de maior destaque. Lá pelas tantas ele deu vazão a um sarcasmo maravilhoso: "Talvez alguns de vocês sejam daqueles que dizem: 'O Fortran serviu até para o meu avô, vai servir para mim'".

Contanto que sua linguagem de programação permita que os procedimentos se autoativem recursivamente, escrever programas para produzir gramática correta é notavelmente — elegantemente — fácil. Escrevi um programa que tinha procedimentos de nomes como SintagmaNominal, SintagmaAdjetivo, OraçãoAdverbial, OraçãoAdjetiva etc. — todos eles capazes de ativar outro procedimento, inclusive a si próprios — e gerava sequências aleatórias como a seguinte:

> (*O substantivo adjetivo* (*do substantivo adjetivo* (*que adverbialmente adverbialmente verbou* (*em substantivo* (*do substantivo* (*que verbou*))))) *adverbialmente verbou*)

Com uma análise gramatical cuidadosa (como eu fiz usando os parênteses, embora o computador só os deixasse implícitos), vemos que a frase é gramaticalmente correta, ainda que não carregada de informação. Faz sentido sintático, mas não semântico. O computador tem facilidade para injetar semântica (mesmo que sem sentido) com a substituição de "substantivo", "adjetivo" etc. por exemplos específicos escolhidos aleatoriamente de substantivos e adjetivos. Assim você poderia injetar o vocabulário de determinada área, como pornografia ou ornitologia. Ou então injetar o vocabulário da metabobageira pseudointelectual — como Andrew Bulhak viria a fazer em seu hilário software Gerador de Pós-Modernismo, que citei em *O capelão do Diabo*:

> Ao examinarmos a teoria capitalista, nos vemos diante de um impasse: rejeitar o materialismo neotextual ou concluir que a sociedade tem valor objetivo. Se o dessituacionismo dialético tem validade, temos que escolher entre o discurso habermasiano e o paradigma subtextual do contexto. Pode-se dizer que o sujeito é contextualizado num nacionalismo textual que inclui a verdade como uma realidade. Num certo sentido, a premissa do paradigma subtextual do contexto afirma que a realidade advém do inconsciente coletivo.

Essa bobajada gerada aleatoriamente faz tanto sentido quanto muitas revistas científicas dedicadas à metabobageira da "teoria literária" que se vê por aí, e o programa de Bulhak é capaz de gerar uma quantidade literalmente indefinida disso.

Dois outros projetos de programação meus datam desse período, ambos os quais acabaram servindo não tanto para produzir resultados de utilidade prática imediata quanto para afiar minhas habilidades para o futuro. O primeiro foi um programa concebido para traduzir uma linguagem computacional para outra: especificamente, do Basic para o Algol-60. Funcionava bem para as duas linguagens e teria podido, com algumas modificações mínimas, traduzir de qualquer linguagem computacional daquele tipo algorítmico genérico para qualquer outra. Meu segundo projeto dessa época foi o Stridul-8: um programa para fazer o computador PDP-8 cantar como um grilo.

Eu havia me inspirado pelo trabalho sobre grilos do meu amigo de Berkeley, o neurobiólogo David Bentley; além disso, Ted Burk, meu estudante de pós-graduação com inclinações entomológicas (hoje professor em Nebraska), estava muito motivado a trabalhar com esses bichinhos para sua tese de doutorado. David fez a gentileza de me enviar ovos do *Teleogryllus oceanicus*, uma espécie do Pacífico. Eles eclodiram em Oxford e logo já tínhamos uma colônia próspera, da qual Ted cuidava e a qual alimentava com alface. Enquanto o sempre produtivo Ted desenvolvia sua pesquisa sobre o comportamento dos grilos, concebi um projeto paralelo usando canto de cortejo gerado por computador. Esse projeto de pesquisa nunca foi concluído, mas a escrita do Stridul-8 eu concluí, e ele funcionou muito bem.

Meu aparelho de teste era uma minigangorra, feita de pau-de-balsa para ficar levinha — e não poderia ser de outro jeito, visto que os usuários da gangorra eram grilos. Era nada mais do que uma passarela comprida de pau-de-balsa, fechada com redinhas nos lados e em cima, apoiada sobre um pivô central. Um grilo fêmea por vez era solto na passarela, com liberdade para caminhar de uma ponta à outra o quanto quisesse. A ponta de que ele se aproximasse pendia para baixo, como competia a uma gangorra, e essa inclinação era registrada por um microinterruptor, que então invertia a localização do som. Havia dois alto-falantes pequenininhos, um em cada ponta da gangorra. A cantoria de um grilo macho saía de qualquer um dos dois alto-falantes que estivesse na ponta oposta à do grilo fêmea. Pois imagine que você é uma fêmea de grilo, repousando na extremidade oeste do corredor. Uma música vinda do leste lhe chega aos ouvidos. Você gosta do que ouve, e aí começa a andar rumo leste. Ao chegar perto da ponta leste, seu peso faz a gangorra pender para baixo, ativando o microinterruptor e assim informando o computador, que transfere a música para o alto-falante oeste. Aí você vira e volta para oeste, e o processo inteiro acontece às avessas. Os cantos preferidos, portanto, geravam grande número de inversões da gangorra, que eram contadas automaticamente pelo computador. Se a fêmea achou que estava atrás de um macho tímido e sempre distante, ou de um macho caprichoso a dar pulos inusitados e incessantes sobre a cabeça dela, ou mesmo se achou qualquer coisa que fosse, é impossível dizer. Os cantos não preferidos geravam pequeno número de balanços da gangorra. Se um canto chegasse a lhe causar decidida repugnância, o grilo fêmea ficava na ponta oposta da passarela e não gerava a menor inclinação da gangorra.

Era esse, portanto, o meu aparelho de medir o quanto os grilos gostam de diferentes cantos. Toca-se o Canto A durante cinco minutos do regime alternado da gangorra, depois o Canto B e assim por diante, por várias rodadas, devidamente randomizadas etc. As inclinações da gangorra eram contadas como medida de quanto o grilo gostou de cada canto. O propósito dos cantos gerados por computador, em oposição aos cantos reais, era dissecar, bem na tradição de Tinbergen, o que há no canto próprio da espécie que atrai os grilos. O computador variava o canto de modo sistemático. O plano inicial era começar com uma simulação do canto natural e então alterá-lo — cortar algumas partes, ampliar outras, variar o intervalo entre estridulações e assim por diante. Mais tarde, minha expectativa — um tanto desmedida — foi que o computador passasse a ser programado para começar com um canto aleatório e aí "aprender" — ou, pode-se dizer, "evoluir" —, escolhendo "mutações" passo a passo, progredindo até chegar a um canto preferido sintético. Se o canto preferido se revelasse ser o canto natural do *Teleogryllus oceanicus*, não teria sido sensacional? E se eu tivesse feito o mesmo com o *Teleogryllus commodus* e o computador chegasse a uma música completamente diferente? Que orgulho teria sido para o pesquisador!

Ao programar o computador para cantar, eu queria torná-lo o mais versátil possível. É nisso que os computadores são bons: em ser versáteis. Como na simulação de computador analógico, e como no programa de tradução de linguagens, eu queria programar o caso geral. E foi aí que entrou o Stridul-8: sua linguagem permitia especificar qualquer combinação de pulsos e intervalos, e portanto qualquer canto de grilo no mundo. O Stridul-8 tinha um sistema bem intuitivo de notação com parênteses, que permitia ao usuário inserir repetições, e repetições dentro de repetições, de uma maneira que lembrava a gramática da linguagem (ver páginas 237 e 238).

O Stridul-8 funcionou bem. Suas simulações do canto grilídeo soavam aos ouvidos humanos como grilos de verdade, e foi fácil programar o computador para cantar como qualquer espécie de grilo do mundo. Porém, quando exibi o sistema ao dr. Henry Bennet-Clark, autoridade mundial na acústica dos sons produzidos por insetos, recém-chegado de Edinburgo para assumir um cargo em Oxford, ele fez uma cara feia e disse "Irrc!". O Stridul-8 só conseguia especificar o padrão em tempo de pulsos sonoros correspondentes a uma batida de asas. Eu não havia tentado simular a forma real das ondas produzidas pelas batidas de asas separadamente, e era a isso que Henry se opunha. Ele tinha razão.

O Stridul-8, nos moldes em que se encontrava, não fazia justiça aos grilos arborícolas europeus, cujo canto Henry já havia descrito como a música do luar, se pudéssemos ouvir o luar. Temporariamente desincentivado, guardei na gaveta o projeto todo sobre o canto do grilo, fui cuidar de outras incumbências mais prementes — acima de todas um convite desafiador de Cambridge — e infelizmente nunca retornei a ele: meus dias de grilo haviam acabado. Já lamentei isso muitas vezes. Acho que quase todo cientista tem essas pontas soltas, projetos iniciados, jamais acabados. Se cheguei a ter alguma vaga intenção de voltar aos grilos, ela foi frustrada pela Lei de Moore: os computadores mudam com tamanha velocidade que, se você deixa uma ponta da sua pesquisa solta pelo tempo que deixei aquela, descobre que os computadores em uso ficaram todos mais jovens e mais atraentes, e que esqueceram como rodar os seus programas antigos. Hoje, para achar um computador que rode o Stridul-8, eu precisaria visitar um museu.

A gramática do comportamento

O Grupo de Pesquisa em Comportamento Animal de Oxford, sob a coordenação de Tinbergen, sempre mantivera relações cordiais com o subdepartamento correspondente de Cambridge, que ficava na vizinha aldeia de Madingley. A estação de pesquisa Madingley foi fundada em 1950 por W. H. Thorpe — cientista de grande distinção cuja personalidade delicadamente austera, quase eclesiástica, é mais bem resumida pelo gracejo de Mike Cullen: era típico de Thorpe, quando precisava de notação para registrar o canto de algum pássaro, fazer uma transcrição para o *órgão.* A Madingley comemorou seu quarto de século em 1975 com um congresso em Cambridge organizado por Patrick Bateson e Robert Hinde, figuras proeminentes da estação após a aposentadoria de Thorpe, ambos então futuros diretores de faculdades de Cambridge. Vários palestrantes na conferência da Madingley eram membros anteriores ou presentes do grupo, mas também foram convidadas pessoas de fora, e David McFarland e eu tivemos a honra de representar Oxford.

Hoje em dia, nas raras ocasiões em que aceito palestrar em congressos como esse, confesso que geralmente pego uma palestra antiga, tiro a poeira e atualizo. Mais jovem e mais vigoroso em 1974, tampei o nariz e mergulhei na elaboração de algo inédito para a conferência do jubileu da estação Madingley e para o livro que sairia dali. O assunto que escolhi, "organização hierárquica", já tinha longo histórico na etologia. Era o tema principal de um dos capítulos mais ousados — e mais criticados — do *magnum opus* de Tinbergen, *The Study of Instinct*, no capítulo intitulado "Uma tentativa de síntese". Escolhi um enfoque bem diferente — ou, antes, vários enfoques diferentes, e também eu tentei uma síntese.

A essência da organização hierárquica, na interpretação que lhe dei, é a ideia da "incrustação progressiva". Posso explicá-la pelo contraste do que ela *não é*, e aqui faço eco à discussão gramatical já comentada. Pode-se tentar descrever uma sucessão de acontecimentos — a sucessão de coisas que um animal faz, digamos — como uma Cadeia de Markov. O que é isso? Não me arriscarei a dar uma definição formal, matemática, como a oferecida pelo matemático russo Andrei Markov. Uma definição informal e verbal seria a seguinte: uma Cadeia de Markov de comportamento animal é uma série em que o que um animal faz agora é determinado pelo que ele fez antes, voltando um número definido de passos mas não mais que isso. Numa Cadeia de Markov de primeira ordem, o que o animal faz a seguir pode ser previsto, por meio de estatísticas, por sua ação imediatamente precedente, mas não por nenhuma anterior a esta. Olhar a penúltima ação (ou a antepenúltima ação etc.) não confere a você nenhum poder preditivo adicional. Numa Cadeia de Markov de segunda ordem, você melhora sua capacidade de previsão se olhar as duas ações anteriores, mas não mais que isso. E assim por diante.

O comportamento organizado em hierarquia já seria bem diferente. A análise da Cadeia de Markov, fosse na ordem que fosse, não funcionaria. A previsibilidade do comportamento não iria diminuir conforme você olhasse mais para o futuro, mas iria, sim, subir e descer de uma maneira intrigante — similar aos hábitos de higiene da mosca-varejeira, mas ainda mais intrigante. Num caso ideal, o comportamento estaria organizado em blocos discretos. E em blocos dentro de blocos. E em blocos dentro de blocos dentro de blocos. É isso que se quer dizer com "incrustação progressiva". O modelo mais claro de incrustação progressiva é a sintaxe, a gramática da linguagem humana. Retomemos o programa que escrevi para gerar frases aleatórias gramaticalmente corretas, e o exemplo que citei:

> O SUBSTANTIVO ADJETIVO do substantivo adjetivo que adverbialmente adverbialmente verbou em substantivo do substantivo que verbou ADVERBIALMENTE VERBOU.

A frase nuclear está em destaque. Você pode ler e verificar que está gramaticalmente correta, sem as orações adjetivas e os sintagmas preposicionados incrustados no meio. Podemos construir a incrustação da seguinte maneira. O importante é que a construção ocorra *dentro* da frase nuclear, ou dentro de partes já incrustadas. Leia para si as partes destacadas:

> O SUBSTANTIVO ADJETIVO do substantivo adjetivo que adverbialmente adverbialmente verbou em substantivo do substantivo que verbou ADVERBIALMENTE VERBOU.

> O SUBSTANTIVO ADJETIVO DO SUBSTANTIVO ADJETIVO que adverbialmente adverbialmente verbou em substantivo do substantivo que verbou ADVERBIALMENTE VERBOU.

O SUBSTANTIVO ADJETIVO DO SUBSTANTIVO ADJETIVO QUE ADVERBIALMENTE ADVERBIALMENTE VERBOU em substantivo do substantivo que verbou ADVERBIALMENTE VERBOU.

O SUBSTANTIVO ADJETIVO DO SUBSTANTIVO ADJETIVO QUE ADVERBIALMENTE ADVERBIALMENTE VERBOU EM SUBSTANTIVO do substantivo que verbou ADVERBIALMENTE VERBOU.

O SUBSTANTIVO ADJETIVO DO SUBSTANTIVO ADJETIVO QUE ADVERBIALMENTE ADVERBIALMENTE VERBOU EM SUBSTANTIVO DO SUBSTANTIVO QUE VERBOU ADVERBIALMENTE VERBOU.

Em cada membro da sequência acima, podemos ler a parte destacada sozinha e perceber que é gramaticalmente correta. Podemos deletar as partes incrustadas, sem destaque, e assim mudar o sentido da frase, mas isso não impediria que ela continuasse gramaticalmente correta.

Se, pelo contrário, construíssemos a frase por meio de acréscimos progressivos da esquerda para a direita, nenhuma parte da sequência seria gramaticalmente correta até que atingíssemos o fim da frase completa.

O substantivo adjetivo [Não forma frase.]

O substantivo adjetivo do substantivo adjetivo [Não forma frase.]

O substantivo adjetivo do substantivo adjetivo que adverbialmente adverbialmente verbou [Não forma frase.]

O substantivo adjetivo do substantivo adjetivo que adverbialmente adverbialmente verbou em substantivo [Não forma frase.]

O substantivo adjetivo do substantivo adjetivo que adverbialmente adverbialmente verbou em substantivo do substantivo que verbou adverbialmente verbou. [Enfim temos uma frase.]

Só no último caso a frase fecha e se torna gramatical. O que eu queria saber era se o comportamento animal se organiza em Cadeia de Markov ou por incrustação progressiva, talvez como a sintaxe ou talvez de outra forma hierarquicamente incrustada. Pode-se perceber que alguns indícios dessa ideia já se insinuavam por trás da pesquisa que Marian e eu havíamos feito com as bebericadas dos pintinhos e principalmente com a higiene individual das moscas. Agora, no meu artigo para a estação Madingley, eu queria obter uma visão mais geral sobre a questão da organização hierárquica, assumindo um ponto de vista teórico e ao mesmo tempo considerando estudos concretos do comportamento animal.

Após definir várias modalidades de hierarquia numa notação conveniente de lógica matemática, levei em conta as possíveis vantagens evolutivas da organização hierárquica. Para ilustrar o que denominei "taxa de vantagem evolutiva", tomei emprestada a parábola do economista Herbert Simon, ganhador do Nobel, sobre dois relojoeiros chamados Tempus e Hora. Seus relógios tinham precisão igual, mas Tempus levava muito mais tempo para terminar um relógio. Os dois tipos de relógio tinham mil componentes. Hora, o relojoeiro mais eficiente, seguia um método modular, hierárquico. Separava seus componentes em cem subconjuntos de dez componentes cada. Estes, por sua vez, eram reunidos em dez unidades maiores, que por fim eram juntadas para completar o relógio. Tempus, em contrapartida, tentava juntar os mil componentes numa única e grande operação de montagem. Se perdesse um só componente, ou se o telefone interrompesse seu trabalho, a coisa toda caía aos pedacinhos e ele precisava começar tudo de novo. Ele quase nunca conseguia terminar um relógio, ao passo que Hora, com sua técnica modular hierárquica, produzia em ritmo industrial. O princípio é bem conhecido de todos os programadores de computador, e certamente se aplica à evolução e à construção de sistemas biológicos.

Enalteci também outra vantagem da organização hierárquica, a "vantagem da administração local". Se você tenta controlar um império a partir de Londres, ou de Roma em tempos passados, não pode querer gerenciar cada pormenor do que acontece em áreas remotas do império, pois os canais de comunicação — nas duas vias — são muito lentos. O que você faz é nomear governantes locais, passar diretivas gerais de conduta e deixar as decisões do dia a dia para eles. O mesmo se aplica necessariamente a um veículo robotizado numa missão em Marte. Os sinais de rádio levam vários minutos para atravessar toda a distância entre os dois planetas. Se o veículo topa com uma dificuldade local, como uma rocha, ele envia à Terra essa informação, que leva quatro minutos para chegar. "Vire à esquerda para não bater na rocha", retorna a resposta urgente, e esta leva mais quatro minutos para chegar até Marte. Nesse meio-tempo, o coitado do veículo já se espatifou na rocha. É óbvio que a solução é delegar controle local a um computador embutido, e dar ao computador local apenas instruções gerais de conduta: "Explorar a cratera a noroeste, evitando rochas sempre que se deparar com elas". Pelo mesmo princípio, se há vários veículos explorando diversas regiões de Marte, faz todo sentido que a Terra envie instruções gerais de conduta a um computador de alto escalão em Marte, que por sua vez envia instruções mais detalhadas para coordenar as atividades de todos os veículos subordinados, cada qual com seu computador embutido para tomar decisões locais pormenorizadas. Os exércitos e as grandes corporações usam cadeias hierárquicas de comando parecidas, e, mais uma vez, os sistemas biológicos fazem o mesmo.

A esse respeito, são dignos de nota os dinossauros gigantes, cuja compridíssima medula espinhal impunha uma distância inconveniente entre o cérebro, na cabeça, e a sede da maior parte da ação, as gigantescas patas traseiras. A seleção natural resolveu o problema com um segundo "cérebro" (um gânglio ampliado) na pélvis:

Behold the mighty dinosaur,
Famous in prehistoric lore,
Not only for his power and strength
But for his intellectual length.
You will observe by these remains
The creature had two sets of brains —
One in his head (the usual place),
The other at his spinal base.
Thus he could reason "A Priori"
As well as "A Posteriori".
No problem bothered him a bit
He made a head and tail of it.
So wise was he, so wise and solemn,
Each thought filled just one spinal column.
If one brain found the pressure strong
It passed a few ideas along.
If something slipped his forward mind
'Twas rescued by the one behind
And if in error he was caught
He had a saving afterthought.
As he thought twice before he spoke
He had no judgment to revoke.
Thus he could think without congestion
Upon both sides of every question.

Oh, gaze upon this model beast,
*Defunct ten millions years at least.**

Bert Leston Taylor
(1866-1921)

"Assim é que raciocinava '*A Priori*'/ Tanto como '*A Posteriori*'" — eu queria ter escrito isso. Precisa vasculhar muito para achar outro poema com tantos lampejos de espirituosidade em quase todo verso.

Estabelecidas as vantagens da organização hierárquica em caráter mais geral, passei a investigar se havia evidências dela em casos específicos de comportamento animal. Começando pela reanálise dos dados sobre as moscas-varejeiras registrados por mim e Marian, passei a outros dados extraídos da literatura sobre o comportamento animal, que fucei na biblioteca. Entre outros, incluí um extenso estudo sobre o comportamento das castanhetas, outro sobre a higiene facial dos camundongos e outro sobre os rituais de cortejo dos lebistes.

Eu queria formular técnicas matemáticas para detectar o incrustamento hierárquico, numa tentativa de objetividade, sem o viés das minhas pré-concepções. O que denominei Conglome-

* Em tradução livre: "Contemplai o poderoso dinossauro,/ Famoso na cultura pré-histórica,/ Não somente por seu poder e força/ Mas por sua profundidade intelectual./ Haveis de observar por estes fósseis/ Que a criatura tinha dois cérebros:/ Um na cabeça (o lugar usual),/ O outro na base espinhal./ Assim é que raciocinava '*A Priori*'/ Tanto como '*A Posteriori*'./ Nenhum problema o incomodava/ Era só ele, a cabeça e o rabo./ Tão sábio era, tão sábio e solene,/ Que cada pensamento preenchia uma só coluna vertebral./ Se um cérebro sentisse muita pressão/ Passava umas ideias adiante./ Se algo escapasse à mente da frente/ Era logo resgatado pela de trás/ E se fosse flagrado um erro/ Dava um arremate redentor./ Por pensar duas vezes antes de falar/ Não tinha juízo a revogar./ Podia, assim, pensar sem congestão/ Sobre os dois lados de toda questão./ Oh, admirai esta fera modelar,/ Extinta há no mínimo dez milhões de anos". (N. T.)

ração de Intercambialidade foi só um dos vários métodos baseados em informática que concebi. O método começava contando as frequências das transições entre padrões comportamentais, mas então passava a analisar os dados de uma forma hierárquica especial. Eu supria o computador com uma tabela que mostrava quantas vezes cada padrão comportamental no repertório do animal era seguido de outro. Então o computador sistematicamente examinava os dados para tentar achar pares de padrões comportamentais que fossem *intercambiáveis.* Intercambiável significa passível de ser colocado no lugar do outro sem alterar o padrão geral das frequências das transições (ou quase sem alterá-lo, de acordo com critérios predefinidos). Assim que um par intercambiável era identificado, os dois membros da dupla eram renomeados com um nome *conjunto*, e a tabela das transições se contraía, pois ficava com uma linha e uma coluna a menos. Aí a tabela contraída era reintroduzida no programa de conglomeração, e o esquema todo se repetia quantas vezes fosse necessário até esgotar toda a lista de padrões comportamentais. À medida que cada par de padrões comportamentais era engolido por um conglomerado, ou que cada conglomerado já engolido era engolido por um conglomerado maior, o programa subia um nó na árvore hierárquica. Na página ao lado está, por exemplo, minha árvore da intercambialidade para o padrão comportamental dos lebistes, alimentada por dados de um grupo de pesquisadores holandeses orientados pelo professor G. P. Baerends (que, por acaso, fora o primeiro aluno pós-graduando de Niko Tinbergen e mais tarde uma das figuras mais importantes da etologia europeia).

O diagrama da parte superior mostra as frequências das transições entre padrões comportamentais do lebiste, tais como

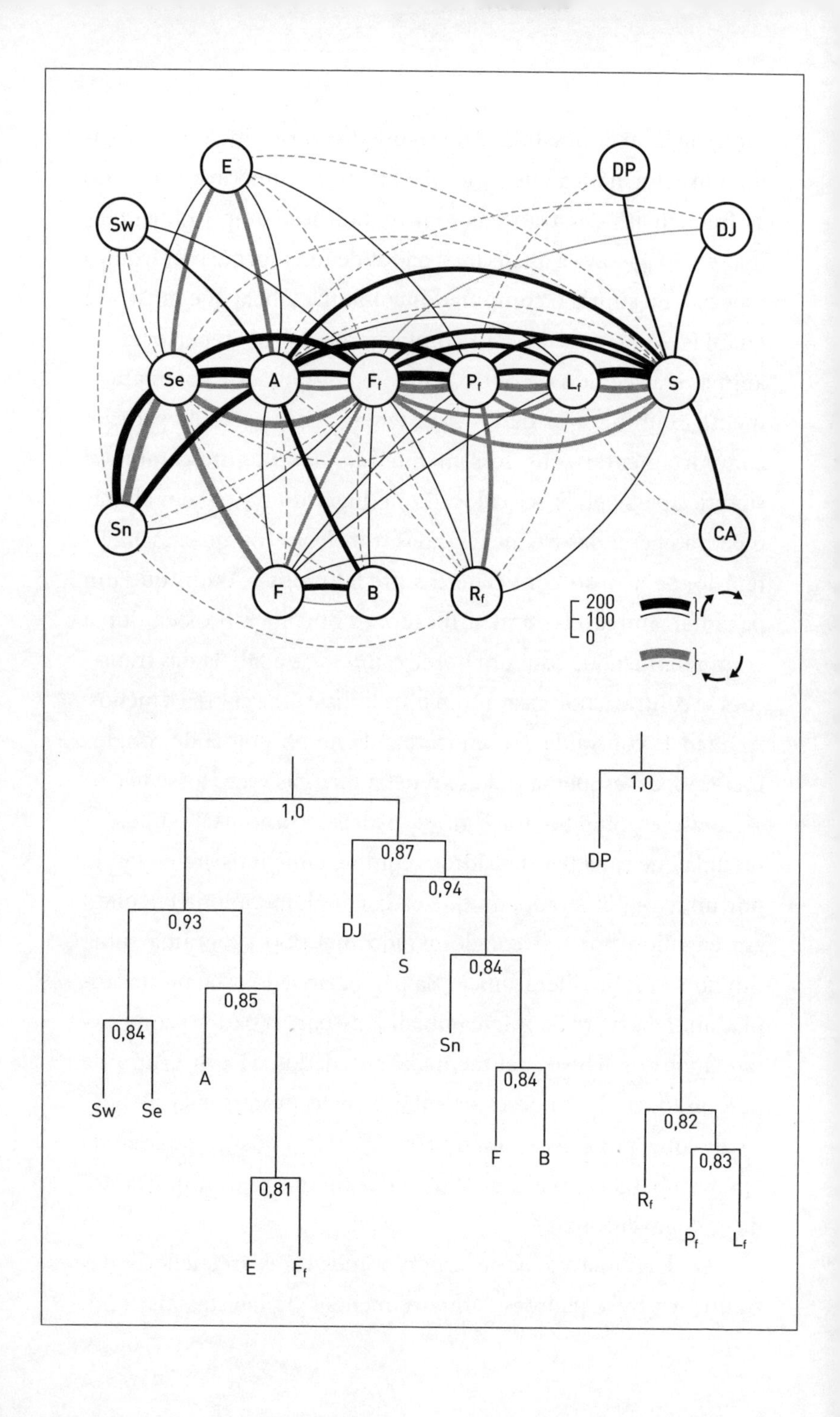
E
Sw
DP
DJ
Se
A
F_f
P_f
L_f
S
Sn
CA
F
B
R_f
200
100
0
1,0
0,87
0,94
0,93
0,84
0,85
0,84
0,84
0,81
Sw
Se
A
E
F_f
DJ
S
Sn
F
B
1,0
DP
0,82
0,83
R_f
P_f
L_f

A foto em que estou com meus pais, tirada num casamento da família (minha irmã, Sarah, era dama de honra, por isso não estava conosco), infelizmente não mostra o vermelho-vivo do chapéu que eu usava como aluno da Chafyn Grove. No meu primeiro trimestre em Oundle, não acho que eu estivesse tão feliz quanto demonstrei para a câmera. Uma das melhores coisas do colégio era Ioan Thomas, aqui visto incentivando a fome de saber no mundo natural.

A vida em Over Norton: o decrépito Land Rover com que nos arrojávamos pela terra esburacada; porcos Wessex Saddlebacks ornando a terra igualmente esburacada que na época era o jardim de nosso chalé, por volta de 1951; meu inventivo pai orgulhoso diante de seu pasteurizador patenteado; e a colheita do feno com o tratorzinho Fergie.

Nas férias de verão, minha tarefa era rebocar fardos.
Abaixo: seguindo os passos de meu pai, transportando
uma relíquia de família ou algo assim.

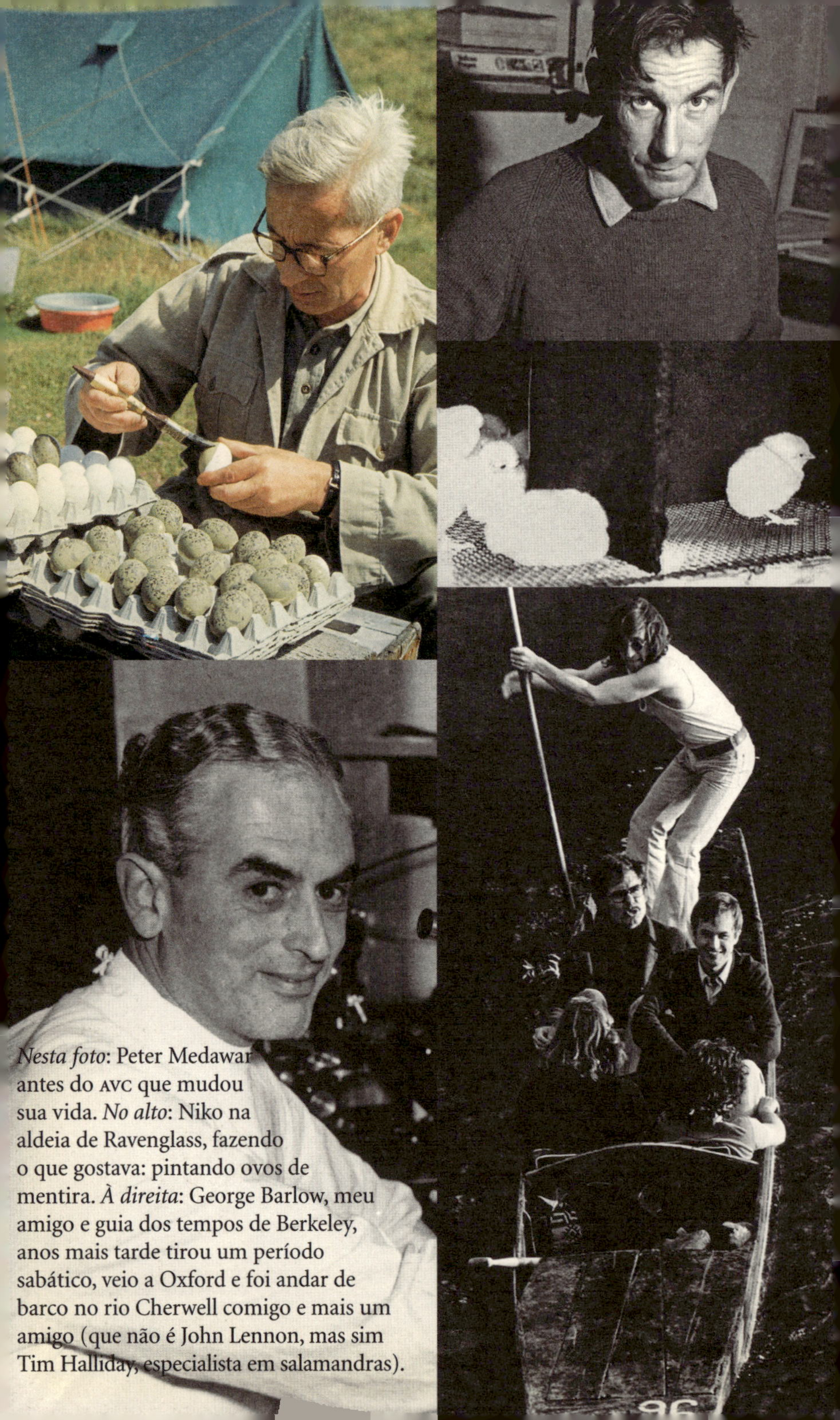

Nesta foto: Peter Medawar antes do AVC que mudou sua vida. *No alto*: Niko na aldeia de Ravenglass, fazendo o que gostava: pintando ovos de mentira. *À direita*: George Barlow, meu amigo e guia dos tempos de Berkeley, anos mais tarde tirou um período sabático, veio a Oxford e foi andar de barco no rio Cherwell comigo e mais um amigo (que não é John Lennon, mas sim Tim Halliday, especialista em salamandras).

À esquerda (*página ao lado*), *no alto*: "Olhos de profundidade sagaz, que captavam o que você queria dizer antes mesmo de suas palavras saírem. [...] o erguer cético e zombeteiro das sobrancelhas sob o cabelo desalinhado". Mike Cullen, saudosíssimo mentor de tantos. *À esquerda, no meio*: qual bicar? Pintinhos que nunca tinham visto luz vinda de cima da cabeça. *Acima*: caçando o puma de Surrey — explorador intrépito esquadrinha a paisagem em busca da fera selvagem. *Abaixo*: feras selvagens ou garotinhos assustados? A Guarda Nacional da Califórnia confronta esganiçadamente o Povo da Paz em Berkeley.

PDP-8/L
MAJOR STATES

Na página ao lado, no alto: o som dos grilos: Ted Burk e eu gravando o comportamento com microfone e o Órgão Dawkins. *No meio*: o Grupo de Pesquisa em Comportamento Animal após a mudança da Bevington Road. Marian é a da extrema esquerda. Eu estou um pouco à direita do centro. *Abaixo, à esquerda*: um computador PDP-8 igual ao que alimentou meu vício na Bevington Road. *Abaixo, à direita*: o professor Pringle e (da esquerda para a direita) seus colegas E. B. Ford, Niko Tinbergen, William Holmes, Peter Brunet e David Nichols. *Nesta página, à esquerda*: Danny Lehrman (de pé) e Niko Tinbergen (à direita) resolvendo suas divergências. *Abaixo*: Niko outra vez fazendo o que gosta: será que a cinza vai cair antes que ele termine de filmar?

Pensamentos profundos. *Acima*: Bill Hamilton e Robert Trivers debatendo-se com um problema durante a visita de Bill a Harvard. *À extrema esquerda*: o infinitamente revigorante John Maynard Smith em seu amado jardim. *À esquerda*: *O gene egoísta* com a capa original de Desmond Morris. *Abaixo, à esquerda*: Com o alto, pensativo e lincolnesco George Williams. *Abaixo*: "EU TENHO QUE FICAR COM ESSE LIVRO!" Michael Rodgers, editor estrategista-K das ciências.

foram medidas pelos cientistas holandeses. Cada círculo é rotulado com o codinome de um padrão comportamental, e a espessura das linhas representa a frequência da transição de um para o outro (as linhas negras vão da esquerda para a direita, e as cinzas, da direita para a esquerda). O diagrama da parte inferior mostra os resultados de abastecer com os mesmos dados o meu programa de Conglomeração de Intercambialidade. Os números representam o índice numérico de intercambialidade que usei a fim de comparar com o critério adotado para decidir unir duas entidades (na verdade um coeficiente de correlação de postos, caso você se interesse). Obtive árvores hierárquicas similares para os castanhetas, os camundongos, aquelas moscas-varejeiras que eu e Marian havíamos estudado etc.

Ainda outro jeito de pensar em hierarquia, que usei no meu artigo para a Madingley, era a hierarquia dos *objetivos.* Um objetivo não é, no cérebro do animal, necessariamente um objetivo consciente (embora possa ser). Eu me referia tão somente a uma condição que leva o comportamento a um fim. Por exemplo, sequências intrincadas de comportamento caçador em um guepardo seriam levadas a termo pelo "estado objetivado" de uma captura bem-sucedida. No entanto, os objetivos podem estar hierarquicamente incrustados um no outro, e essa maneira de encará-los poderia dar bons frutos. Tracei uma distinção entre "regras de ação" e "regras de interrupção". Uma regra de ação diz ao animal (ou ao computador, no caso de uma simulação computadorizada) exatamente o que fazer e quando fazer, incluindo uma série de instruções condicionais (SE... ENTÃO... SENÃO etc.). Uma regra de interrupção diz ao animal (ou à simulação computadorizada): "Comporte-se a esmo (ou teste várias possibilidades) e não pare até alcançar o *estado objetivado* seguinte" — a barriga cheia, digamos.

Um programa de regras de ação puro escrito para uma tarefa complicada como a caça empreendida por um guepardo seria de uma complexidade impensável. Muito melhor usar regras de interrupção. Mas não uma única e grande regra de interrupção — comporte-se a esmo até alcançar o estado objetivado da barriga cheia. Qualquer guepardo que vivesse segundo essa regra morreria de velho antes de conseguir uma refeição decente! Não. O jeito mais sensato de a seleção natural programar o comportamento seria com regras de interrupção incrustadas hierarquicamente. O objetivo global ("siga até ficar de barriga cheia") iria ativar objetivos secundários tais como "rondar até avistar gazela". O estado objetivado "avistar gazela" iria encerrar aquela regra de interrupção específica e iniciar a seguinte: "agachar-se e rastejar sorrateiramente em direção à gazela". Esta seria encerrada pelo estado objetivado "gazela dentro do raio de ataque". E assim por diante. Cada uma dessas regras de interrupção secundárias ativaria suas próprias regras de interrupção internamente incrustadas, cada qual com seu próprio estado objetivado. Em níveis bem mais inferiores, mesmo contrações musculares individuais costumam conformar-se ao modelo que os engenheiros chamam de "controle de servo". O sistema nervoso especifica um estado-alvo para um músculo, que se contrai até que o estado-alvo ("regra de interrupção") seja alcançado.

Mas já apresentei a ideia da incrustação hierárquica usando a analogia da gramática humana. Meu artigo para a Madingley finalmente retornou a esse tópico fascinante, e indagava se havia alguma evidência de que o comportamento animal tinha algo equivalente à estrutura gramatical. Se tivesse, isso seria interessantíssimo, pois poderia nos dar pistas dos antecedentes evolutivos da linguagem humana. Será que poderíamos especular que, quando por fim evoluiu nos seres humanos a verdadeira linguagem, com a verdadeira sintaxe hierárquica, ela pôde se erguer sobre uma fundação já toda pronta de estruturas neurais preexistentes ali montadas havia muito tempo por uma série de motivos, todos eles sem relação nenhuma com a linguagem?

As primeiras tentativas de abordar essa questão foram empreendidas por John Marshall, linguista e colega meu de Oxford. Ele usou o comportamento de cortejo do pombo macho, a partir de dados da literatura etológica. Havia sete "palavras" no léxico do pombo: coisas como "mesura" (para a fêmea), "cópula" etc. Marshall utilizou seus conhecimentos de linguista para postular uma "gramática de estrutura frasal", assim como Chomsky havia feito para a linguagem humana. No meu artigo para a Madingley, traduzi a gramática de Marshall para a (hoje obsoletíssima) linguagem computadorizada a que eu era afeito na época, o Algol-60. Os leitores experimentados em programação vão notar que, mais uma vez, o programa tem alta recursividade — os procedimentos ativam-se sozinhos, o que é a essência mesma da incrustação hierárquica, como já expliquei. No programa, "p" era substituído por "Caso se encontre uma condição de probabilidade, como 0,3...".

O diagrama arbóreo da próxima página é a "gramática de estrutura frasal" de Marshall aplicada ao comportamento de cortejo do pombo. No meio aparece minha tradução para o Algol-60. Embaixo, várias sequências de "comportamento" geradas pelo meu programa.

A análise de Marshall, infelizmente, não nos permite tirar conclusões seguras sobre os pombos. Como podemos saber se a gramática proposta por ele está "correta"? No caso da sintaxe humana, qualquer falante nativo da língua pode dizer na hora se está correta. Marshall não tinha esse mecanismo de verificação. Como com boa parte da pesquisa que fiz nesse período, meu estado objetivado não era tanto descobrir algo verdadeiro e duradouro a respeito de animais específicos, mas sim maneiras novas e empolgantes de estudar o comportamento animal no futuro.

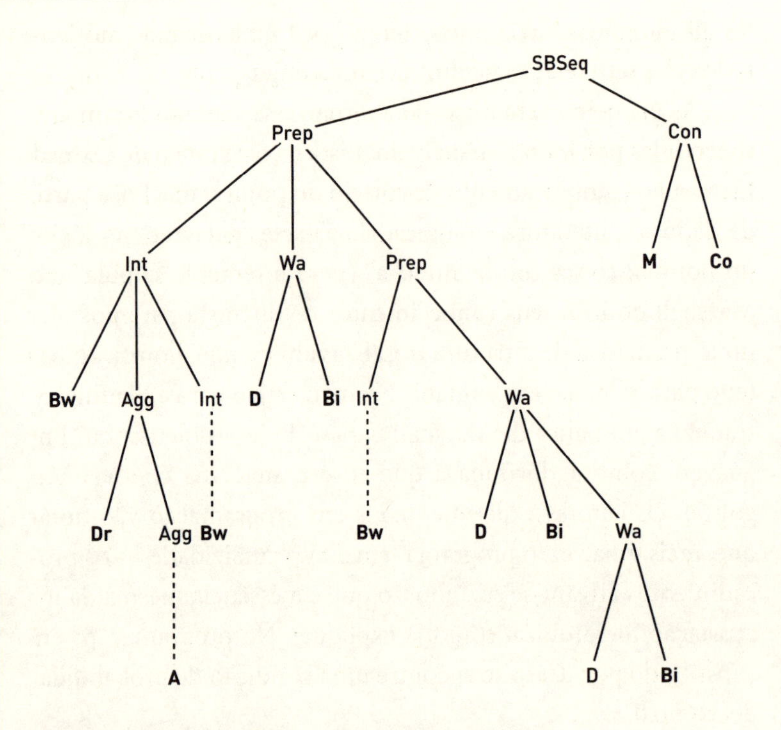

início do comentário gramática dos pombos de Marshall;
procedimento SBSeq; **início** Prep; Con **fim**;
procedimento Prep; **início** Int; Wa; **se** p **então** Prep **fim**;
procedimento Int; **início** "BW"; **se** p **então** Agg; **se** p **então** Int **fim**;
procedimento Agg; **início se** p **então** "DR"; **se** p **então** "A"; **se** p **então** Agg
fim;
procedimento Wa; **início** "D"; "BI"; **se** p **então** Wa **fim**;
procedimento Con; **início** "M"; "CO" **fim**;
procedimento booleano p;
início do comentário verdadeiro ou **falso** aleatoriamente. Probabilidade manipulada.
fim;
start: SBSeq; **goto** start
fim da gramática dos pombos;

Amostra de resultados fornecidos pelo programa:
BW DR D M CO
BW A D BI BW DR D BW A D BW A D BI M CO
BW A D BI M CO
BW DR D BW DR D BI BW DR D BI BW A D BW A D M CO

Para mim, o artigo que escrevi para a Madingley* foi uma espécie de encerramento, um clímax da primeira parte da minha carreira científica, que começara aos vinte e poucos e terminava aos trinta e poucos. Tomei aí um rumo totalmente novo, e nunca mais voltei a essas searas matemáticas da juventude. Esse novo rumo, que viria a definir o resto de minha carreira e mais ou menos a segunda metade de minha vida, abriu-se com a publicação de meu primeiro livro, *O gene egoísta.*

* Richard Dawkins, "Hierarchical Organization: A Candidate Principle for Ethology". In: P. P. G. Bateson e R. A. Hinde (Orgs.). *Growing Points in Ethology*. Cambridge: Cambridge University Press, 1976. pp. 7-54.

O gene imortal

Em 1973, a greve do Sindicato dos Mineiros da Grã-Bretanha provocou uma crise que forçou o governo conservador de Edward Heath a impor "semanas de três dias", como se dizia. A fim de conservar as reservas de combustíveis, houve racionamento de eletricidade para propósitos não essenciais. Estávamos limitados a três dias úteis por semana, e ocorriam frequentes cortes de energia. Minha pesquisa com grilos dependia da eletricidade, mas escrever não. Naqueles tempos, para escrever eu usava uma máquina portátil e, dentre todas as mais exóticas superfícies, folhas de uma coisa branca e achatada chamada papel. Decidi, então, deixar os grilos um pouquinho de lado e começar a trabalhar no meu primeiro livro. Esta foi a gênese de *O gene egoísta*.

O egoísmo e o altruísmo e toda a ideia de "contrato social" estavam na ordem do dia. Nós da esquerda política tentávamos encontrar um equilíbrio entre a solidariedade aos mineiros de um lado e, do outro, a hostilidade ao que alguns viam como tática radical demais — manter a sociedade refém. Será que a teoria evolucionista tinha algo a contribuir para esse dilema tão importante? A década anterior tinha visto uma onda de livros populares de ciência e documentários de TV muito valentes em tentar aplicar a teoria darwiniana a questões de altruísmo e egoísmo, de bem-estar coletivo versus individual, mas bastante inábeis em apreender a própria teoria. O erro era sempre uma versão do que já se chamou de "panglossismo evolucionista".

Como relatou meu amigo e mentor, o finado John Maynard Smith, o mentor dele próprio, o prodigioso J. B. S. Haldane, cunhou satiricamente três "teoremas" errôneos, ou no mínimo inconfiáveis. O Teorema da Tia Jobiska (de Edward Lear): "É fato que todo o mundo sabe...". O Teorema de Bellman (de Lewis Carroll): "Tudo que eu lhe disser três vezes é verdade". E o Teorema de Pangloss (de Voltaire): "Tudo vai pelo melhor no melhor dos mundos possíveis".

Os panglossianos evolucionistas têm uma vaga consciência de que a seleção natural cumpre bem a função de tornar os seres vivos bons em viver. Os albatrozes parecem ter sido projetados para voar sobre as ondas, e os pinguins para voar sob as ondas (por acaso escrevo isto a bordo de um navio em águas antárticas, maravilhado com os prodígios da virtuosidade aviária que observo pelo binóculo). Porém, esquecem os panglossianos, e é mesmo fácil esquecer, que esse "bons em" se aplica a *indivíduos*, não a *espécies.* Bons em voar, bons em nadar, em sobreviver, em procriar: sim, a seleção natural tenderá a produzir animais individuais bons nessas coisas. Mas não há motivo algum para esperar que a seleção natural produza *espécies* boas em evitar a extinção, boas em equilibrar sua razão sexual, boas em limitar sua população conforme os interesses da prosperidade comunitária, boas em administrar o abastecimento alimentar e conservar o meio ambiente em prol das futuras gerações. Isso seria panglossismo. A sobrevivência do grupo pode até vir em consequência de melhorias na sobrevivência dos indivíduos, mas isso não passa de um subproduto fortuito. A seleção natural não tem compromisso com a sobrevivência do grupo.

O erro panglossiano é tentador porque nós, humanos, temos a bênção da previdência e podemos julgar quais ações têm maior probabilidade de vir a beneficiar lá no futuro a nossa espécie, ou a nossa cidade, ou a nossa nação, ou o mundo todo, ou qualquer entidade determinada ou grupo de interesse. Podemos prever que a sobrepesca seria, a longo prazo, contraproducente para todos os pescadores. Podemos prever um futuro mais feliz se limitarmos nossa taxa de natalidade de modo que nasçam menos indivíduos para desfrutarem vidas mais prósperas. Podemos prever que a autocontenção hoje renderá dividendos amanhã. Mas a seleção natural não possui previdência.

Se funcionasse, a versão panglossiana da teoria da seleção natural realizaria algo como a utopia do "tudo vai pelo melhor". Mas infelizmente ela não funciona. Pelo menos, um dos meus objetivos em *O gene egoísta* era convencer meus leitores de que ela não funciona. Era a teoria chamada "seleção de grupo". Esse erro enlouquecedoramente sedutor — a Falácia da Seleção do Grande Grupo ou FSGG — permeava todo o famoso livro de Konrad Lorenz publicado em 1964, *A agressão*. Impregnava também os best-sellers de Robert Ardrey, *The Territorial Imperative* [O imperativo territorial] e *The Social Contract* [O contrato social] — que me afrontaram sobretudo pelo desencontro entre o equívoco da mensagem de Ardrey e o refinamento do inglês em que ele a expressava.* Eu aspirava a publicar um livro sobre o mesmo tema

* Konrad Lorenz, *A agressão*. São Paulo: Martins Fontes, 1973 (publicado originalmente em alemão como *Das sogenannte Böse* [O suposto mal], em 1963). Robert Ardrey, *The Territorial Imperative: A Personal Inquiry into the Animal Origins of Property and Nations*. Londres: Collins, 1967. Id., *The Social Contract: A Personal Inquiry into the Evolutionary Sources of Order and Disorder*. Londres: Collins, 1970.

do *Social Contract* de Ardrey (já em si uma espécie de releitura biológica do famoso tratado de Rousseau); mas o meu livro se basearia na teoria da seleção natural a rigor, e não na FSGG. Minha ambição era desfazer o dano causado por Ardrey e Lorenz — e por vários documentários televisivos da época, cuja disseminação do erro estava tão generalizada que cheguei a apelidá-lo de "o Teorema da BBC".

O panglossismo e a FSGG já eram velhos conhecidos meus: eu tinha encontros semanais com eles nos ensaios dos graduandos. Eu mesmo, quando graduando, enfeitara muitos textos meus com a visão falaciosa de que o que importa mesmo na seleção natural é a sobrevivência das espécies (meus tutores nunca perceberam). Quando, depois, me pus a escrever *O gene egoísta*, meu sonho era um dia mudar tudo aquilo. Estava intimidado por saber que, para ter sucesso, meu livro precisaria ser tão bem escrito quanto o de Ardrey e vender tão bem quanto o de Lorenz. Eu dizia de brincadeira que era "o meu best-seller", nunca acreditando que era isso mesmo que ele de fato se tornaria, mas dando voz irônica consciente à minha ambição mais alta.

A seleção natural é um processo puramente mecânico e automático. O mundo tem a tendência constante a se encher de entidades que são boas em sobreviver e a se desfazer das coisas que não são. A seleção natural não possui previdência, mas o cérebro sim, motivo por que o panglossismo nos é tão atraente. Os cérebros podem se afligir com o futuro de longo prazo e antever nos comodismos deste século a catástrofe do próximo. A seleção natural não consegue fazer isso. A seleção natural não se aflige com nada. A seleção natural consegue somente dar cega preferência ao ganho de curto prazo, pois toda geração é automaticamente enchida com a prole daqueles indivíduos que fizeram tudo o que foi preciso, no curto prazo, para manufaturar prole com mais eficiência que outros indivíduos da mesma geração.

E, quando observamos com todo cuidado e atenção o que exatamente se passa no decorrer das gerações, nosso olhar é atraído de modo irresistível pelo gene como o nível em que a seleção natural de fato funciona. A seleção natural dá preferência automática ao interesse próprio de entidades com o potencial de passar pelo filtro geracional e sobreviver até o futuro distante. No que concerne à vida neste planeta, isso significa: genes. Aqui vai um trecho de *O gene egoísta* — trecho onde introduzi a expressão "máquina de sobrevivência" para descrever o papel dos organismos individuais (mortais) para com seus genes (potencialmente imortais):

> Os genes são imortais [...] [e] têm uma expectativa de vida que deve ser medida não em décadas, e sim em milhares ou milhões de anos.
>
> Nas espécies de reprodução sexuada, o indivíduo é uma unidade genética grande demais e transitória demais para poder ser qualificado como uma unidade significativa de seleção natural. O grupo de indivíduos é uma unidade ainda maior. Do ponto de vista genético, os indivíduos e os grupos se assemelham às nuvens no céu ou às tempestades de areia no deserto. São agregados ou federações temporários. Não são estáveis ao longo do tempo evolutivo. As populações podem durar bastante tempo, entretanto, como continuamente se misturam umas com as outras, vão perdendo a identidade. Estão também sujeitas a modificações evolutivas de origem interna. Uma população não é uma entidade suficientemente discreta para ser uma unidade de seleção natural, não é uma entidade suficientemente estável e unitária para ser "selecionada" em detrimento de outra população.
>
> Um corpo individual parece ser suficientemente distinto enquanto dura, mas de quanto tempo estamos falando? Cada indivíduo é único. Não pode haver evolução se a seleção tiver ao seu dispor somente uma cópia de cada entidade! A reprodução sexua-

da não é replicação. Da mesma forma que uma população é contaminada por outras populações, também a posteridade de um indivíduo é contaminada pela do seu parceiro sexual. Os filhos do leitor são apenas metade dele; seus netos, apenas um quarto. Ao final de algumas gerações, o máximo que ele pode esperar é ter um grande número de descendentes, cada um dos quais portando somente uma porção minúscula dele — alguns genes —, mesmo que alguns deles ainda carreguem seu sobrenome.

Os indivíduos não são coisas estáveis. Eles são efêmeros. Os cromossomos também caem no esquecimento, como as mãos num jogo de cartas pouco depois de serem distribuídas. Mas as cartas, em si, sobrevivem ao embaralhamento. As cartas são os genes. Os genes não são destruídos pelo *crossing-over*. Eles apenas trocam de parceiros e seguem em frente. É claro que eles seguem em frente. É essa a sua vocação. Eles são os replicadores e nós, suas máquinas de sobrevivência. Quando tivermos cumprido a nossa missão, seremos descartados. Os genes, porém, são cidadãos do tempo geológico: os genes são para sempre.*

Eu já havia me convencido dessa verdade uma década antes, quase exatamente nas mesmas palavras, quando dei aquelas aulas de graduação em Oxford, em 1966. Lembrei, na página 207, dos floreios retóricos com que tentei convencer os graduandos da centralidade ocupada pelo gene imortal na lógica da seleção natural. Aqui vão minhas palavras de 1966, e você vai perceber como elas se parecem com os parágrafos equivalentes e mais retóricos de *O gene egoísta*.

Os genes, em certo sentido, são imortais. Eles perpassam gerações, reembaralhando-se a cada vez que passam de progenitor a prole.

* Richard Dawkins, *O gene egoísta*. Trad. de Rejane Rubino. São Paulo: Companhia das Letras, 2007. pp. 87-9.

> O corpo de um animal é para os genes apenas um lugar de repouso temporário; a futura sobrevivência dos genes depende da sobrevivência do corpo pelo menos até a reprodução, quando os genes passam a outro corpo. [...] Os genes constroem para si uma casa temporária, perecível, mas eficiente pelo tempo necessário. [...] Ao usar os termos "egoísta" e "altruísta", portanto, nossa principal expectativa, com base na teoria ortodoxa da evolução neodarwiniana, é a de que *os genes serão "egoístas"*.

Quando achei, recentemente, o texto dessa aula de 1966 (com as marginálias incentivadoras de Mike Cullen), me surpreendi de perceber que na época eu ainda não havia lido *Adaptation and Natural Selection* [Adaptação e seleção natural], livro de George C. Williams publicado no mesmo ano:*

> Com a morte de Sócrates, não desapareceu apenas seu fenótipo, mas também seu genótipo. [...] A perda do genótipo de Sócrates não se mitiga com nenhuma consideração de quão numerosa pode ter sido sua prole. Os genes de Sócrates ainda podem estar entre nós, mas seu genótipo não, porque a meiose e a recombinação destroem os genótipos, tão certo como a morte.
>
> Os únicos fragmentos do genótipo transmitidos na reprodução sexual são os meioticamente dissociados, e esses fragmentos são ainda mais fragmentados pela meiose na geração seguinte. Se há um fragmento em última instância indivisível, este é, por definição, "o gene" de que tratam as discussões abstratas da genética populacional.

Quando enfim li o grande livro de Williams (só alguns anos depois, lamento dizer), a passagem do genótipo de Sócrates me cau-

* George C. Williams, *Adaptation and Natural Selection*. Princeton: Princeton University Press, 1966.

sou grande impressão, e reconheci com todas as letras a devida importância de Williams, assim como a de Hamilton, para o tema de *O gene egoísta.*

Williams e Hamilton eram personagens um tanto parecidos: quietos, introvertidos, modestos, dados à reflexão profunda. William tinha uma dignidade e um ar que — talvez realçados pela testa alta e pelo corte da barba — para muitos lembravam Abraham Lincoln. Hamilton já tinha mais um quê de Bisonho, o personagem de A. A. Milne. Mas, quando escrevi *O gene egoísta*, eu não conhecia nenhum dos dois pessoalmente, apenas suas obras publicadas e a capital relevância delas para o nosso entendimento da evolução.

Como os genes são potencialmente imortais na forma de cópias precisas, a diferença entre genes bem-sucedidos e malsucedidos é crucial: tem importância de longo prazo. O mundo enche-se de genes bons em ficar onde estão, bons em sobreviver através de muitas gerações. Na prática, isso significa que eles são bons em cooperar com os outros genes no negócio de construir corpos que possuam tudo que é necessário a fim de sobreviver o suficiente para se reproduzir — pois os corpos são veículos temporários que abrigam e passam adiante os genes. Por todo *O gene egoísta* eu usei a expressão "máquina de sobrevivência" como sinônimo de organismo. Os organismos são as entidades com vida que, nada mais nada menos, fazem coisas — mexem-se, comportam-se, buscam, caçam, nadam, correm, voam, dão de comer aos mais novos. E o melhor jeito de explicar qualquer coisa que um organismo faz é imaginar que ele foi programado, pelos genes que vão a bordo dele, para preservá-los e passá-los adiante antes que ele próprio morra.

Também usei a palavra "veículo" como equivalente a "máquina de sobrevivência". Isso me lembra um episódio engraçado, quando uma equipe da televisão japonesa veio me entrevistar para falar de *O gene egoísta*. Eles viajaram de Londres a Oxford apinhados num táxi preto, com tripés, refletores e, ao que parecia, braços e pernas saindo pelas janelas. O diretor me informou, em inglês vacilante (o intérprete oficial não conseguira se fazer entender por mim e fora mandado embora, tomado pela desonra), que queria me filmar dentro do táxi enquanto atravessávamos Oxford. Fiquei intrigado com aquilo e perguntei por quê. "Oh!", foi a resposta ressabiada: "Você não é autor de Teoria do Táxi da Evolução?". Imagino que os tradutores japoneses dos meus escritos tenham transformado "veículo" em "táxi".

A entrevista em si foi bastante divertida. Eu estava a sós no táxi, fora o câmera e o técnico de som. Na ausência do intérprete oficial, não havia entrevistador, e minha função era simplesmente discorrer à vontade sobre *O gene egoísta* enquanto percorríamos a rota turística de Oxford. O taxista sem dúvida tinha as ruas de Londres intricadamente bem mapeadas no seu hipocampo ampliado pela profissão, mas Oxford ele não conhecia. Coube a mim então guiá-lo, e meu discurso sobre os genes egoístas, que poderia ter sido bem cadenciado, foi pontuado por gritos frenéticos de "Pega a esquerda!" ou "Pega a direita no sinal e entra na faixa da direita!". Espero que tenham conseguido encontrar o infeliz intérprete antes de voltarem a Londres.

Em *O gene egoísta*, critiquei a ideia panglossiana de que os animais possuem previdência e concebem o que seria bom para o futuro de longo prazo da espécie ou grupo. O erro nisso não é a ideia de que os animais "concebem o que seria bom". Ninguém propõe, pelo menos, que esse "conceber" seja consciente. Não: o erro é a ideia da espécie ou grupo como entidade cujo benefício é maximizado. Os biólogos muitas vezes usam legitimamente a linguagem do "concebem o que seria bom" como uma via taquigráfica para um raciocínio darwiniano válido. O difícil é identificar o nível correto da hierarquia da vida em que se aplica a metáfora taquigráfica do raciocínio consciente. Não há problema algum em se colocar na posição de um animal e perguntar: "O que eu faria se tentasse alcançar a meta de propagar os meus genes?".

O gene egoísta está cheio de solilóquios imaginados em que um animal hipotético "pondera" consigo mesmo: "Devo fazer *X* ou *Y*?". O sentido de "devo" é: "O melhor para os meus genes seria *X* ou *Y*?". Isso é válido, mas só porque pode ser traduzido na pergunta: "O gene que leva os indivíduos a fazer *X* (nesta situação) se tornaria mais frequente no *pool* gênico?". O solilóquio subjetivo justifica-se pelo fato de poder ser traduzido para a linguagem da sobrevivência gênica.

Pode-se ficar tentado a interpretar "Eu devia fazer *X* ou *Y*?" como "Entre *X* e *Y*, qual tem mais chance de prolongar minha vida?". Porém, se a vida longa é comprada ao custo de não se reproduzir — ou seja, se a longevidade individual entra em competição com a sobrevivência do gene —, ela não será favorecida pela seleção natural. A reprodução pode ser um negócio perigoso. Os faisões machos que ostentam suas belíssimas cores para atrair as fêmeas também atraem predadores. Um macho sem graça, pouco notável, provavelmente viverá mais que um macho atraente, de cores vivas. Mas também terá maior probabilidade de morrer sem copular, e os genes responsáveis pela sem-gracice da sua segurança terão menos chance de ser passados adiante. A sobrevivência do gene é o que mais importa na seleção natural.

Eis uma legítima taquigrafia, colocada na boca de um faisão macho: "Se eu tiver penas sem graça, provavelmente viverei mais, mas não terei uma companheira. Se eu tiver penas resplandecentes, provavelmente morrerei cedo, mas passarei adiante vários genes antes de morrer, inclusive os genes para produzir penas resplandecentes. Devo, portanto, tomar a 'decisão' de ter penas resplandecentes". Desnecessário dizer que "decisão" não corresponde ao que um ser humano costuma entender por essa palavra.

Não há pensamento consciente. A taquigrafia no nível do organismo pode ser confusa, mas funciona enquanto você lembrar de deixar sempre aberto o caminho para a tradução de volta à linguagem dos genes. Não é que um faisão tome de fato a "decisão" de ter penas resplandecentes ou sem graça; é que os genes para produzir penas resplandecentes e os genes para produzir penas sem graça têm probabilidades diferentes de sobreviver ao longo das gerações.

Ao tentarmos entender do ponto de vista darwiniano o que fazem os animais, pode nos ajudar vê-los como robôs que "pensam" quais passos devem dar para transmitir seus genes a gerações futuras. Esses passos podem envolver comportar-se de determinadas maneiras, ou desenvolver órgãos de determinado formato ou caráter. Também pode ajudar pensar metaforicamente nos genes como se "pensassem" que passos devem dar para se transmitirem a gerações futuras. Esses passos em geral envolverão manipular organismos individuais pelo processo do desenvolvimento embriônico.

Mas jamais é válido, nem mesmo *metaforicamente*, tratar animais como seres que pensam que medidas devem tomar para preservar sua espécie ou grupo. A sobrevivência diferencial da espécie ou grupo não é o que acontece na seleção natural. O que acontece é a sobrevivência diferencial do gene. Assim, taquigrafias legítimas seriam "Se fosse um gene, o que eu faria para me preservar?", ou — e, idealmente, este seria um equivalente exato — "Se fosse um organismo, o que eu faria para preservar os meus genes?". Mas "Se fosse um organismo, o que eu faria para preservar a minha espécie?" é uma taquigrafia ilegítima. Assim como seria ilegítima — só que por outro motivo — a taquigrafia "Se fosse uma espécie, o que eu faria para me preservar?". Esta última é ilegítima porque uma espécie, à diferença do organismo individual, não é o tipo de entidade que chega nem metaforicamente a se comportar como agente, a fazer coisas, a agir segundo decisões.

As espécies não têm cérebros nem músculos; elas são só acúmulos de organismos individuais que os têm. Espécies e grupos não são "veículos". Os organismos individuais é que são.

Devo salientar que nem nas minhas aulas dos anos 1960 nem em *O gene egoísta* eu via alguma novidade na ideia do gene como unidade fundamental da seleção natural. Eu pensava nela — e disse isto com toda clareza — antes como corolário da teoria neodarwiniana ortodoxa: qual seja, a teoria originalmente formalizada nos anos 1930 por Fisher, Haldane, Wright e os outros pais fundadores da chamada Síntese Moderna, como Ernst Mayr, Theodosius Dobzhansky, George Gaylord Simpson e Julian Huxley. Foi só após a publicação de *O gene egoísta* que tanto críticos como admiradores passaram a ver a ideia como revolucionária. Não era assim que eu a via na época.

Dito isso, contudo, devo acrescentar que nem todos os pais fundadores da Síntese Moderna deram tratamento claro a uma importante implicação da teoria que haviam delineado. Ao fim de sua vida centenária, o consagrado taxonomista germano-americano Ernst Mayr expressou hostilidade à ideia do selecionismo gênico, em termos que deixavam entrever uma compreensão equivocada dela. E Julian Huxley, o pai fundador que cunhou a expressão "Síntese Moderna", era grande defensor do selecionismo grupal, mesmo sem perceber. Na ocasião em que conheci o grande Peter Medawar, ele deixou pasmo o meu eu estudante com um comentário deliciosamente sacrílego, proferido com seu característico estilo aristocrático mas travesso. "O problema do Julian é que ele não *entende* a evolução." Imagine só, dizer isso de um Huxley! Mal pude crer nos meus ouvidos e, como se vê, nunca esqueci. Mais tarde ouvi outro ganhador do Nobel, o biólogo molecular francês Jacques Monod, dizer algo parecido, embora não a respeito de Huxley: "O problema da seleção natural é que todo mundo *acha* que entende".

Comentei que comecei *O gene egoísta* quando cortes de energia interromperam minha pesquisa com grilos. Eu só havia terminado o primeiro capítulo do livro quando encontrei por acaso um editor da Allen & Unwin em visita de rotina ao departamento de zoologia, à cata de livros potenciais, e contei a ele do meu projeto ainda embrionário. Ele sentou-se para ler o primeiro capítulo na mesma hora, gostou e me incentivou a seguir em frente. Mas então — infelizmente de um ponto de vista estreito, felizmente de outros — o impasse industrial chegou ao fim e a luz voltou. Guardei o capítulo único na gaveta, retomei minha pesquisa com grilos e esqueci dele.

Pelos dois anos seguintes, volta e meia eu contemplava retornar ao livro. O ímpeto se reacendia quase sempre que eu lia e lecionava sobre novas publicações que começavam a sair em inícios dos anos 1970 e mostravam ser de uma linda compatibilidade com a tese de meu livro em gestação. Dentre essas publicações, as mais notáveis eram artigos do jovem biólogo norte-americano Robert Trivers e do veterano professor britânico John Maynard Smith. Os dois autores fizeram uso do atalho intuitivo que mencionei (o filósofo Daniel Dennett hoje chamaria isso de bomba de intuição):* o atalho de imaginar que um organismo individual se comporta "como se" calculasse com toda a consciência a melhor conduta para preservar e propagar seus genes.

Trivers tratou um animal progenitor *como se* este fosse um agente racional calculando aquilo a que os economistas denominam "custo de oportunidade" de uma ação. Um progenitor precisa pagar os custos de criar a sua prole. Entre esses custos estão comida, inclusos aí o tempo e o esforço gastos para consegui-la, o tempo gasto para proteger o filho de predadores e os riscos que

* Daniel C. Dennett, *Intuition Pumps and Other Tools for Thinking*. Nova York: Norton, 2013.

o progenitor corre para tal. Trivers amarrou todos eles na mesma métrica, que chamou de Investimento Parental ou IP. A grande sacada de Trivers foi ver o IP como um *custo de oportunidade*: o investimento em determinado filho é medido como *oportunidades perdidas de investir em outros filhos.* Trivers usou a ideia para desenvolver uma penetrante teoria do "conflito progenitor-prole". A decisão sobre a hora certa de desmamar um filho, por exemplo, está sujeita a um "desacordo" entre o filho e a mãe. Ambos comportam-se como economistas racionais cuja "função utilitária" é a sobrevivência de seus próprios genes a longo prazo: a mãe "quer" encerrar a amamentação antes do que criança, pois deposita maior "valor" do que ele em sua futura prole, que se beneficiará do desmame precoce do filho atual; o filho atual também deposita "valor" em seus futuros irmãos, mas só metade do depositado pela mãe, conforme a Regra de Hamilton. Assim, há um período de "conflito do desmame", uma inquietante fase de transição entre o momento anterior, em que ambas as partes "concordam" que a amamentação deve prosseguir, e o momento posterior, em que ambas as partes "concordam" que a amamentação deve se encerrar. Durante essa fase, em que a mãe "quer" desmamar mas a criança não, o observador do comportamento animal deve identificar os sintomas de uma guerra sutil entre mãe e filho. De passagem devo acrescentar que, muito depois de *O gene egoísta* ser publicado, o biólogo australiano David Haig mostrou com perspicácia como vários incômodos da gravidez podem ser explicados nos termos do mesmo conflito triversiano que se trava dentro do útero — aí já não a propósito do desmame, é óbvio, mas de outros aspectos da alocação de recursos necessariamente escassos.

O conflito progenitor-prole era um assunto feito sob medida para meu livro, e o brilhante artigo de Trivers a respeito foi um dos estímulos que me impeliram a tirar o primeiro capítulo da gaveta, onde ele definhava desde o fim da crise energética. Foi a inspiração para o capítulo 8 de *O gene egoísta*, "O conflito de gerações". O capítulo 9, "A guerra dos sexos", também aproveitou as ideias de Trivers, dessa vez para demonstrar como machos e fêmeas poderiam computar seus custos de oportunidade cada um à sua maneira. Quando é que um macho, por exemplo, desertaria sua companheira, deixando-a "com o bebê no colo" e "num beco sem saída" para ir atrás de uma nova fêmea? Trivers também influenciou o capítulo 10, "Uma mão lava a outra?", com um artigo que escreveu antes ainda, sobre altruísmo recíproco, para mostrar que a seleção de parentesco não é a única pressão evolutiva por altruísmo. A reciprocidade — a retribuição de favores — também pode ter enorme importância; ela transita entre espécies, e não se confina em uma, como faz a seleção de parentesco. Assim, o nome de Trivers foi acrescentado aos de Hamilton e de Williams entre os quatro autores que exerceram maior influência sobre *O gene egoísta*. Também convidei-o a escrever o prefácio — o que fez de muito bom grado, mesmo que ainda nem nos conhecêssemos.

O quarto autor foi John Maynard Smith, que viria a se tornar meu adorado mentor. Quando garoto, eu conhecera o livro a que ele se referia como "meu pinguinzinho", e fiquei cativado pela foto sorridente do autor: um cabelo de professor aloprado, desalinhado como o charuto na boca, e óculos fundo de garrafa precisando de um lenço — o tipo de homem que me despertava interesse imediato. Também gostei da nota biográfica, que explicava que ele fora engenheiro projetista de aeronaves, mas desistira da profissão e voltara à universidade para estudar biologia porque notara que "aeronaves são barulhentas e antiquadas". Muitos anos depois, uma nova edição do mesmo livro, *A teoria da evolução*, foi publicada pela Cambridge University Press, e tive a honra de ser convidado a escrever o prefácio.* Incluí o seguinte tributo a esse cordial herói:

* John Maynard Smith, *The Theory of Evolution*. Cambridge: Cambridge University Press, 1993 (publicado originalmente pela Penguin em 1958). [Ed. port.: *A teoria da evolução*. Lisboa: Ulisseia, 1958.]

Os leitores de "romances universitários" sabem que o congresso é onde se pode observar o que há de pior nos acadêmicos. O bar do congresso, sobretudo, é a academia em escala microcósmica. Professores amontoam-se em cantinhos exclusivos, conspiratórios, falando não de ciência ou de pesquisa, mas de "estabilidade" (a palavra deles para "carreira") e de "financiamento" (a palavra deles para "dinheiro"). Se falam de trabalho, é quase sempre mais para impressionar do que para informar. John Maynard Smith é uma exceção esplêndida, triunfante e adorável. Ele dá mais valor às ideias criativas do que ao dinheiro, à linguagem simples do que ao jargão. É sempre o centro de um grupo animado e patusco de estudantes e pesquisadores jovens de ambos os sexos. Esqueça as palestras e os "workshops"; deixe para lá as excursões às atrações turísticas locais; lixe-se para o aparato visual sofisticado e os microfones sem fio — a única coisa que importa num congresso é se John Maynard Smith marcará presença e se haverá um bar espaçoso e acolhedor. Se ele não tiver disponibilidade para a data marcada, reagende o congresso. Ele não precisa dar uma palestra formal (embora seja um palestrante envolvente) e não precisa presidir sessões formais (embora seja um presidente sábio, compreensivo e espirituoso). Ele só precisa aparecer e pronto, seu congresso será um sucesso. Ele irá encantar e divertir os pesquisadores jovens, ouvir as histórias deles, inspirá-los, reacender o entusiasmo que já não arde e mandá-los de volta a seus campos enlameados e laboratórios de espírito renovado e revigorado, ansiosos para testar as novas ideias que ele generosamente dividiu com seus ouvintes.

Minha relação com John, porém, não começou com o pé direito. Vim a conhecê-lo em 1966, quando, já decano de ciências biológicas, ele me entrevistou para uma vaga na Universidade de Sussex. Minha ida para Berkeley já estava quase acertada. Contudo, havia se aberto essa vaga em Sussex, e Richard Andrew, o especialista da casa no nosso assunto em comum, comportamento animal, pressionou-me com premência lisonjeira a me candidatar. Contei a Richard do meu quase comprometimento com Berkeley, mas ele insistiu que não custava nada ir fazer a entrevista em Sussex. Aí pensei: dane-se, por que não? Receio que, na entrevista, essa atitude de "dane-se" não tenha me ajudado a ganhar a simpatia de Maynard Smith. Falei que não daria aulas de taxonomia animal. Ele respondeu que fazia parte do cargo. Falei, com muita arrogância: "Bom, eu tenho uma oferta de emprego em Berkeley e nem sei direito por que estou fazendo esta entrevista". Ele ainda foi bastante gentil comigo logo depois, quando me levou para almoçar junto com o dr. Andrew, mas, como falei, não foi um bom começo para o que depois se provou uma amizade maravilhosa.

No início dos anos 1970, Maynard Smith iniciou uma longa série de artigos em que, ao lado de colegas como Geoffrey Parker e o finado George Price, aproveitou uma versão da teoria matemática dos jogos para resolver vários problemas da evolução. Essas ideias caíam como uma luva na ideia do gene egoísta, e os artigos de Maynard Smith constituíram o outro grande estímulo que me levou a tirar o pó do velho capítulo 1 e escrever o livro inteiro.

A especial contribuição de Maynard Smith era a ideia da estratégia evolutivamente estável ou EEE. "Estratégia", nesse sentido, pode ser interpretado como "regra pré-programada". Maynard Smith estabeleceu modelos matemáticos em que regras pré-programadas com nomes como (para o caso específico de embate animal) Águia, Pomba, Retaliador e Valentão são soltas em um mundo imaginado (ou simulado) para interagirem entre si. Mais uma vez, cumpre entender que não se pressupõe que os animais a implementar essas regras tenham consciência do que fazem, nem de por quê. Cada regra pré-programada tem uma *frequência* na população (como os genes no *pool* gênico, embora o vínculo com o DNA não precise ser explicitado nos modelos). As frequências variam de acordo com as "recompensas". Nas ciências sociais e econômicas, de onde se originou a teoria dos jogos, a recompensa pode ser tratada como equivalente ao dinheiro. Na teoria evolucionista dos jogos, as recompensas têm o significado especial de êxito reprodutivo: as altas recompensas de uma estratégia levam a uma maior representação na população.

O xis da questão é que uma estratégia exitosa não é necessariamente a que vence suas competições específicas contra outras estratégias. Uma estratégia exitosa é a que domina numericamente a população. E, uma vez que uma estratégia numericamente dominante tem, por definição, grandes chances de encontrar cópias de *si mesma*, ela permanecerá numericamente dominante apenas se prosperar na presença de cópias de si mesma. É esse o sentido do "evolutivamente estável" no "EEE" de Maynard Smith. É comum encontrarmos EEEs pela natureza, porque, se uma estratégia é evolutivamente instável, ela tende a desaparecer da população à medida que estratégias rivais se reproduzem em profusão cada vez maior.

Não explicarei aqui mais da teoria evolucionista dos jogos porque já expliquei em *O gene egoísta*, e o mesmo vale para as ideias de Trivers sobre investimento parental. Basta dizer aqui que as publicações de Trivers e de Maynard Smith no início dos anos 1970 reacenderam meu interesse pelas ideias de Hamilton que tanto haviam me inspirado nos anos 1960, e me moveram a retornar ao livro cujo primeiro capítulo dormia dentro da gaveta desde o fim da greve dos mineiros. As ideias da teoria dos jogos maynard-smithiana tomaram conta do capítulo sobre agressão e inspiraram minha abordagem de vários outros tópicos em capítulos posteriores.

Por fim, em 1975, tendo finalizado meu artigo sobre "organização hierárquica", tirei o período sabático a que tinha direito, passei todas as manhãs em casa e dediquei-me à máquina de escrever e a *O gene egoísta*. Fiquei tão focado na tarefa que deixei de comparecer à reunião crucial em que o New College elegia um novo diretor. Um colega escapuliu da reunião e me telefonou com urgência para dizer que a votação estava apertada e me implorar para aparecer logo. Hoje acho que, embora o período sabático me desse esse direito, minha ausência numa votação tão crucial foi um ato de irresponsabilidade. A reunião tomaria poucas horas do meu tempo, e as repercussões do meu voto perdido poderiam ser sentidas por anos a fio. Felizmente, no fim o homem em quem eu teria votado se elegeu (e foi um excelente diretor), e agora eu não tenho de suportar o fardo da culpa por mudar os rumos da história da faculdade. Na verdade, o rival dele também teria sido muito bom, e os encontros na faculdade certamente teriam sido divertidos, pois ele tinha a justa reputação de homem mais espirituoso de Oxford.

Escrevi *O gene egoísta* num frenesi de energia criativa. Já havia completado três ou quatro capítulos quando conversei com meu amigo Desmond Morris sobre publicação editorial. Autor de sucesso lendário, Desmond me conseguiu uma reunião com Tom Maschler, decano dos editores londrinos. Encontrei o sr. Maschler numa sala de pé-direito alto forrada de livros na editora Jonathan Cape, em Londres. Ele havia lido meus capítulos e gostado, mas me instou a mudar o título. "Egoísta", explicou-me ele, é uma palavra "para baixo". Por que não *O gene imortal*? Em retrospecto, é bem capaz que ele tivesse razão. Já não lembro por que não segui o conselho. Creio que deveria tê-lo feito.

Seja como for, não voltei a procurá-lo para publicar meu livro porque a coisa fugiu das minhas mãos. Durante o almoço, um dia, no New College, Roger (atual Sir Roger) Elliott, professor de física teórica de Oxford, comentou que ouvira falar por aí que eu andava escrevendo um livro, e me indagou a respeito. Falei um pouco do que estava tentando fazer, e ele pareceu interessado. Por acaso ele era membro do Comitê de Representantes da Oxford

University Press, e passou a notícia a Michael Rodgers, editor da minha área na vetusta casa editorial. Michael entrou em contato e pediu para ver os capítulos. Enviei-os a ele.

E aí começou o turbilhão — com a voz caracteristicamente alta de Rodgers, pelo telefone: "Li seus capítulos. Desde então não consigo pregar o olho. EU TENHO QUE FICAR COM ESSE LIVRO!". Bom, há pessoas que resistiriam a esse tipo de persuasão, mas eu não. Michael era obviamente o meu tipo de editor. Assinei o contrato e me pus a trabalhar com urgência redobrada para terminar o livro.

Hoje acho dificílimo entender como suportávamos o fardo da escrita na era anterior aos processadores de texto computadorizados. Quase toda frase que escrevo é revisada, remexida, reordenada, riscada e reelaborada. Releio meu trabalho com obsessão, sujeitando o texto a uma espécie de peneira darwiniana que, quero crer, aprimora-o a cada passada. Mesmo enquanto digito uma frase pela primeira vez, ao menos metade das palavras é deletada e alterada antes que a frase termine. Sempre trabalhei assim. Mas, ao passo que o computador tem complacência natural com esse modo de trabalhar e deixa o texto limpo a cada revisão, na máquina de escrever o resultado era uma bagunça. Tesouras e fitas-crepe eram ferramentas do ofício tão importantes quanto a própria máquina. Os acumulantes impressos datilografados de *O gene egoísta* estavam cobertos de supressões em xxxxxxx, inserções à mão, palavras circuladas e movidas com setas para outros lugares, tiras de papel coladas sem elegância alguma às margens da página. Parece óbvio que é parte necessária da composição poder ler o próprio texto com fluência. Isso parece impossível quando se trabalha com papel. E, no entanto, misteriosamente, o estilo de escrita não parece ter mostrado nenhuma melhora geral desde a chegada dos processadores de texto computadorizados. Por que será?

O gene egoísta passou por duas transcrições datilografadas por Pat Searle, a maternal secretária do Grupo de Pesquisa em Comportamento Animal. Ambas foram encaminhadas a Michael Rodgers e voltaram com anotações muito prestativas, escritas à mão. Em especial, ele removeu extravagantismos que meu entusiasmo jovial e romântico havia enfiado ali à força. Na metáfora do escritor como organista, de Peter Medawar, "os dedos do cientista, ao contrário dos do historiador, jamais devem se extraviar para o diapasão". O final do capítulo 2 de *O gene egoísta* é tão extravagante quanto se pode ser na prosa científica, e fico corado de lembrar (e feliz por não ter preservado) o parágrafo que se seguiu a ele. Aqui vai o parágrafo de extravagância mais amena que sobreviveu à caneta moderadora de Michael. É o final do capítulo sobre a origem da vida e o surgimento espontâneo — no caldo primordial — de "replicadores", que mais tarde passaram ao mundo dos "veículos" — os organismos vivos.

> Haveria um ponto final para o aperfeiçoamento gradual das técnicas e dos artifícios usados pelos replicadores para assegurarem sua própria continuação no mundo? Eles contavam com muito, muito tempo para esses aperfeiçoamentos. Que estranhas máquinas de autopreservação trariam consigo os milênios seguintes? Qual seria o destino dos primeiros replicadores 4 bilhões de anos depois? Eles não se extinguiram, pois são mestres antigos na arte de sobreviver. Mas não espere encontrá-los no mar, flutuando à deriva; há muito que desistiram dessa liberdade altiva. Hoje em dia, eles se agrupam em colônias imensas, seguros no interior de gigantescos e desajeitados robôs, guardados do mundo exterior, e com ele se comunicam por caminhos indiretos e tortuosos, manipulando-o por controle remoto. Eles estão dentro do leitor e de mim. Eles nos criaram, o nosso corpo e a nossa mente, e a preservação deles é a

razão última da nossa existência. Percorreram um longo caminho, esses replicadores. Agora, respondem pelo nome de genes, e nós somos suas máquinas de sobrevivência.*

Esse parágrafo condensa a metáfora central do livro, e também sua atmosfera de ficção científica. Aliás, comecei meu prefácio com as seguintes palavras:

> Este livro deve ser lido quase como um livro de ficção científica. Ele foi escrito para despertar a imaginação. Mas não se trata de ficção científica: trata-se de ciência. Lugar-comum ou não, a expressão "mais estranho do que a ficção" exprime exatamente como eu me sinto em relação à verdade. Nós somos máquinas de sobrevivência — robôs cegamente programados para preservar as moléculas egoístas conhecidas como "genes". Esta é uma verdade que ainda me deixa atônito. Embora eu saiba disso há muitos anos, não consigo me habituar por completo a essa ideia. Espero ser bem-sucedido em fazer com que outras pessoas também se sintam surpresas.**

E as primeiras linhas do capítulo 1 dão continuidade ao clima de ficção científica:

> A vida inteligente de um planeta atinge a maioridade no momento em que compreende pela primeira vez a razão de sua própria existência. Se criaturas superiores vindas do espaço um dia visitarem a Terra, a primeira pergunta que farão, de modo a avaliar o nível da nossa civilização, será: "Eles já descobriram a evolução?". Os seres vivos já existiam na Terra há mais de 3 bilhões de anos,

* Richard Dawkins, *O gene egoísta*. Trad. de Rejane Rubino. São Paulo: Companhia das Letras, 2007. p. 66.

** Ibid., p. 31.

sem ter a menor ideia do porquê, antes que finalmente a verdade ocorresse a um deles. O seu nome era Charles Darwin.*

Niko Tinbergen odiou essa abertura. Não gostava de nada que desse a entender ser a humanidade uma espécie inteligente; sentia-se profundamente magoado pelos efeitos terríveis que temos sobre o mundo. Mas realmente não era essa a mensagem que eu estava passando.

Devo explicar uma coisa em relação ao capítulo "Memes: os novos replicadores". Dado que o restante do livro levou o gene ao palco central como replicador protagonista na evolução da vida, era importante afastar a impressão de que o replicador só pode ser o DNA. Ainda no clima de ficção científica da abertura, ressaltei que em outros planetas a evolução da vida poderia ser promovida por um sistema de autorreplicação completamente diferente — mas que, fosse ele qual fosse, precisaria ter certas qualidades, tais como alta fidelidade de cópia.

Fui à cata de algum exemplo, e poderia ter usado os vírus de computador, caso eles já tivessem sido inventados em 1975. Eis que me surgiu a visão da cultura humana como um novo "caldo primordial":

> Será que temos de viajar até mundos distantes para encontrar outros tipos de replicador e, em consequência, outros tipos de evolução? Penso que um novo tipo de replicador surgiu recentemente neste mesmo planeta. Está bem diante de nós. Está ainda na sua infância, flutuando ao sabor da corrente no seu caldo primordial, porém já está alcançando uma mudança evolutiva a uma velocidade de deixar o velho gene, ofegante, muito para trás.
>
> O novo caldo é o caldo da cultura humana. Precisamos de um nome para o novo replicador, um nome que transmita a ideia de

* Ibid., p. 37.

uma unidade de transmissão cultural, ou uma unidade de *imitação*. "Mimeme" provém de uma raiz grega adequada, mas eu procuro uma palavra mais curta que soe mais ou menos como "gene". Espero que os meus amigos classicistas me perdoem se abreviar mimeme para *meme*. Se isso servir de consolo, podemos pensar, alternativamente, que a palavra "meme" guarda relação com "memória", ou com a palavra francesa même. Devemos pronunciá-la de forma a rimar com "creme".

Exemplos de memes são melodias, ideias, slogans, as modas no vestuário, as maneiras de fazer potes ou de construir arcos. Tal como os genes se propagam no *pool* gênico saltando de corpo para corpo através dos espermatozoides ou dos óvulos, os memes também se propagam no *pool* de memes saltando de cérebro para cérebro através de um processo que, num sentido amplo, pode ser chamado de *imitação*.*

Passei então a examinar várias maneiras possíveis de aplicar a ideia dos memes — por exemplo, aplicá-la à difusão e herança de uma religião. Minha intenção primária, porém, não era contribuir para a teoria da cultura humana, mas sim minimizar o gene como o único replicador concebível, como o único que pode estar na raiz de um processo darwiniano. Eu estava tentando forçar o "darwinismo universal" (título de um artigo posterior, baseado numa palestra que dei no congresso de 1982 realizado em comemoração à data da morte de Darwin). Mesmo assim, encanta-me que o filósofo Daniel Dennett, a psicóloga Susan Blackmore e outros tenham comandado o barco do meme rumo a áreas humanas e avançado tanto. Já foram publicados mais de trinta livros com a palavra "meme" no título, e ela entrou no *Oxford English Dictionary* (cujo critério para o registro de uma pala-

* Ibid., pp. 329-30.

vra é que ela tenha sido usada, sem atribuição nem definição, em número significativo de publicações).

A publicação do primeiro livro é um período deslumbrante para um autor jovem. Fiz viagens frequentes ao imponente prédio da Oxford University Press na Walton Street, e outras ocasionais à sede londrina, na Ely House, para me encontrar com as diversas pessoas envolvidas no complexo processo de produção, projeto gráfico, marketing e assim por diante. Quando chegou a hora de resolver o projeto da capa, o clima de ficção científica do livro mais uma vez me levou à casa de Desmond Morris com seu elegante pórtico, no norte de Oxford. Além de biólogo, personalidade da TV britânica, colecionador antropológico, (implausível) anedotista* e autor best-seller, Desmond é um pintor surrealista de mão-cheia. Suas pinturas transmitem uma atmosfera inequivocamente biológica. Ele criou uma paisagem onírica onde criaturas irreconhecíveis vivem e se movimentam e evoluem — sim, evoluem, de tela em tela: exatamente o que era preciso para *O gene egoísta.* Ele ficou animado com a ideia de fornecer a arte para a capa, e Michael Rodgers e eu fomos conferir as pinturas expostas nas paredes e encostadas no ateliê. *O vale gestante* destacou-se não só pelas cores vibrantes e pelo ar de fecundidade ruminante, mas também por um motivo mais mundano: tinha um espaço vazio conveniente para acomodar o título. Escolhemos essa com muito prazer, e acredito que ela aumentou as vendas do livro.

* Suspeito que ele seja a fonte original de uma anedota de ampla circulação sobre a estrela de cinema Diana Dors. Ambos vieram da mesma cidade do condado de Wiltshire e foram amigos de infância. O sobrenome verdadeiro dela não era Dors, mas Fluck. Ela foi convidada a abrir um festival ou algo assim na sua cidade natal, e o vigário, julgando apresentá-la pelo nome que os locais conheceriam, cordialmente convidou-os a dar as boas-vindas à querida "Diana… Clunt" [trocadilho com as palavras em inglês "fuck" e "cunt"].

Aconteceu que por volta dessa época Desmond abriu uma exposição numa galeriazinha na Walton Street, próxima ao prédio da Oxford University Press, e *O vale gestante* era uma das pinturas à venda. O preço, 750 libras, por acaso era idêntico ao adiantamento que os editores haviam me dado pelo livro. A coincidência era grande demais para resistir e, após seguidas visitas à galeria e um afeto crescente por muitas das pinturas, comprei *O vale gestante*. Acho que Desmond ficou um pouco constrangido, e gentilmente me enviou outra pintura, levemente similar, chamada *O pruriente*. As duas casam muito bem.

O gene egoísta foi publicado no outono de 1976; eu estava com 35 anos. Saíram inúmeras resenhas, o que foi surpreendente para a primeira obra de um autor desconhecido, e ainda não sei bem por que ele recebeu toda a atenção que recebeu. Não houve nenhuma festa de lançamento e nenhum alarde promovido pela editora. Alguns meses após a publicação, o livro chegou à atenção de Peter Jones, da BBC, um dos produtores de *Horizon*, a "pioneira" série sobre ciência. Peter perguntou se eu gostaria de apresentar um episódio da série, um documentário sobre o assunto do livro, mas eu era tímido demais para ousar aparecer na televisão, de maneira que indiquei John Maynard Smith para ir no meu lugar. Ele fez um bom serviço — tinha um jeito incrivelmente mavioso e cativante —, e o documentário, também chamado *O gene egoísta*, deve ter alavancado as vendas do livro, pelo menos no Reino Unido. Mas a ampla recepção crítica não se deveu ao documentário, que foi ao ar só depois.

Já não faço mais, mas para esse primeiro livro fiz um álbum com recortes de resenhas, e acabo de passar o olho por elas. Foram mais de cem, e no geral a releitura delas não confirma a percepção comum do livro como controverso. Quase todas as resenhas foram favoráveis. Entre os primeiros resenhistas estavam o psiquiatra Anthony Storr, os antropólogos Lionel Tiger e Francis

Huxley (filho de Julian), o naturalista Bruce Campbell e o filósofo Bernard Williams — a quem muito tempo depois conheci em pessoa e descobri ser muito bom de papo, um desses conversadores cuja espirituosidade é capaz de trazer à tona o melhor de qualquer companhia. Saíram resenhas hostis de dois biólogos identificados com a esquerda política, Steven Rose e Richard Lewontin, e — com um ferrão mais sutil — de Cyril Darlington, já no outro lado do espectro político. Mas eram raras. A maioria dos resenhistas entendeu a mensagem, explanou-a com justeza e foi simpática ao livro. As mais calorosas, para mim, foram as resenhas altamente favoráveis de Peter Medawar e de W. D. Hamilton. Hamilton inclusive acertou em cheio qual era o alvo inicial da minha jornada de responder a Lorenz, a Ardrey e os panglossianos dos anos 1960 e ao "Teorema da BBC":

> Esse livro deve ser lido, pode ser lido, por quase todo mundo. Descreve com grande perícia uma nova face da teoria da evolução. Com muito do estilo leve e desembaraçado que ultimamente tem vendido ao público uma nova e por vezes errônea biologia, é, na minha opinião, um empreendimento mais sério. Cumpre com êxito a missão aparentemente impossível de usar uma linguagem simples, não técnica, para apresentar temas deveras abstrusos e mesmo quase matemáticos do pensamento evolutivo recente. Vistos nesse livro finalmente em sua perspectiva ampla, eles podem surpreender e atualizar muitos biólogos pesquisadores que supunham já saber tudo. Pelo menos surpreenderam a este resenhista. Sim, repetindo, o livro é de fácil leitura para qualquer pessoa com um mínimo de base científica.

Não havia no mundo ninguém que eu gostaria mais de ter surpreendido que não "este resenhista". Também me tocou a maneira como Bill Hamilton encerrou sua tão bem escrita resenha:

com um poema de Wordsworth e outro de Housman, cujo Rapaz de Shropshire eu sempre identifico com a personalidade complexa de Bill:

From far, from eve and morning
And yon twelve-winded sky,
The stuff of life to knit me
Blew hither: here am I

[...]

Speak now, and I will answer;
How shall I help you, say;
Ere to the wind's twelve quarters
*I take my endless way.**

Nada mal como epitáfio de um evolucionista, e Bill Hamilton foi provavelmente o maior evolucionista da segunda metade do século XX. Enquanto este volume autobiográfico estava nos estágios finais, descobri um tesouro no meio de uma pilha de papéis antigos, com a caligrafia de Bill no alto: era a cópia da última página de suas anotações de aula, contendo uma versão reescrita de outro poema de Housman, "A parte imortal", para incorporar a ideia do gene "imortal". Não tenho recordação dessa aula a que ele se refere, e o papel não traz data. Reproduzi-o no apêndice para a web.

Muito depois de *O gene egoísta* ser publicado, Bill tornou-se meu colega em Oxford, e passamos a nos ver quase todo dia durante o almoço no New College. Sinto imenso orgulho do papel

* Em tradução livre: "À distância, da noite e da manhã/ E do céu dos doze ventos acolá,/ A matéria da vida que me cerziu/ Soprou-me para cá; e cá estou. [...] Dize-me já, e hei de responder;/ Como posso ajudar, dize-me;/ Aos doze quadrantes do vento/ Tomo meu rumo sem fim". (N. T.)

desempenhado pelo meu livro em levar suas brilhantes ideias ao grande público. Mas espero ainda que o livro tenha mudado também de outras maneiras a forma como meus colegas de profissão pensam cada um sobre seu tema. Prefiro crer não ser nenhum acidente que, se você visitar uma estação de campo no Serengeti, na Antártida, na Floresta Amazônica ou no Kalahari e, ao anoitecer, vir os dinâmicos pesquisadores entretidos numa conversa de trabalho regada a cerveja, o que você ouvir ali será entremeado com o papo dos genes. Não que eles estarão a discutir as peripécias moleculares do DNA — embora isso também seja interessante —, mas a pré-concepção subjacente dessas conversas será que o comportamento dos animais e das plantas em estudo visa preservar os genes e propagá-los por sucessivas gerações.

O caminho trilhado

A publicação de *O gene egoísta* marca o fim da primeira metade de minha vida e um ponto conveniente para fazer uma pausa e olhar para trás. Com frequência me perguntam se minha infância na África me conduziu à biologia. Gostaria de responder que sim, mas não tenho tanta convicção. Como saber se o curso de uma vida teria sido modificado por uma alteração específica no início do trajeto? Eu tinha um pai botânico e uma mãe que sabia o nome de qualquer flor silvestre que se pudesse encontrar pela frente — e os dois estavam sempre ávidos por satisfazer a curiosidade do filho pelo mundo real. Será que isso foi importante para minha vida? Sem dúvida foi.

Minha família mudou-se para a Inglaterra quando eu tinha oito anos. E se não houvesse sido assim? De última hora fui mandado para Oundle em vez de para Marlborough. Teria essa mudança arbitrária selado meu futuro? Ambas as escolas eram só para meninos. Os psicólogos poderiam aventar que eu teria me tornado uma pessoa mais ajustada socialmente caso tivesse ido para uma escola mista. Eu passei raspando em Oxford. E se não tivesse passado, como quase aconteceu? E se jamais tivesse tido as tutorias com Niko Tinbergen, e assim tivesse seguido meu plano inicial de pesquisar bioquímica para minha tese de doutorado, em vez de comportamento animal? Será que minha vida teria sido diferente? Provavelmente nunca teria escrito livro nenhum.

Mas talvez a vida tenha uma tendência a convergir para um caminho, algo como uma atração magnética que nos puxa de volta a nosso rumo apesar de desvios temporários. Como bioquímico, será que eu acabaria retornando ao caminho que levou a *O gene egoísta*, ainda que com uma inclinação mais molecular? Talvez a atração desse caminho me levasse a escrever (mais uma vez com inclinação bioquímica) versões de cada um dos livros que publiquei. Duvido muito, mas esta ideia de "retornar ao caminho" não é de todo desinteressante e eu... hã... retornarei a ela.

As hipóteses que levanto são relativamente amplas. Tome-se algo totalmente trivial mas ainda assim, afirmarei, momentoso. Já especulei que nós mamíferos devemos nossa existência a um só espirro específico dado por um dinossauro específico. E se Alois Schicklgruber tivesse por acaso espirrado num momento específico — em vez de em algum outro momento específico — durante qualquer ano anterior a meados de 1888, quando foi concebido seu filho Adolf Hitler? É óbvio que não faço a menor ideia da sequência exata de fatos aí envolvida, e é certo que não existem registros históricos das esternutações de Herr Schicklgruber, mas tenho a convicção de que uma variação tão trivial quanto um espirro dado em, digamos, 1858 seria mais do que suficiente para alterar o curso da história. O malfadado esperma que engendrou Adolf Hitler foi um de incontáveis bilhões produzidos durante a vida de seu pai, e o mesmo vale para seus dois avôs, e quatro bisavôs etc. Não é só plausível mas certo, acredito eu, que um espirro dado muitos anos antes da concepção de Hitler teria tido repercussões suficientes para desencaminhar a circunstância trivial de um determinado esperma encontrar um determinado óvulo, assim alterando os rumos de todo o século xx, inclusive a minha existência. Não nego, é claro, que algo como a Segunda Guerra Mundial poderia muito bem ter acontecido mesmo sem Hitler, tampouco digo que a loucura maligna de Hitler fosse predeterminada pelos seus genes. Com uma criação diferente, Hitler poderia ter virado uma pessoa boa, ou pelo menos pouco influente. Mas é certo que sua própria existência, e a guerra tal como se desenrolou, dependeu da feliz — ou infeliz — coincidência de que um determinado espermatozoide teve sorte.

> *A million million spermatozoa,*
> *All of them alive:*
> *Out of their cataclysm but one poor Noah*
> *Dare hope to survive.*
>
> *And among that billions minus one*
> *Might have chanced to be*
> *Shakespeare, another Newton, a new Donne—*
> *But the One was Me.*
>
> *Shame to have ousted your betters thus,*
> *Taking ark while the others remained outside!*
> *Better for all of us, froward Homunculus,*
> *If you'd quietly died!**
>
> Aldous Huxley

* Em tradução livre: "Um milhão de milhões de espermatozoides,/ Vivos, todos eles:/ Deste cataclismo, um coitado Noé/ Ousou ter a esperança de sobreviver.// E dentre os bilhões menos um/ Teria a chance de ser/ Shakespeare, outro Newton, o novo Donne.../ Mas o Um era Eu.// Vergonha de ter destituído os melhores,/ Pegando a arca enquanto outros ficaram de fora!/ Melhor para todos nós, homúnculo teimoso,/ Se você morresse quieto no seu canto!". (N. T.)

Tivesse seu pai espirrado em um momento hipotético determinado, Adolf Hitler não teria nascido. Nem eu, pois devo minha improvável concepção à Segunda Guerra Mundial — assim como a coisas muito menos momentosas que se passaram. E, é claro, todos nós podemos estender o argumento até incontáveis gerações passadas, como eu fiz com meu hipotético dinossauro e o destino dos mamíferos.

Levando em conta a contingente fragilidade da cadeia de eventos que conduziu à nossa existência, ainda podemos questionar — como fiz há um instante — se os rumos da vida de um sujeito são sugados, magneticamente, para caminhos previsíveis, não obstante as trepidações brownianas de espirros e outros acontecimentos triviais ou não tão triviais. E se a especulação jocosa de minha mãe fosse mesmo verdade, se a Clínica Eskotene tivesse mesmo me trocado pelo filho dos Cuthbert e eu tivesse sido criado como a criança errada num lar missionário? Será que hoje eu seria missionário ordenado? Acho que os geneticistas sabem o suficiente para dizer que não, provavelmente não.

Caso minha família permanecesse na África e eu continuasse na Eagle em vez de me mudar para a Chafyn Grove, e então fosse enviado a Marlborough em vez de a Oundle, teria eu entrado em Oxford e conhecido Niko Tinbergen? Não é improvável, pois meu pai ainda estaria aferrado à ideia de me ver seguir o mesmo caminho que ele e meia dúzia de Dawkins haviam trilhado rumo a Balliol. Apesar das bifurcações na estrada, os caminhos podem voltar a convergir. A probabilidade de se reencontrarem depende de questões genuinamente investigáveis, tais como a relativa contribuição dos genes e da instrução para capacidades e propensões adultas.

Deixemos de lado as elevadas especulações sobre espirros hipotéticos e caminhos convergentes e voltemos a território conhecido. Quando um homem passa sua vida em revista, devem ocorrer-lhe algumas perguntas, como: quanto do que ele realizou, ou deixou de realizar, poderia a sua infância ter dado a prever? Quanto pode ser atribuído a qualidades mensuráveis? Aos interesses e passatempos de seus pais? A seus genes? Ao acaso de conhecer um professor de particular influência, ou ao acaso de ir para um acampamento de verão? Será que ele consegue listar suas capacidades e deficiências, seus prós e contras, e usá-los para entender seus sucessos e fracassos? Esse é o terreno conhecido a que me referi, e foi por aí que andou, por exemplo, Darwin no final de sua autobiografia.

Charles Darwin é meu maior herói das ciências. Os filósofos gostam de dizer que toda a filosofia é uma série de notas de rodapé a Platão. Sinceramente espero que não seja o caso, pois não diz muito sobre a filosofia. Uma asserção muito mais justa seria a de que toda a biologia moderna é uma série de notas de rodapé a Darwin. E seria um verdadeiro elogio à ciência da biologia. Todo biólogo segue os passos de Darwin; e, com toda a humildade, nenhum de nós poderia fazer melhor do que seguir o exemplo dele. Nas páginas finais de sua autobiografia, ele ensaiou uma listagem retrospectiva de aptidões pessoais que possuía ou não. De novo com toda a humildade, farei o mesmo, tomando seu método de autoavaliação como modelo a ser seguido.

> Não tenho rapidez de apreensão, nem a espirituosidade tão marcante em alguns homens de inteligência, como Huxley.

Aqui, pelo menos, posso reivindicar afinidade mental com Darwin, embora no caso dele a modéstia tenha sido exagerada.

> Minha capacidade de seguir uma linha de raciocínio longa e puramente abstrata é muitíssimo limitada; ademais, eu jamais obteria êxito na metafísica ou na matemática.

Mais uma vez, o mesmo para mim, apesar da reputação ridiculamente infundada que desfrutei — ou aguentei — durante meu período na Bevington Road. John Maynard Smith, ele próprio biólogo matemático, numa edição do *London Review of Books* saída em 1982, ao final de uma resenha conjunta de *O gene egoísta* e a sequência (destinada a biólogos profissionais), The Extended Phenotype [O fenótipo estendido], expressou de maneira cativante o seu assombro ante a ideia de "pensar em prosa":

> Deixei para o final o que é para mim a característica mais estranha de ambos os livros porque suspeito que ela não causará estranhamento a muitos. É que nenhum desses dois livros contém uma só formulação matemática, e mesmo assim não tive dificuldade em entendê-los; até onde pude detectar, também não há erros de lógica. E mais, Dawkins não delineou suas ideias matematicamente para depois convertê-las em prosa: ao que tudo indica, ele pensa em prosa, embora possa ser significativo que, enquanto escrevia *O gene egoísta*, ele se recuperava de um vício gravíssimo em programação computacional, atividade que obriga o sujeito a pensar com clareza e dizer exatamente o que quer dizer. É uma infelicidade que, na maioria, os que escrevem sobre a relação entre genética e evolução sem o esteio intelectual da matemática se mostrem incompreensíveis ou equivocados, e não raro ambos. Dawkins é uma feliz exceção a essa regra.

Voltando ao monólogo autobiográfico de Darwin:

> Em um sentido, minha memória é tão fraca que nunca consegui lembrar uma única data ou passagem de poesia por mais que alguns dias.

Isso de fato poderia ser verdade, mas não parece tê-lo atrapalhado. Minha capacidade de recordar poesia palavra por palavra não ajudou muito minha ciência, embora tenha enriquecido minha vida e eu jamais desejasse perdê-la. É possível, também, que o senso de cadência poética tenha alguma influência no meu estilo de escrita.

> Meus hábitos são metódicos, o que não é de pouca utilidade na minha área de trabalho. Por fim, tive amplo ócio por não ter de pagar o meu pão. Mesmo a saúde debilitada, embora tenha aniquilado vários anos de minha vida, poupou-me das distrações da sociedade ou do entretenimento.

Meus hábitos são tudo menos metódicos, e isso — não a saúde debilitada, no meu caso — certamente aniquilou o que poderia somar anos de vida mais produtiva. A mesma acusação poderia ser feita às distrações da sociedade ou do entretenimento (e do brincar com computadores, no meu caso), mas a vida é tanto para viver quanto para produzir. Eu tive de ganhar o meu pão. Porém — embora ignore com gosto os ataques que já recebi (sim, é sério) por ser branco, homem e bem instruído —, não posso negar certa dose de privilégio desmerecido quando comparo minha infância, adolescência e juventude a outros menos afortunados. Não peço desculpas pelos privilégios, assim como um homem não deveria se desculpar por seus genes ou por seu rosto, mas tenho plena consciência de tudo que recebi. E sou grato a meus pais por me darem o que a alguns se afigura uma infância privilegiada. Outros podem já não achar bem uma bênção ter sido enviado ao regime espartano do internato aos sete anos, mas mesmo aí eu agradeço a meus pais, para quem essa opção educacional dava uma enorme despesa, que lhes exigiu sacrifícios.

Darwin havia antes deixado a modéstia um pouquinho de lado ao tratar de seus poderes de raciocínio — prodigiosos, por qualquer parâmetro que se adote:

> Alguns de meus críticos já disseram: "Ah, ele é bom observador, mas não tem capacidade de raciocínio". Não acho que seja verdade, pois *A origem das espécies* é um extenso argumento do início ao fim, e não foram poucos os homens capazes que ele convenceu. Ninguém poderia tê-lo escrito sem algum poder de raciocínio.

Sr. Darwin (nunca Sir Charles — e que espantosa acusação ao sistema britânico de honrarias), esta última frase deveria ganhar o prêmio mundial de eufemismo. Sr. Darwin, você é um dos maiores raciocinadores e um dos maiores persuasores de todos os tempos.

Eu não sou bom observador. Não tenho orgulho disso e me esforço, mas não sou o naturalista que meu pai e o pai dele gostariam que eu fosse. Falta-me paciência, e não tenho grandes conhecimentos de nenhum animal específico, tampouco — mesmo com um privilégio da infância — de nenhum grupo de plantas. Só conheço o canto de uma meia dúzia de pássaros britânicos, e só consigo identificar mais ou menos o mesmo número de constelações no céu e de famílias de flores silvestres. Sou muito melhor em filos, classes e ordens do reino animal, como não poderia deixar de ser, já que estudei zoologia em Oxford — nenhuma outra universidade dava tanto valor à abordagem clássica do tema.

As evidências indicam que sou um persuasor de eficácia razoável. Desnecessário dizer que os assuntos em que consigo persuadir são fichinha perto dos de Darwin — exceto no sentido de que, por incrível que pareça, o trabalho de persuadir as pessoas a acreditar no próprio Darwin ainda não acabou, e hoje eu sou um dos trabalhadores a labutar no vinhedo darwiniano. Mas essa história pertence à segunda metade de minha vida, durante a qual escrevi a maioria de meus livros: pertence ao volume a seguir, que dentro de dois anos deve vir fazer companhia a este — caso eu não seja levado embora por algum imprevisto equivalente a um espirro.

Agradecimentos

Pelos conselhos, pela ajuda e pelo apoio das mais variadas espécies, gostaria de agradecer a Lalla Ward Dawkins, Jean Dawkins, Sarah e Michael Kettlewell, Marian Stamp Dawkins, John Smythies, Sally Gaminara, Hilary Redmon, Sheila Lee, Gillian Somerscales, Nicholas Jones, John Brockman, David Glynn, Ross e Christine Hildebrand, Bill Newton Dunn, R. Elisabeth Cornwell, Richard Rumary, Alan Heesom, Ian McAlpine, Michael Ottway, Howard Stringer, Anna Sander, Paula Kirby, Stephen Freer, Bart Voorzanger, Jennifer Jacquet, Lucy Wainwright, Bjorn Melander, Christer Sturmark, Greg Stikeleather, Ann-Kathrin Ehlers, Jan e Richard Gendall, Rand Russell.

Créditos de excertos

Empreendeu-se todo esforço para localizar os detentores de direitos autorais, mas todos que não tenham sido mencionados aqui estão convidados a entrar em contato com a editora.

"To the Balliol Men Still in Africa" [Aos homens de Balliol ainda na África], de Hilaire Belloc, reproduzido com autorização da Peters Fraser & Dunlop (www.petersfraserdunlop.com), em nome do espólio de Hilaire Belloc.

Excerto de *Iris Murdoch: A Life*, de Peter J. Conradi © Peter J. Conradi, 2001, reproduzido com autorização da A. M. Heath & Co Ltd. e da W. W. Norton.

Excerto de *The Autobiography of Bertrand Russell*, de Bertrand Russell © 2009 The Bertrand Russell Peace Foundation, reproduzido com autorização da Taylor & Francis Books UK e da Bertrand Russell Peace Foundation Ltd.

Letra de "A Song of Reproduction" reproduzida com autorização dos espólios de Michael Flanders & Donald Swann, 2013. Qualquer uso de material de Flanders & Swann, seja grande ou pequeno, deve ser comunicado aos patrimônios via leonberger@donaldswann.co.uk.

Excerto de "Summoned by Bells", extraído de *Collected Poems*, de John Betjeman © 1955, 1958, 1962, 1964, 1968, 1970, 1979, 1981, 1982, 2001, reproduzido com autorização da John Murray (editora) e do espólio de John Betjeman.

Excerto de "A Hike on the Downs", extraído de *Collected Poems*, de John Betjeman © 1955, 1958, 1962, 1964, 1968, 1970, 1979, 1981, 1982, 2001, reproduzido com autorização da John Murray (editora) e do espólio de John Betjeman.

Créditos das imagens

Todos as fotos são da coleção da família Dawkins (agradecimentos a Sarah Kettlewell), com exceção das relacionadas abaixo. Empreendeu-se todo esforço para localizar os detentores de direitos autorais, mas todos que não tenham sido mencionados aqui estão convidados a entrar em contato com a editora.

IMAGENS DA P. 188

Cerura vinula (no capítulo "Aprendendo o ofício"): foto gentilmente cedida por N. Tinbergen.

CADERNOS DE IMAGENS

Primeiro caderno

Igreja de St. Mary, Chipping Norton: foto gentilmente cedida por Nicholas Kettlewell.

Clinton Edward Dawkins (1880), Clinton George Evelyn Dawkins (1902), Clinton John Dawkins (1934), Arthur Francis "Bill" Dawkins (1935/6): fotos gentilmente cedidas pelo Balliol College, Oxford.

Segundo caderno

Rabo-de-andorinha imperial (*Papilio ophidicephalus*): © Ingo Arendt/Minden Pictures/Corbis.

Terceiro caderno

Salão da Oundle School, Northamptonshire: © Graham Oliver/ Alamy; Ioan Thomas, 1968: arquivo da Oundle School.

Niko Tinbergen pintando ovos de galinha para parecerem ovos de gaivota, aprox. 1964: Time & Life Pictures/Getty Images; Mike Cullen, 1979: arquivo da Monash University, foto de Hervé Alleaume; a caçada ao puma de Surrey: foto gentilmente cedida por Virginia Hopkinson; manifestantes do Parque do Povo e a Guarda Nacional, Berkeley, 19 de maio de 1969: © Bettmann/Corbis; de barco em Oxford: foto gentilmente cedida por Lary Shaffer; Peter Medawar no University College, 26 de novembro de 1960: Getty Images.

RD e Ted Burk, novembro de 1976: Time & Life Pictures/Getty Images; Danny Lehrman e Niko Tinbergen: foto gentilmente cedida pelo professor Colin Beer; Niko Tinbergen filmando: gentilmente cedida por Lary Shaffer.

William D. Hamilton e Robert Trivers, Harvard, 1978: foto gentilmente cedida por Sarah B. Hrdy; Michael Rodgers: foto gentilmente cedida por Nigel Parry; RD e George C. Williams: foto de Rae Silver gentilmente cedida por John Brockman; John Maynard Smith: Corbin O'Grady Studio/ Science Photo Library; *O gene egoísta*: agradecimento a Keith Cullen.

Índice remissivo